Honger naar de bal

RICHARD KRAJICEK

Honger naar de bal

12 topsporters praten over hun passie

TIRION SPORT

Dit boek is gepubliceerd door
Tirion Uitgevers BV
Postbus 309
3740 AH Baarn

www.tirionuitgevers.nl

Omslagontwerp: Sin Conceptual Design, Reinier Hamel
Omslagfoto: Clemens Rikken
Typografie: Mat-Zet, Soest
Research en tekstvoorbereiding: Theo Bakker

ISBN 90 4390 774 X
NUR 480

Inhoud

Voorwoord 7

Dankwoord 9

Leontien Zijlaard-van Moorsel – Pijn lijden 11
Rintje Ritsma – Durven innoveren 27
Lornah Kiplagat – Tradities doorbreken 45
Pieter van den Hoogenband – De bovenkamer trainen 57
Esther Vergeer – Doorzettingsvermogen 75
Frank Rijkaard – Durven loslaten 89
Maarten den Bakker – Uit het dal 107
Inge de Bruijn – Eenzaamheid verdragen 121
Ruud Gullit – Omgaan met je imago 137
Lucia Rijker – In balans zijn 153
Khalid Boulahrouz – Zelfdiscipline 175
Johan Cruijff – Eigengereid zijn 189

Verantwoording 206

'Vroeger was ik fanatiek en perfectionistisch, stond ik altijd onder druk van mezelf. Nu weet ik: zelfacceptatie is het belangrijkste. Ieder krijgt zijn deel.'

Hennie Kuiper – wielrenner

'Passie is een lastig en moeilijk te omschrijven begrip. Het omvat concentratie, intrinsieke motivatie, interesse, energie, enthousiasme, positivisme, hulpvaardigheid, betrokkenheid en een totale, onvoorwaardelijke inzet. Het is liefde voor de sport.'

Ton Boot – basketbalcoach

Voorwoord

Bij het schrijven van mijn autobiografie *Harde Ballen* heb ik veel nagedacht over de vraag wat het betekent een topsporter te zijn. Waarom vond ik het nu eigenlijk leuk mezelf zo af te beulen? Waar haalde ik de inspiratie vandaan om elke dag nog harder te trainen? Tennis was mijn passie – daarvoor zette ik meer dan 25 jaar alles opzij. Voor die passie heb ik een hoge tol betaald maar als ik zou kunnen kiezen, zou ik het precies wéér zo doen. Nadat ik *Harde Ballen* had geschreven, vroeg ik me af hoe de weg naar de top voor andere sporters was verlopen. Wat zijn hun ervaringen met een leven dat voornamelijk in het teken staat van de sport? Ik stelde een lijst samen van twaalf succesvolle én intrigerende Nederlandse sporters en besloot hen samen met sportjournalist Theo Bakker te interviewen over hun passie voor de sport. Deze openhartige verhalen zijn nu gebundeld in *Honger naar de bal*. Over één ding zijn al deze sporters het eens: met talent alléén red je het niet. De meervoudige grand slam-winnares Serena Williams heeft eens gezegd dat iemand met negentig procent inzet en tien procent talent méér zal bereiken dan iemand met negentig procent talent en tien procent inzet. Dit geldt overigens niet alleen voor atleten, maar voor iedereen die iets wil bereiken. Om als profsporter te kunnen slagen, moet je een aantal zeer specifieke karaktereigenschappen bezitten: je moet niet alleen doorzettingsvermogen hebben, maar ook een flinke portie discipline, eigengereidheid en het vermogen veel pijn te verdragen. Daarnaast moet je tradities durven doorbreken, vernieuwend zijn, tegen de eenzaamheid kunnen, in balans blijven en jezelf uit een dal kunnen tillen. Naast alle fysieke arbeid moet je ook de bovenkamer trainen en leren omgaan met je imago. En tot slot moet je ook durven loslaten – ook al heb je vier lange jaren alles voor die ene Olympische Spelen opzijgezet. De twaalf Nederlandse topsporters die Theo Bakker en ik voor dit boek hebben geïnterviewd, vertegenwoordigen ieder op hun eigen manier een van deze eigenschappen. Maar ondanks hun verscheidenheid hebben zij één ding gemeen: ze hebben allemaal een niet te stuiten honger naar de bal.

Richard Krajicek, januari 2006

Dankwoord

Ik wil hier speciaal Theo Bakker bedanken voor al het werk dat hij heeft verricht bij het tot stand komen van dit boek: de research, het voorbereiden en het afnemen van de interviews en het bedenken van nieuwe invalshoeken. Theo, zonder jou was *Honger naar de bal* niet geworden wat het nu is. Daarnaast wil ik uiteraard de bekende Nederlanders bedanken die speciaal voor dit boek hun 'sportieve passie' op papier hebben gezet. En *last but not least* wil ik alle topsporters bedanken die belangeloos hun medewerking hebben verleend aan dit boek. Ondanks al hun drukke trainingsschema's en andere verplichtingen hebben zij toch ruimschoots de tijd genomen om met mij of Theo Bakker te praten over hun passie voor de sport. Bedankt voor de openhartigheid en het inzicht dat jullie hebben gegeven in wat het betekent om een topsporter te zijn.

Richard Krajicek

Leontien Zijlaard-van Moorsel

Pijn lijden

Tijdens het interview met Leontien Zijlaard-van Moorsel zijn mij twee dingen opgevallen: haar grote verlangen naar kinderen en haar hoge pijngrens. Er is mij wel eens gevraagd mijn tenniscarrière in één woord samen te vatten en het eerste woord dat mij te binnen schoot, was 'pijn'. Ik denk dat maar weinig mensen zich realiseren hoeveel pijn het doet om een topsporter te zijn. Nu hoeft niemand zich dat ook te realiseren, want voor toeschouwers is sport in de eerste plaats amusement. En ik moet zeggen: je went eraan. Afzien hoort erbij. De meeste topsporters vinden het zelfs een uitdaging om steeds weer de grenzen op te zoeken van wat hun lichaam kan verdragen. Ik zal nooit vergeten hoe Leontien na het bereiken van het werelduurrecord tegen een krant vertelde dat zij hierbij 'haar hele onderbouw aan flarden had gereden'. Deze terloopse opmerking was even plastisch als veelzeggend. Het is geen wonder dat Leontien een van de populairste Nederlandse sporters is: ze is openhartig en gedreven, krachtig maar ook kwetsbaar. Haar dramatische val op de Olympische Spelen van Athene en de gouden medaille die er toch nog op volgde, staan bij veel sportliefhebbers op het netvlies gebrand. Iemand heeft eens tegen mij gezegd dat mensen net theezakjes zijn: wanneer ze in heet water komen te hangen, weet je pas hoe sterk ze zijn. Leontien heeft niet alleen de longen uit haar lijf gefietst, maar ook anorexia overwonnen en nare dopinggeruchten van zich afgeschud.

Omdat het professionele wielrennen zo'n zware wissel op haar lichaam trok, heeft zij zich altijd afgevraagd of ze later nog wel kinderen kon krijgen. Ik gun het Leontien van harte om nu samen met haar Michael aan een gezin te gaan beginnen. Ik herken haar gevoelens maar al te goed: ik weet uit eigen ervaring hoe heerlijk het is om na je profcarrière 's ochtends wakker te worden zonder pijn. Maar ik weet ook dat Leontien zich nooit door de pijn heeft laten weerhouden. Want, zoals haar collega-wielrenner Lance Armstrong eens heeft gezegd: 'Pijn is slechts tijdelijk, maar opgeven is voor altijd.'

'Nadat je was gestopt heb je gezegd: sport is gezond, maar topsport juist niet.'

'Ik sta nog steeds volledig achter die uitspraak. Zoals ik nu aan het sporten ben, gewoon lekker vetverbranding op hartslag 120/160 maximaal, dat is gezond. Maar als ik de beelden terugzie en eraan terugdenk hoe het met me gesteld was na de olympische tijdrit in Athene, hoe ik eraan toe was na de trainingen voor het werelduurrecord en hoe ik me voelde ná dat werelduurrecord... nee, dat is absoluut niet gezond.'

'Hoe voelen, wat voelen?'

'Bij de laatste Olympische Spelen moest ik na de tijdrit echt even gaan zitten. Ik dacht: het Wilhelmus ga ik niet meer meemaken! Alsof ik uit elkaar zou spatten. Dat is een heel raar gevoel en dat is ook verre van gezond. Dat alles een helse pijn doet, je je licht voelt in je hoofd, zo diep ben je gegaan, helemaal aan het einde van je Latijn.'

'Of had je moeten zeggen: zoals ík topsport bedreven heb, was niet gezond?'

'Ik denk het wel ja. Niet dat ik de enige ben, want er zijn er natuurlijk meer in de wereld die topsport zo bedrijven, maar ik was daarin extreem. Meisjes die met mij getraind hebben, die bij mij gekoerst hebben, zeggen allemaal: lieve Heer, wat kon die Van Moorsel diep gaan. Het is een talent dat je meekrijgt om zo pijn te kunnen lijden.'

'Heb je het van je vader en moeder?'

'Mijn papa en mama hebben veel meegemaakt in hun leven. Ik heb als kind mijn vader en moeder altijd alleen maar zien vechten voor wat ze hebben bereikt. Dat heb ik opgeslagen en dat is er in mijn topsportcarrière uitgekomen. Dat was voor mij normaal. Ik vind ook dat het zo hoort in het leven, dat je niet gelijk bij de pakken moet gaan neerzitten. Daarom ben ik blij dat mijn ouders mij dat voorbeeld hebben gegeven, ik heb daar veel aan gehad in de sport.'

'Heb je dat wel eens tegen hen gezegd?'

'Ze weten wel hoe ik daarover denk. Nu ik ben gestopt ga ik er meer over nadenken. Mijn vader is een sterke man maar ik denk toch dat ik het lichaam van mijn moeder heb. Als die bijvoorbeeld ziek was, echt doodziek, met 41 graden koorts, ging ze tóch koken voor de hele familie. Niet zeiken maar doorgaan, was haar motto. En op momenten dat het slecht ging met mijn vader, want we hadden een aannemersbedrijf en mijn vader heeft door hartproblemen vaak in het ziekenhuis gelegen, deed dat vrouwtje net zo goed het zware werk. Ik ken mijn moedertje niet anders dan dat ze met zakken cement van vijftig kilo aan het sjouwen was.'

'Heb jij je ouders met jouw fietsen willen steunen, troosten?'

'Mijn ouders hadden het eerst financieel goed omdat ze een aannemersbedrijf hadden. Toen werd mijn vader zwaar ziek en ging de zaak failliet. Eerst kon alles, daarna moesten ze elk dubbeltje omdraaien. Ik heb altijd gedacht: als ik iets kan terugdoen voor mijn ouders, doe ik dat, zeker weten. Bij de tweede Tour lag ik in winnende positie. Ik stond negen seconden voor op Longo. De laatste etappe ging naar Alpe d'Huez, maar ik was die dag slecht. Ik was nog jong en nog niet hersteld van de voorgaande dagen. Doodmoe begon ik aan die laatste etappe. Die dag heb ik vaak aan mijn ouders gedacht. Ik dacht: ze hebben jou laten fietsen, jou goed in de topsport gebracht, hun best gedaan voor jou, dan ga jij hier niet opgeven. Ik stierf nog liever in die klim dan dat ik ging verliezen. Dat kon ik niet maken tegenover die mensjes. Als dat niet die hele etappe in mijn kop had gezeten, had ik nooit die Tour gewonnen.'

'Afstappen komt niet in mijn woordenboek voor.'

'Je hebt gezegd: een dag niet op de fiets is een dag niet geleefd. Voelde jij je schuldig als je trainingen oversloeg?'

'Dat schuldgevoel heb ik een hele tijd gehad, maar dat had met mijn anorexia te maken. Dan sportte je een dag niet en dacht je meteen dat je zwaarder werd. Dus dat stond in verband met elkaar. Totdat ik Michael leerde kennen. Die heeft me geleerd de middenweg te bewandelen in de sport. Ik geloofde dat eerst niet, ik dacht dat je echt elke dag moést trainen om nog beter te worden. Toen zei Michael: "Leontien, probeer het nou eens, zes dagen jezelf belasten en de zevende rust nemen. Ik ben er heilig van overtuigd dat je op een hoger niveau uitkomt." En, ja, Michael maakte meer bij mij los dan wie ook! Ik ben dat gaan doen en uiteindelijk werd ik er alleen maar sterker door. In mijn tweede wielercarrière heb ik geleerd om zes dagen in de week met die sport bezig te zijn, maar dat het ook belangrijk is om je lichaam een dag rust te geven. Niet alleen je lichaam, ook je geest. Even andere dingen doen.'

'Was een training pas een training als je pijn had gehad?'

'Voor mij eigenlijk wel. Dat was ook een slechte eigenschap, want duurtraining hoorde erbij en dat vond ik verschrikkelijk saai. Zes uur op die fiets zitten, terugkomen en denken: ik heb helemaal niks gedaan! Dan had je niks gevoeld. Die hartslagmeter mocht natuurlijk niet hoger. Verschrikkelijk. Ik had daar zó'n moeite mee. Alles ging pijn doen, weet je wel, omdat je niets te doen hebt op die fiets. Omdat je niet ergens mee bezig bent, bijvoorbeeld tien minuten hard, tien minuten zacht. Bij alleen maar duur, duur, duur, zat je ook zo lang op dat zadel. En een zere onderrug! Als ik intervaltraining deed, voelde ik nooit wat. Ja, ik zag af, maar dat vond ik mooi. Dan had ik dat "voldane" gevoel.'

De sportieve passie van... Herman van Veen, cabaretier

'Sport is het leven zelf. Het is onvermijdelijk. Ik geniet niet alleen van het bedrijven van sport, maar ik vind het ook heel leuk om ernaar te kijken. Elke oorlog zou vervangen moeten worden door een wedstrijd, in welke discipline dan ook. Het beroep dat ik uitoefen, is ook topsport. Ik maak al veertig jaar theater. Elk jaar speel ik zo'n honderd keer voorstellingen van drie uur over de hele wereld. Dat werk is mijn gezondheid; ik kan me een leven zonder theater niet voorstellen. Ik volg de meeste grote sportevenementen op televisie, maar ik zie ze ook graag live. Ik houd het meest van voetballen, tennissen, wielrennen en golfen. Ik had ook grote bewondering voor de tennisser Arthur Ashe, die als eerste Afrikaanse Amerikaan een groot toernooi won. Zijn vreugde en verbijstering staan op mijn netvlies gebrand.'

'"Verveling" op de fiets was pijnlijker?'

'Ja, veel erger dan de pijn van zware interval. Het werelduurrecord is ontzettend zwaar geweest, maar toch heb ik daarvan genoten. Het is de voldoening na die tijd, het geeft zo'n kick. Elke keer wéér proberen iets langer dat tempo vast te houden. Wat je in het begin nog geen minuut kan, hou je uiteindelijk een uur lang vol. Dat was zo mooi.'

'Wanneer is in het eerste deel van jouw carrière gewicht verliezen een onderdeel van de training geworden?'

'Toen ik negentien, begin twintig was. Coach Piet Hoekstra, voor wie ik trouwens veel respect heb en van wie ik veel heb geleerd, zag me rijden in een internationale wedstrijd en merkte op dat ik een aantal kilo's te zwaar was. Hij zei: "Leontien, je kunt in sommige etappes nu al met de besten mee. Je bent negentien, als je probeert elk jaar 2,5 kilo eraf te krijgen ben je in 1992 bij de Olympische Spelen in Barcelona helemaal top." Dat was in '89. Maar ik kon de middenweg niet bewandelen. Aan de ene kant is dat goed voor een topsporter, aan de andere kant is dat mijn ondergang geworden. Het is bij mij alles of niks. Dus ik dacht: hallo, elke winter twee kilo? Ik haal er in één winter tien, vijftien kilo af! Waar Piet vier jaar over wilde doen, dat deed ik in één winter. In twee maanden, of zo.'

'Wanneer is het gestopt en waardoor?'

'Mijn ouders zeiden al een hele tijd dat het niet goed ging en mijn zussen ook, want ik was altijd een meid die van gezelligheid hield. Met familie om me heen. Joh, ik heb mijn kleine nichtjes helemaal niet zien opgroeien. Ik leefde totaal in mijn eigen wereldje, was alleen nog maar bezig met dat gewicht. Ik vond het irritant als ze bij ons kwamen. Mijn zussen en mijn ouders waarschuwden me wel, maar het was voor hen ook moeilijk want ik blééf winnen. Ik kwam die man met die hamer niet tegen.'

'Wanneer kwam je die wél tegen?'

'Ik kwam Michael tegen, in 1992, voor de Olympische Spelen in Barcelona. Ik ben toen een halfjaar met hem omgegaan en na dat halfjaar zei hij: "Leontien, ik dacht dat het normaal was voor een topsporter om zo te leven. Ik heb altijd veel respect voor je maar dit is abnormaal. Je hebt ook nog een leven! Ik kan dit niet meer aanzien. Als jij je leven kapot wilt maken moet je dat maar doen, maar dan zonder mij." Ik dacht: joh, laat hem lekker praten, ik ben wereldkampioen. Maar dat was wél het moment dat ik ging nadenken: het gaat niet goed met mijn familie, mijn zussen waarschuwen me, ik heb nichtjes en neefjes van wie ik me de eerste jaren niet kan herinneren, het gaat fout. Na drie jaar leven als een computer moest ik mijn leven anders gaan programmeren.'

'Was het alleen Michael, of ben je er ook fysiek of geestelijk aan onderdoor gegaan?'

'Ik heb diep gezeten, ja. Ik won twee keer de Tour, in '92 en '93, en werd wereldkampioen, maar het zijn de ongelukkigste jaren in mijn leven geweest. Ik kon nergens van genieten, ook niet van de zeges. Terwijl dat in de topsport juist het mooiste moet zijn. Ik was alleen maar gefocust op verder afvallen. Ik was niet bezig om wereldkampioen te worden, maar om af te vallen. Dát is anorexia, ik stond honderd keer per dag op die weegschaal. En ik was al blij als er weer een ons af was.'

'Hoe ben je hersteld van die anorexia?'

'Michael en ik zijn een halfjaar uit elkaar geweest en toen pas besefte ik dat ik zo niet verder wilde gaan. Ik moest wat veranderen, maar kon dat niet alleen. Na die zes maanden kwam ik Michael tegen en hebben we een goed gesprek gehad. Hij vroeg of ik het echt wilde. Toen ik ja zei heeft Michael mij geholpen met dat hele proces.'

'Hoe ging het in die tijd met het fietsen?'

'Het liep tot voorjaar '94 goed, daarna ging ik helemaal naar de donder. Dan ging ik bijvoorbeeld een pizza eten en een ijsje en vervolgens at ik drie dagen niet. Ik hield Michael een beetje voor de gek. In '94 kwam ik dus die man met de hamer tegen, toen heeft Michael me opgehaald in Frankrijk. Ik was dood- en doodmoe. Kon mijn bekertje niet meer optillen! Mijn spieren verkrampten helemaal, ik was leeg. Gewoon op, ik kon niks meer. Geestelijk en lichamelijk was ik in die tijd een wrak. Ik ben bij Michael in huis gaan wonen, zijn moeder heeft mij erg geholpen. Ik heb weer moeten leren om drie keer per dag normaal te eten. Ook heb ik niet meer gefietst toen, ik kon niet meer. Dat heeft anderhalf jaar geduurd. Intussen was ik bijna 30 kilo zwaarder geworden.'

'Hoe was die anderhalf jaar?'

'Bijzonder zwaar. Ik wilde beter worden maar ik moest eerst aan normaal voedsel wennen, anders werd ik nooit meer gezond. Mijn lichaam was totaal verziekt. Mijn lijf was eraan gewend heel weinig voedsel binnen te krijgen en toch zes uur per dag te trainen. Dus ik wist dat ik eerst dik zou moeten worden om daarna op een normale manier het overgewicht eraf te krijgen. Michael heeft in die tijd wel honderd keer per dag gezegd dat het niet om de buitenkant gaat maar om de binnenkant. Dat was voor hem ook niet gemakkelijk, hoor. We waren allebei nog bar jong.'

'Wilde je na die achttien maanden weer op de fiets?'

'Aan de ene kant wel. Maar ik wist ook dat het zwaar zou worden. Ik heb een aantal wedstrijden gereden, maar dan is het Nederlandse volk hard. Ik bedoel, als een normaal mens dik is, zeggen ze er wat van. Dus of je nu een bekende Nederlander bent of iemand uit de "normale" maatschappij: ik was te dik. Dan zeiden ze: "Van Moorsel, ga wat anders doen, je bent veel te vet om te fietsen." Negen van de tien Nederlanders zitten zo in elkaar.
Het was hard, maar als ik foto's terugzie wél de waarheid. Ik ben toen op-

nieuw een halfjaar gestopt want ik wilde eerst een gewicht hebben waarbij ik me lekker voelde. Als de mensen me dan nog te dik zouden vinden, zou ik daar niet mee zitten. Ik moest in de spiegel kunnen kijken en mezelf accepteren.
Mijn gewicht heb ik in die zes maanden teruggebracht van 83 kilo naar 67 kilo. Ik was nog steeds stevig, maar dat ben ik altijd geweest; zelfs in mijn anorexiaperiode woog ik toch nog zo'n 58 kilo.'

'Moet je je gewicht nog steeds in de gaten houden?'

'Ja, maar ik ben er nu op dezelfde manier mee bezig als negen van de tien vrouwen. Ik vind het leuk om slank te zijn terwijl het in mijn genen zit om fors te zijn, dus ik kan niet zeggen dat ik er niets voor hoef te doen. In de weekeinden doe ik nu lekker mee, maar door de week let ik op wat ik eet. Maar iedereen die op gewicht wil blijven moet het zo doen.'

'Wat heb je aan de sport gehad om weer de oude Leontien te worden?'

'De weg terug is verschrikkelijk hard geweest. Ja, daar heeft het fietsen me wel bij geholpen. Ik ben die mensen die mij uitscholden toen ik mijn comeback maakte zelfs dankbaar. Dat heb ik omgezet in positieve kracht. Gewoon laten zien dat ik op een gezonde manier kon terugkomen. Daar kwam bij dat ik een erg fout voorbeeld was geweest voor veel jonge wielrensters. Ik vond dat ik moest laten zien dat je ook goed kunt fietsen als je afgetraind bent en niet uitgemergeld.'

'Jij kende de grens. Ben je daar in Athene in de tijdrit toch weer overheen gegaan? Fietste je met een hersenschudding?'

'Dat weet ik niet zeker. Ik heb een aantal keren in mijn wielercarrière een hersenschudding gehad en meestal moest ik dan overgeven. Maar in Athene niet. Wel heb ik ongelooflijk veel hoofdpijn gehad tijdens de tijdrit. Het kan zijn dat het die valpartij in de wegwedstrijd was of dat ik zo eigenwijs was dat ik geen drinken wilde meenemen. Het zal een combinatie van beide zijn geweest, uitdroging en die val. Ook was ik nog niet topfit die woensdag. Absoluut niet. Maar ik dacht: dit wordt de laatste wegwedstrijd in mijn hele carrière, alles wat erin zit mag er nu uit.'

'Hoeveel pijn lijd je op zo'n moment?'

'Ach, zoveel! Wat ik heb gevoeld in die olympische tijdrit, dat was onnatuurlijk. Dat zeg ik keihard, dat moet je niet te vaak doen. Alles doet zeer. Je lichaam schreeuwt om stoppen. Toch is mijn koppie zo sterk dat ik tegen mezelf kan zeggen: ga door, hier heb je alles voor gedaan. De voorbereiding voor zo'n groot evenement komt dan weer boven. Die doet ook veel pijn en ik wil tijdens de rit niet dat al dat afzien voor niets is geweest.'

'Dacht je bij afzien nooit aan afstappen?'

'Nee. Afstappen komt niet in mijn woordenboek voor. Ik heb dat nooit gedaan. Alleen in mijn dipperiode ben ik één keer afgestapt. Dat is ook iets wat mijn moeder mij geleerd heeft: altijd het beste uit jezelf halen. Ik ben begonnen met wielrennen toen ik acht was en of ik nou won of tiende werd, zij was tevreden als ik maar mijn best deed. Maar afstappen, dat kon bij ons thuis echt niet.'

'Vond je wielrennen direct leuk?'

'In ons gezin was sport belangrijk. Iedereen deed aan sport. Toen ik zes was, begon ik met turnen, maar dat ging niet. Mijn broer en ik hadden last van motoriekstoornissen. Doktoren zeiden dat het goed was voor mijn broer om te gaan wielrennen. En omdat mijn zusjes het vervelend vonden om elk weekeinde op mij te passen, was ik verplicht om met hem mee te gaan.
Toen de fiets van mijn broer te klein voor hem werd, kreeg ik hem. Ik zie me nog met mijn moeder voor het huis oefenen. Ik vond het gezellig om mee te gaan. Het spelen was leuker dan de wedstrijdjes. Toch zie je op foto's uit die tijd al de gedrevenheid. Acht jaar, maar tong uit de mond, helemaal onder het snot en kwijl! Mijn nichtje heeft ook gefietst maar die zat altijd rechtop op de fiets en zwaaide naar iedereen. Je ziet hoe kinderen daarin op zo'n jonge leeftijd al verschillen. Ik wilde altijd het beste uit mezelf halen.'

'Zit in de competitie de aantrekkingskracht? Had die evengoed in een andere sport kunnen zitten?'

'Ja, maar in een duursport. Hadden ze mij op die jonge leeftijd hardloopschoenen gegeven en mij op een atletiekclub gedaan, dan was ik, denk ik, goed geweest op lange afstanden. Dan was ik een concurrent geweest van Kiplagat!'

'Was applaus een factor?'

'Ik ben te vroeg wereldkampioen geworden. In mijn anorexiaperiode had ik moeite met alle aandacht. Ik kan me nog herinneren dat ik een keer tegen mijn ouders heb gezegd: als jullie weer allemaal gekkigheid organiseren, dat ik naar iedereen moet zwaaien als ik wereldkampioen ben, knijp ik in mijn rem. Ik zat te huilen en zei: ik wil gewoon hard fietsen, ik hoef al die dingen die erbij komen niet, ik wil met rust gelaten worden. Het zal een combinatie zijn geweest van jeugd én anorexia, van niet lekker in je vel zitten. Normaal gesproken is het heerlijk om waardering te krijgen. Dat vindt ieder mens leuk. Maar het ging tot een bepaalde hoogte. Want ik was er een die het op de eerste plaats lekker vond om te genieten met vrienden en de familie!'

'Een vrouw die netjes haar kinderen opvoedt, verdient ook waardering?'

'Dat heb ik van huis uit meegekregen. Ik heb respect voor de koningin, maar net zoveel voor de vrouw die de kinderen netjes opvoedt, het huishouden op orde houdt en daarnaast goed sport.'

'Iemand als jouw zus?'

'Voor mijn zus heb ik het meeste respect van de hele wereld. Die heeft twee kinderen met een handicap en als ik zie hoe die haar gezin draaiende houdt... Die verdient een stoel in de hemel. Voor iedereen die het beste uit zichzelf haalt, moet je respect hebben. Maar ik heb niks met mensen die heel de dag niks doen, die niks van hun leven maken. Het leven is te mooi, je moet ergens je schouders onder zetten. Iedereen kan iets bereiken, als je maar echt iets wilt, als je maar echt een doel hebt.'

'Sport jouw zus met die gehandicapte kinderen ook?'

'Met haar ben ik de marathon van New York gaan lopen. Ze zat niet lekker in haar vel en toen heb ik gezegd: "Wilma, jij moet weer iets voor jezelf gaan doen. Jij bent nu alleen aan het zorgen." Zij was ook altijd gedreven, met haar studie, haar eigen zaak en dan krijgt ze een zwaar gehandicapt kind. Dat was in '98. Terwijl ik mijn comeback maakte, kregen we dat nieuws te horen. Ik weet niet of je je die beelden nog kunt herinneren van hoe mijn zus mij bij het WK in Valkenburg aanmoedigde. Ik wist dat Wilma tijdens het Wilhelmus weer een glimlach ergens vandaan kon toveren. Dat was voor mij... Ik bedoel, er kwam zoveel naar boven, ik had zelf zoveel shit gehad en Wilma ook. Ik wist dat het haar goed deed dat ik won.'

'Was doping ook een gevaar voor je gezondheid?'

'Kijk, je hebt maar één lichaam. Je moet jezelf verzorgen maar doping: nee, want je weet niet wat er na tien, vijftien jaar met je lichaam gebeurt.

Ik wil graag nog gezonde kindjes dus ik heb daar altijd ver boven gestaan. Dan maar harder trainen. Wie vijftien jaar eerder dood wil, of kindjes wil met een handicap, mag van mij winnen. Ik kan natuurlijk niet zeggen dat dit met elkaar in verband staat, maar toch lees je er dingen over. Zelf nam ik na een zware belasting vitamine B of extra vitaminen. Nee, geen hormonen. Ik wilde bijvoorbeeld ook nooit aan de pil. Ik ben daarin echt een zeikerd, hoor!'

'Altijd bezig zijn met het bereiken van een ultiem doel, was dat leuk?'

'Ja, ik heb een leuk leven gehad, maar ik ben blij dat ik op tijd gestopt ben. Ik merk dat nu. Het is een mooie tijd geweest, ik heb het met plezier gedaan, maar je leeft toch in een klein wereldje. Een mooi wereldje, maar ik geniet nu van dingen die jarenlang niet konden. Dat paste dan niet in mijn schema.'

'Was topsport een bewuste keuze, of ben je er ingerold?'

'Toen ik achttien werd, heb ik die keuze gemaakt. Ik had er op school een zootje van gemaakt en dan kom je op de leeftijd dat je bewust kiest voor het fietsen. Ik ben er absoluut niet "ingerold". Leontien, dacht ik, wat ga je doen? Ga je werken of een vervolgopleiding doen, of ga je vol voor het fietsen? Wat dan ook: je moet ergens honderd procent voor gaan.'

'Is fietsen belangrijk in het totale spectrum van het leven?'

'Daar ben je helemaal niet mee bezig. Zoals ik al zei: je bent als topsporter erg egoïstisch. Weet je dat ik jarenlang écht niet wist wat er in de wereld te koop was? Dat ik niet wist wat er gebeurde? Ik wist niet eens wat er in mijn familie speelde. Mijn anorexieperiode is de verschrikkelijkste tijd in mijn leven geweest. Ik wist niet eens hoe het met mijn zusjes ging. Ik was puur met mezelf bezig. Als topsporter was ik ook het laatste jaar en het jaar van het werelduurrecord op mezelf gericht om mijn doel te bereiken. Als topsporter móet je egoïstisch zijn.'

'Ik heb niks met mensen die de hele dag niks doen.'

'Wat rechtvaardigt dat?'

'Dat gebeurt gewoon zo, of het nu rechtvaardig is of niet. En iedereen accepteert het ook. Al moet ik wel zeggen dat ik de laatste jaren socialer was ten opzichte van de mensen die dicht bij me stonden. Ik zou mezelf tekortdoen als ik zei dat ik het altijd allemaal totaal voor mezelf deed. Met het werelduurrecord bijvoorbeeld zijn zoveel mensen bezig geweest! Tal van mensen hebben energie gestopt in mij en mijn wedstrijden. Dus ik was niet alleen blij voor mezelf als ik won.'

'Je verschafte plezier.'

'Zeker weten. Ik kan me nog herinneren dat ik in Athene tegen prins Willem-Alexander zei: "Ja, maar ik ben zo moe..." Zegt hij: "Weet je dat je zestien miljoen mensen veel plezier hebt gedaan door hard te fietsen?"'

'En je gaf het goede voorbeeld.'

'Klopt. Als je nu naar de jeugdcategorieën gaat kijken zie je dat effect. Sport is belangrijk voor de samenleving en zeker voor kinderen. Als alle kinderen aan sport zouden doen, zou er niet zoveel rotzooi zijn. Daarom hebben we in Rotterdam de laatste vier jaar Master Clinics georganiseerd voor kleine kinderen. Ze van de straat houden en laten voelen dat sport leuk kan zijn.'

'Omschrijf eens de voldoening als je een doel bereikt had.'

'Dat is een machtig gevoel. Geweldig! Dan ben je zó trots op jezelf. Het is mooi om dat te delen met al die mensen die dat voor jou mogelijk hebben gemaakt. In dat opzicht was het werelduurrecord een mooi evenement op zich. Dat sprong eruit, net als het WK in Valkenburg in '98. Goud op de Spelen was ook mooi, maar dat komt onder die twee momenten.
Aan het werelduurrecord en Valkenburg zaten extra emoties. Bij Valkenburg was ik eindelijk weer eens met mijn zus en het werelduurrecord heb ik opgedragen aan Japie van der Wolf, de mecanicien. Hij is mij enorm tot steun geweest in de periode dat ik me moest terugvechten. Hij heeft samen met Michael ervoor gezorgd dat ik van 85 kilo terugging naar het gewicht dat bij me hoorde. Belde ik hem om te vragen of hij de volgende dag wilden fietsen: prima, hij stond er om zeven uur. Hij was er altijd voor me. Ik vroeg hem op zijn sterfbed: "Japie, wat kan ik voor je doen?" en hij zei: "Het enige wat je nog moet doen is het werelduurrecord pakken!" Dat zijn momenten die je nooit vergeet, die zijn zo speciaal. De laatste vierhonderd meter heb ik naar boven gekeken. Toen ik wist dat ik het zou gaan halen in Mexico, heb ik alleen maar naar hem gekeken. Kijk, Japie, ik heb hem! Ik weet nog dat er een wolkje voorbij dreef en dat ik dacht: daar zit-ie.
Het moment in Valkenburg met mijn zus en dat ik Michael in zijn armen

viel na de tijdrit, dat vergeet je nooit van je leven meer. Wat wij in onze verkeringsperiode meemaakten, maken sommige gezinnen in hun hele leven niet mee. En het is altijd aan gebleven. Dat gevoel is zeer sterk. Dat was ook een speciaal moment. Daar kunnen al die medailles niet tegenop!'

'Is leven overleven? Hoort een mens te knokken? Moet je beter zijn dan de ander?'

'Je hoeft niet beter te zijn dan de ander. Dat vind ik absoluut gelul. Het beste uit jezelf halen, daar gaat het om. We kunnen niet allemaal winnaars zijn. Ik ben ook trots op meiden die het beste uit zichzelf halen, ook al worden ze er elke wedstrijd weer uitgereden. En dat ze dan toch telkens weer terugkomen! Dat is pas echt knap. Daarvoor moet je respect hebben. Die doen er alles aan, maar hebben van huis uit niet zo'n sterke motor meegekregen. Minder talent.
Ik zal een voorbeeld geven. Ik ben twee rensters aan het begeleiden. Een van hen gaat goed. Zij heet Susan de Goede, dat is er eentje die misschien in mijn voetsporen gaat treden. De ander heeft minder talent, maar zij pakte vorig jaar bij het NK wel een bronzen plak. Nou, dat was voor mij een bronzen plak met een gouden randje. Dat meisje steeg helemaal boven zichzelf uit in die wedstrijd. Ik had overal kippenvel!'

'Hoe ver ging jij in een wedstrijd? Hard voor jezelf, maar ook voor de tegenstander?'

'Ja, mensen die mij dingen hebben geflikt heb ik hard teruggepakt. Maar niet door onnodig risico's te nemen. Daar was ik eerlijk gezegd te bang voor, ha ha. Ik durfde iemand niet tegen een dranghek aan te zetten of de bocht uit te duwen of zo. Jeannie Longo mocht ik niet. Die heeft in Valkenburg gezegd dat ik nog steeds zo vet was als een varken, dat het niet kon dat ik weer terug was in de wielersport en dat ze mijn plasje beter in de Maas konden gooien, want ik zou toch doping hebben gebruikt. Maar ik heb haar niet laten vallen en ik heb er niets op teruggezegd. Wel heb ik mijn benen laten spreken en het werelduurrecord van haar afgepakt. Ik hecht er trouwens aan om te zeggen dat Longo weliswaar geen gezellig mens is, maar dat ik veel waardering heb voor haar als sportvrouw.'

'Was het, buiten alle presteren om, lekker om met je lichaam bezig te zijn?'

'Dat vind ik nog steeds prettig. Dat is het mooie van sport. Ik hou gewoon van sport, het maakt niet uit welke. Nu ben ik aan het hardlopen, bijna elke dag. Ik vind het fijn om mijn lichaam in *shape* te houden. Dat je er goed blijft uitzien, zelfvertrouwen hebt. Ook als ik op vakantie ben, beweeg ik. Even een halfuurtje joggen 's ochtends. Niet elke dag, hoor, want Michael is niet zo sportief, ha ha! Of we gaan een stuk wandelen. Maar ik kan niet veertien dagen lang aan het water liggen. Kijk, jarenlang heb ik aan topsport gedaan, moest ik met die druk omgaan, daarom is het nu heerlijk om zomaar te lopen. Niemand kijkt, niemand checkt of ik 10 km per uur loop of 11. Anoniem met mijn eigen lichaam bezig zijn, prachtig.'

'Je hebt gezegd dat de laatste jaren de druk van het moeten winnen je te veel was.'

'Ik legde de lat voor mezelf erg hoog en dat kostte me bergen energie. Ik wou de beste zijn, in het criterium, op een WK, altijd overal de beste willen zijn omdat het je pijn doet als mensen slecht over je schrijven. Ik trok me dat erg aan. Aan de ene kant zette ik het ook wel weer om in positieve kracht tijdens de wedstrijden, maar het raakte me. En dat kostte ontzettend veel energie. Daardoor ging ik slechter eten, slechter slapen. Dat brak me de laatste jaren op. Ik ben nu zó blij dat ik gestopt ben.
Sinds Athene slaap ik lekker, eet ik lekker. Natuurlijk ben ik nu ook wel eens nerveus voor dingetjes die ik moet doen, maar het is zo'n andere manier van dingen beleven.'

'Had je liever al die jaren geleefd en gesport zoals je het nu doet?'

'Nee, want aan de andere kant vond ik de druk van het presteren ook wel weer mooi, ik ben toch een winnaartype. Maar de laatste jaren gingen me opbreken, dus ik ben blij dat ik nu relaxed sport.'

'Als alle kinderen aan sport zouden doen, zou er niet zoveel rotzooi zijn.'

'Je bent nu coach. Wat geef jij als belangrijkste advies aan jouw meisjes?'

'Dat ze moeten leren de middenweg te kiezen. Wil je de top halen, dan moet je leven als een topsporter. Hard trainen naar een evenement toe, daarna rust en ontspanning. Michael heeft mij dat geleerd en dat geef ik door aan mijn jonge talentjes. Maar als ze een periode opkrijgen om ertegenaan te gaan, moeten ze dat wel voor tweehonderd procent doen. Leef toe naar een wedstrijd en ga vervolgens wat leuks doen. Een dagje de fiets laten staan, uit eten gaan, geest en lichaam laten ontspannen, anders hou je het niet vol. Door schade en schande ben ik wijs geworden, dat probeer ik mijn jonge talenten mee te geven. Uiteindelijk worden ze daar alleen maar beter van.'

'Ben je streng?'

'Die meiden zijn de leeftijd van achttien gepasseerd, dus dan kun je zelf bewust de keuze voor topsport maken. Heb ik ook gedaan. Je lichaam is volgroeid en als je voor de top kiest, moet je er helemaal voor gaan. Daar ben ik streng in, hoor. Ik bedoel: ze krijgen alles! Alles wordt voor ze geregeld, net als in een profploeg. Het salaris is natuurlijk nog minimaal maar we proberen wel het beste voor hen. Als je voor de top kiest, geef dan alles.'

'Hard voor jezelf. Streng voor de pupillen. En toch een klein hartje?'

'Oh ja, als er maar wát gebeurt in mijn familie ben ik van de kaart. Als mijn zus belt dat haar gehandicapte zoon, Bertje, weer is opgenomen in de epilepsiekliniek, vind ik dat verschrikkelijk. Ook als ik naar *Vermist* kijk, of naar *Hart in Aktie* zit ik te janken, samen met mijn vader. Nu ben ik in een Rotterdamse familie terechtgekomen en daar is de mentaliteit toch een beetje harder. Ze zitten mij altijd hard uit te lachen als ik moet huilen om iets kleins, ha ha!
Ik heb een klein hartje. Ik pak ook bijna nooit meer zelf de telefoon aan want ik ben gevoelig voor al die goede doelen. Ik zou op alles ja willen zeggen maar ik ben maar één Leontien.'

'Heb je het gevoel dat je door de jaren heen je vrouwelijkheid goed hebt bewaard?'

'Ja. Alleen dacht ik in mijn anorexieperiode dat ik heel mooi en vrouwelijk was maar ik had geen rondingen meer, niks. Ik heb wel altijd geprobeerd er als vrouw te blijven uitzien. Ik vind dat belangrijk. Het is ook leuk om met kleding bezig te zijn, bijvoorbeeld. En met make-up. Veel mensen vinden wielrennen een mannensport maar ik ben genoeg vrouw gebleven, dacht ik.'

'Pijn lijden, anorexia, druk om te moeten winnen: het klinkt zwaar. Nog gelachen ook? Is het een mooie tijd geweest?'

'Natuurlijk! Ik heb door het wielrennen een topleven gehad. Ik heb genoten van elke dag dat ik op de fiets heb mogen zitten. Op een paar da-

gen na natuurlijk, als het al weken regende en je weer vroeg je bed uit moest om in die regen te gaan trainen. Maar er zijn altijd wel nadelen, joh. De gemiddelde mens in Nederland betreurt het vaker dat hij weer naar kantoor moet.
Je maakt zoveel lol, in de hotels, tijdens het trainen, in alles. Ik vond het leuk met die meiden! Ik wilde ook nooit alleen op een kamer liggen. Ik hou van gezelligheid, die muren zeggen niets terug. Gewoon leven, gezelligheid! Dus ik heb het eigenlijk altijd wel naar mijn zin gehad.'

'Zijn al je dromen uitgekomen?'

'Qua sport wel. Maar nog niet al mijn dromen zijn uitgekomen, nee. Ik heb nu nieuwe dromen. De belangrijkste is dat ik moeder wil worden. Een paar gezonde kindjes. Dat is mijn allergrootste wens.'

'Je vroeg je af of je nog spontaan zwanger kan raken, omdat je je lichaam zo zwaar hebt belast.'

'Daar ben ik erg bang voor geweest. Ook wat er met mijn zus is gebeurd, zet me natuurlijk aan het denken. Je weet van jezelf dat je niet zuinig bent geweest op je lichaam, je weet dat je een gehandicapt kindje hebt in de familie, dat zijn dingen waarover je nadenkt. Maar ik ben bij een goede gynaecoloog geweest in Utrecht. Die heeft me compleet door de mangel gehaald en het ziet er allemaal goed uit.
Ik heb ook mijn bloed laten controleren, mijn bloedbeeld. Al mijn vitaminepillen heb ik in de vuilnisbak gegooid na dat onderzoek. Gewoon gezond eten en geen pillen meer slikken. Mijn bloedbeeld ziet er nu veel beter uit dan toen ik mezelf elke dag aan het uitmergelen was. Normaal was mijn hemoglobine te laag door de zware belasting.'

'En je hormoonhuishouding was waarschijnlijk verstoord.'

'Klopt. Ik ben jarenlang niet ongesteld geweest. Maar gelukkig is dat in '94 weer teruggekomen. Daarna is het nooit meer weggeweest. Ik kan nu echt de klok erop gelijkzetten. Ik ben zo gezond als een vis. Dus de kindjes mogen komen!'

'Maar als dat nou de tol was, dat je geen kinderen kunt krijgen?'

'Dan zou ik die adopteren uit het buitenland. Ik bedoel: je geeft een kind een hartstikke mooi leven in plaats van een ontzettend arm leven. Daar staan Michael en ik allebei voor open.'

'Kun jij je een leven zonder Michael voorstellen?'

'Af en toe wel. Als hij chagrijnig is, ha ha! Nee hoor, nee, dat zou ik me echt niet kunnen voorstellen. Hij is mijn vriend, mijn man, mijn maatje, mijn alles. We hebben een mooi leven samen. We hebben samen ook al veel overwonnen en alles wat we doen, vinden we leuk. Dan zit ik straks met Michael in een bejaardenhuis en zeg ik: "Weet je nog, Mike, dat hebben wij toch maar mooi samen gedaan!"'

Rintje Ritsma

Durven innoveren

De meeste sporters houden niet van grote veranderingen. Een van de grote charmes van Wimbledon vind ik bijvoorbeeld dat het centercourt al decennialang niet of nauwelijks is aangepast. Toen ik als kind naar de legendarische finales tussen John McEnroe en Björn Borg zat te kijken, zag de baan er precies zo uit als nu. Dit gaf voor mij in 1996 nog een extra dimensie aan mijn overwinning: ik had het gevoel dat ik nu ook deel uitmaakte van een lange traditie. Toch is het goed dat er af en toe atleten opstaan die de zaken heel anders willen aanpakken. Atleten die niet bang zijn om het roer om te gooien en die het aandurven iets heel vernieuwends te gaan doen. Hierbij denk ik bijvoorbeeld aan de Amerikaan Dick Fosbury, die op de Olympische Spelen van Mexico-Stad in 1968 de wereld verbijsterde met zijn revolutionaire hoogspringtechniek waarbij het hoofd als eerste over de lat gaat. Deze *fosbury flop* is tot op de dag van vandaag dé manier om tot grote hoogten te komen. Maar ooit komt er een moment dat een creatieve springer wederom met een heel nieuw idee op de proppen komt. Rintje Ritsma is zo'n vernieuwer. Hij bedacht niet alleen nieuwe trainingstechnieken, maar gooide bovenal de knuppel in het hoenderhok door een commerciële schaatsploeg te beginnen. Intussen zijn deze ploegen niet meer uit het Nederlandse schaatslandschap weg te denken maar het was Ritsma die als eerste de voordelen ervan inzag. Het schaatsen is sowieso een innoverende sport die openstaat voor veranderingen zoals de aërodynamische schaatspakken, de klimaatbeheersing en natuurlijk de revolutionaire klapschaats. Hoewel ik persoonlijk veel waarde hecht aan tradities binnen de sport, denk ik dat atleten zeker hun voordeel kunnen doen met nieuwe technologische snufjes. Ondanks alle vernieuwingen die hij met zich meebracht, wordt Rintje Ritsma intussen gezien als een schaatser van de oude stempel. Hem wordt dan ook geregeld gevraagd of het niet tijd wordt om te stoppen. Maar een topsporter laat zich niet door anderen vertellen wanneer zijn tijd gekomen is. Rintje Ritsma wil nog één keer op zoek naar het maximaal haalbare, want stilzitten – dat kan altijd nog.

'Hoe ervaar je het ouder worden?'

'Persoonlijk heb ik daar niet veel last van, anderen waarschijnlijk meer. Lichamelijk merk ik weinig verschil met toen ik 26 of 27 was. Af en toe ben ik wat stijver bij het opstaan. Schaatsers hebben een kwetsbare rug doordat ze altijd voorovergebogen zitten. Ik moet mijn oefeningen goed bijhouden om mijn rug soepel te houden. Als ik in een periode van langdurige zware training zat met veel schaatsen, skeeleren of klimmen op de fiets in de bergen, dan was 's morgens de rug wat stijf. Maar ik heb bijvoorbeeld geen langere hersteltijd gekregen na inspanning. Vreemd is dat niet. Ik denk dat je tot je 36e, 37e prima topsport kunt bedrijven. Als je er maar niet een of twee jaar tussenuit gaat. Blíjf je sporten, dan kun je ook als dertiger elk jaar nog beter worden.'

'Wijzen tests dat uit?'

'Elk jaar deden we vier tests. De zwakke punten kwamen dan naar voren. Nu heb ik de afgelopen jaren bij TVM weinig getest omdat ze dat daar op een andere manier deden. Ik merkte afgelopen zomer dat door bepaalde trainingsvormen het een en ander achteruit is gegaan. Nu is alles weer op peil. Qua inhoud, qua kracht zat ik al snel weer op hetzelfde niveau als tien jaar geleden.'

'Je hebt nooit gedacht dat de beste Ritsma al verleden tijd is?'

'Ik kan die tests veel beter doen als ik mij daarop richt. Dan kan ik de hoogste waarden ooit krijgen. Maar ik wil functioneel goed voor het schaatsen trainen. Scoor ik hoge waarden voor bijvoorbeeld de fietstest, dan zegt dat niet dat ik ook harder schaats.'

'Vorig seizoen was niet goed. Het gevolg van de beenbreuk in 2003? Of ook van de leeftijd?'

'Afgelopen jaar was het eerste jaar dat ik na de beenbreuk weer volledig kon draaien. Ik kwam nog coördinatie en wat kracht tekort. Dat heb ik bijgetrokken. Ik vind het altijd bullshit om dat seizoen aan leeftijd te koppelen. Op zich zijn er weinig voorbeelden van topsporters die 36, 37 zijn. Naarmate je ouder wordt, zou je sprintvermogen achteruitgaan. Maar als je blijft trainen niet! Sprinters worden pas goed ná hun dertigste en stoppen als ze 34, 35 zijn. Maar als ze goed de kop ervoor blijven houden hoeft dat niet, denk ik.
Je moet goed naar je lichaam blijven luisteren en op je voeding letten. Kijk, als je vaak volle bak gaat, doorzakt in een kroeg en slecht eet, dan

hebben je bloedvaten daarvan te lijden. Die worden gewoon slechter en dat leidt tot een slechtere doorbloeding. Als je op die dingen blijft letten en je houdt een goede doorbloeding, dan maakt het niet uit.'

'Kun je "op leeftijd" beter pijn verdragen?'

'Je weet wat er komt, dat is een voordeel. Hoewel, als je bang bent voor pijn gaat die vlieger niet op. Ik ken sporters die een keer zo verschrikkelijk dood zijn gegaan, dat ze daarna nooit meer zo diep hebben kunnen gaan als op dat moment. Die hebben daarvan mentaal een tik gekregen, er zit een rem op. Ik heb dat niet. Als ik begon in het voorseizoen, moest ik me er weer toe zetten, moest ik domweg uren maken. Maar als ik eenmaal bezig was, kreeg ik vanzelf weer zin om te trainen. Dan werd het leuk tempo's te rijden en op de fiets vijftien minuten volle bak te koersen.'

'Ik denk dat je kop minstens zo belangrijk is als je lijf.'

'Moest jij hard trainen om top te zijn?'

'Nee, dat hoefde niet. Je moet góed trainen. Ik denk dat er veel subtoppers zijn die harder trainen en betere fietswaarden hebben, maar niet hard kunnen schaatsen. Hoe harder je traint, des te sneller je wordt, zou je zeggen. Maar bij schaatsen komt het zo op coördinatie en techniek aan. Het gaat erom dat je op die punten goed blijft. Dat bepaalt de grens. Laat ik een mooi voorbeeld geven van vorig seizoen. Bij TVM hadden we een krachttrainer die altijd heel fanatiek was. Ik wilde zo'n krachttraining ook wel eens proberen. Twee keer per week ging ik zwaar onder de gewichten, echt zwaar. Maar in de zomer deed ik helemaal geen kracht en mijn maximale kracht ging omhoog ten opzichte van vorig jaar. Je moet *functioneel* sterk worden, daar gaat het om.'

'Is met de jaren de goesting voor het schaatsen op peil gebleven?'

'Ja, anders was ik allang gestopt. Het is leuk om met je lichaam bezig te zijn, doelen te blijven stellen en die te halen. Dit jaar is de passie nog sterker na al het gezeik van vorig jaar. Als je niet goed presteert, mag het misschien ook wel maar ik vind dat er een grens is. Ik ben nog één jaar doorgegaan op mijn eigen manier. Hard schaatsen en dan een keer een lange neus trekken.'

'Is topsport verslavend?'

'Ja, want het is natuurlijk een fantastisch vrij leven. Als schaatser train je niet veel, maximaal twee keer twee uurtjes op een dag. Af en toe zit er een dag tussen dat je vijf uur bezig bent in totaal. Daarnaast blijft er zat tijd over voor andere dingen. Het vaste ritme is 's ochtends om tien uur de eerste training doen, nou, dan ben je om twaalf uur klaar, hapje eten, heb je de hele middag om wat anders te doen. 's Avonds deed ik mijn tweede training, dat is toch super! Ik moet er niet aan denken om van half negen tot vijf naar een baas te moeten.'

'Wat fascineert je in het schaatsen?'

'De beweging en de snelheid. Snelheid geeft een kick. En ook het gevoel van controle over die snelheid is bijzonder. Er zijn zoveel facetten die bepalen hoe het gaat. Dat je het moment van in vorm komen een beetje kunt sturen vond ik eveneens fascinerend. Dat is een mooi moment.
De beweging is gecompliceerd. En de tweede poot is: hoe krijg je het lichaam top voor die beweging. Dat blijft boeien. En al helemaal in mijn geval. Mijn voordeel is geweest dat ik van de open baan naar een indoorbaan ben gegaan. En van de indoorbaan naar de klapschaats. En telkens nieuwe pakken. Zo bleef je uitdagingen houden.'

'Buiten of binnen? Als de plassen dicht liggen?'

'Ik moet zeggen, de kampioenschappen die ik buiten heb behaald vind ik achteraf mooier dan de titels die ik indoor heb veroverd. Mijn *roots* als beginnend schaatser liggen natuurlijk buiten. Technisch moet je daar flexibel zijn om je aan te passen aan de omstandigheden. Als je binnen hebt leren schaatsen is dat stukken moeilijker.
Tijdens vorst vind ik schaatsen op de vaarten en plassen wel mooi, maar het hing ervan af hoe dicht ik op een kampioenschap zat. Natuurijs is totaal anders dan kunstijs. Er zitten ribbels op, en als je traint, wil je goed trainen. Dus ga je niet halfhoog, met je bovenlichaam in een stand waarin wij normaal uitrijden, een toertochtje doen. Je probeert functioneel te trainen.'

'Je praat over techniek en coördinatie. Maar Davis en Hedrick wonnen titels terwijl ze technisch niet goed zijn.'

'Dat is juist de toekomst! Hoe die schaatsen, zo gaat het schaatsen er de komende jaren uitzien. Absoluut. Als je naar de evolutie van de schaatsbeweging kijkt, zie je dat. Vroeger was de beweging breed, daarna werd ze smal, in de tijd van Falko Zandstra, en vervolgens hebben we de skeelertechniek gekregen. Als je die gaat koppelen aan de schaatsbeweging, zie je dat er nu een skeelertechniek in het schaatsen terugkomt. Koppel je die aan de brede beweging en aan het rechte spoor naar voren van toen, dan kun je al uittekenen hoe de techniek er over vijf, zes jaar uit komt te zien.'

'Vond jij jezelf een technisch gave schaatser?'

'Absoluut niet. Zelfs in dit slotjaar ben ik nog extreem bezig met techniek. De afgelopen jaren is die verwaarloosd en techniek is een van de belangrijkste factoren. Er is tijdens de training weinig aan gedaan. Dan kun je wel zeggen dat ik dat onderhand als dertiger zelf moest weten en kunnen, maar je moet toch continu iemand hebben die aanwijzingen geeft.'

'Nooit gedacht: nu rij ik technisch top, houden zo?'

'Je voelt het als het technisch goed gaat: paf, die is raak, nu schiet ik naar voren. Die momenten heb je wel en die sla je ook op. Maar de techniek blijft zich ontwikkelen en je moet je aanpassen. Kijk, een Gerard van Velde kon in het begin niet overweg met de klapschaats maar werd toch olympisch kampioen omdat hij de timing en de techniek onder controle heeft gekregen. Irritant heb ik het nooit gevonden dat ik geen zuivere techniek had. Met de techniek die ik had, ging ik hard. Daar kon ik wedstrijden mee winnen. Voor mij maakte het niet uit op wat voor manier je schaatst,

De sportieve passie van... Peter Vergouwen, topsportarts

'Als sportarts ben ik in de loop der jaren alleen maar méér gaan beseffen hoe goed sport voor de mens is. Ik vind het vreselijk hoe de sport van de scholen is verdreven en dat terwijl sporten juist zo gezond is! Een recent onderzoek wees uit dat goedgetrainde sporters zo'n drieënhalf jaar langer leven. Onder andere doordat je de kans op hart- en vaatziekten verkleint. Maar sport verhoogt niet alleen de levensverwachting, maar ook de kwaliteit van leven. Je lijf functioneert beter, inwendige organen doen het beter, je hebt minder kans op diabetes, minder stress, je herstelt sneller na ziekte en/of een operatie, je verkleint de kans op depressiviteit. Topsporters vormen een rolmodel voor anderen. Je bent toch altijd bezig om te serveren als Richard Krajicek, te trappen als Johan Cruijff, te fietsen als Leontien van Moorsel. Maar als arts heb ik óók een zwak voor sporters met minder talent, voor de anonymus die niemand kent en voor de sporter die alles heeft gegeven om één keer derde bij een NK te worden. Dat vind ik super!'

als je er maar hard mee gaat. Dan is die techniek effectief. Je krijgt bij ons gelukkig geen punten voor hoe het eruitziet. Er zijn wel mensen die daarnaar kijken. Maar ik was een schaatser, geen *flyer*. Een flyer is mooi om naar te kijken, die beweegt mooi, maar ik ben gewoon een harde schaatser. Maakte me niet uit. Ik wilde winnen.'

'Trok de strijd, de competitie?'

'Ook, zeker wel. Maar daar ben je minder mee bezig dan met het verbeteren van je eigen prestaties. Ik ging er altijd van uit dat als je zelf goed bent, die ander heel goed moet zijn om jou te verslaan. Ik ga uit van mijn eigen kracht, niet van de kracht van de ander. Ik had niet iemand anders nodig om hard te kunnen schaatsen.'

'Hoe belangrijk is de overtuiging dat je nog kúnt winnen?'

'Als ik voel dat ik goed ben, dat ik kán winnen, ben ik niet iemand die het laat gaan, die het net niet haalt. Die momenten heb ik nooit gehad volgens mij. In 2001 werd ik voor het laatst wereldkampioen, in Boedapest, maar ik heb absoluut nog het gevoel dat ik kan winnen als ik in een goede vorm ben. Ik heb nog steeds één doel: meedoen voor een podiumplek. En op het moment dat ik aan de eerste plaats kan ruiken, ben ik heel gevaarlijk.'

'Stelde je het afscheid uit omdat je niet buiten de spotlights kunt?'

'Nee, zo leuk is al die aandacht niet. Ik zal ook nooit trainer worden, dat trekt me in de verste verte niet. Wordt er weer alleen maar naar je gekeken, weer de wereld rond. Ik vind het een uitdaging om straks andere dingen erbij te gaan doen. Wat mij meer aantrekt, is een klein schaatsploegje te houden en op de achtergrond alles voor die gasten te regelen. Dat vind ik leuker. Ik hoef niet meer op het ijs te staan, althans in eerste instantie niet. Misschien dat ik weer andere ambities krijg als ik 45 ben maar zeker niet op korte termijn.'

'Of durfde je de feiten niet onder ogen te zien?'

'Ik heb de overtuiging dat ik harder ga en de mensen om mij heen zien dat ook. Ik werk met mensen die zeggen: jongens, we gaan ervoor. Mijn oude trainer, Jillert Anema, die ik nu weer heb, doet altijd mijn tests. Hij is fysiotherapeut in het ziekenhuis in Heerenveen en heeft vorig jaar een trainerscursus gedaan. Jillert was voor mij altijd een vertrouwenspersoon, iemand die reëel tegen me zegt: je moet het nu anders gaan doen, zo gaat het niet goed. En ik reageer daar goed op bij hem. Hij kan me prima sturen. Je hebt mensen nodig die het durven te zeggen wanneer het niet goed gaat. Aan lui die alleen met je meepraten, heb je weinig.'

'Je hebt gezegd dat het een voor- en een nadeel is dat je volhardend en nukkig bent.'

'Nou ja, iedere topsporter heeft zo zijn nukken. Maar dat ik ben doorgegaan omdat ik nukkig zou zijn, nee. Ook niet om te bewijzen dat iedereen het verkeerd zag. Voor mij was het gewoon een drive. Je moet een doel hebben en dat is hard schaatsen. En ja, ik had er vertrouwen in dat ik dat nog steeds kan. Anders was ik er natuurlijk niet aan begonnen.'

'Is dat Friese koppigheid?'

'Eh, ik denk het wel. Maar ik ben ook nuchter. Als ik voel dat het niet meer gaat, ben ik ook wel zo reëel om te stoppen. Die koppigheid belet me niet de feiten onder ogen te zien want ik baal als een stekker als ik niet goed ben. Als ik een aantal wedstrijden heb gehad die niet goed gaan, ben ik niet te genieten. Dan ben ik ook zo dat ik er van de ene op de andere dag mee stop.'

'Wat is daarvoor een ijkmoment?'

'Dat is er niet want ik stop abrupt, zomaar. Kijk, het schaatsen vond ik leuk voor mezelf, ik hoef helemaal geen groots afscheid, ik zit niet te wachten op zo'n massaal gebeuren. Ik vind dat helemaal niks.'

'Dan heb je toch de verkeerde sport gekozen. Schaatsen is een volkssport.'

'Kan zijn, maar ik heb een schurfthekel aan huldigingen. Als je een kampioenschap gereden hebt, is niets erger dan de volgende dag op te komen met die arrenslee. Ach man, ik vind: je hebt die wedstrijd gereden, goed gereden, huldiging op het podium, nou mooi, daarna ga je lekker naar het hotel en met een klein clubje mensen gezellig een beetje zitten natafelen.'

'Jij hebt aan de basis van de commercialisering gestaan. Heeft die de zuivere liefde voor de sport verminderd?'

'Dat niet. Maar het is wel anders geworden, harder. Goed, er is meer concurrentie, maar het gaat er ook harder aan toe bij de sporters onderling. Het is niet meer zo'n hechte familie als vroeger. Nee, dat vind ik niet jammer. Ik schaatste voor mezelf, niet voor het gezellig samenzijn.'

'Gesponsord kon je jouw passie nóg beter uitvoeren?'

'Dat is de reden geweest dat ik zei: jongens, ik ga het zelf wel doen. Ik zag verschillende mogelijkheden om me beter voor te bereiden en niet om een hele club beter te maken. Op het moment dat de kernploeg er was, kon je wel zeggen: we kunnen het zus en zo gaan doen, maar tegelijk zaten je grootste concurrenten óók in die ploeg. Je zou wel gek zijn om dat met hen te delen. Ik heb dat ook een keer in de kernploeg gezegd en dat is me niet in dank afgenomen.'

'Je zei: ik run het bedrijf Ritsma.'

'Dat was inderdaad zo toen ik met Sanex in zee ging. Ik was eigenaar van de ploeg. Dat was een BV en ik bepaalde wat er ging gebeuren. Toen ik overging naar TVM werden de belangen van sommige sporters zo groot dat ik mijn neus niet wilde stoten aan wat er gebeurde. Ik wilde net zo zijn als ieder ander in die ploeg, anders krijg je scheve gezichten. Toen heb ik me teruggetrokken, ben werknemer geworden.'

'Als je één kwaliteit mocht noemen waardoor je al die titels gewonnen hebt?'

'Doorzettingsvermogen. Tussen mijn 18e en mijn 21e jaar heb ik er keihard voor moeten werken om beter te worden. Veel kijken, veel met techniek bezig zijn, veel luisteren. Ik ben leergierig, als ik iets wil dan kan ik er echt helemaal voor gaan en ben ik er ook van overtuigd dat ik dat kan halen. Ik noem dus niet op de eerste plaats dat ik van nature gezegend ben met een sterk lijf. Ik denk dat je kop minstens zo belangrijk is.'

'Constant op zoek geweest naar vernieuwing?'

'Ja. Ik heb technisch combinaties gemaakt van hoe mensen schaatsen. Ik kan goed imiteren. Als ik iets zag – en dan maakte het niet uit of het met surfen, skiën of schaatsen was – kon ik het snel nadoen, behalve met balsporten. Dat zoeken naar perfectie heb ik altijd gehouden. Qua materiaal bijvoorbeeld: kun je dat lichter maken, kun je daar een fractie winnen? Maar ik wilde ook zelf weten hoe mijn lijf in elkaar steekt. Dan zocht ik op het internet naar kennis, documentatie. Dat was het enige wat ik interessant vond om te lezen.'

'Dat doen wielrenners ook. Dat zijn soms halve doktoren.'

'Maar dat is ook niet zo gek, want wat die allemaal uitspoken. Als die dat niet doen, wordt het hun dood.'

'Heb je wel eens twee seizoenen achter elkaar hetzelfde getraind?'

'Nooit. Ik leg altijd accenten. Op fietsen, lopen en ook wel eens op kracht. Gewoon afwisselen, zodat je lichaam niet went aan bepaalde trainingsvormen. Als een trainer mij ervan wilde overtuigen dat ik het anders moest doen, moest hij met goede argumenten komen. Ik voerde nooit klakkeloos een training uit. Want intussen weet je als sporter natuurlijk veel over de energiesystemen die je aanspreekt, over trainingsvormen die goed samengaan, over de arbeid-rustverhouding, ach zoveel. Ik weet zelf prima wat voor mijn lichaam goed werkt.'

'Luisteren naar je lichaam is dus belangrijk.'

'Ja, dat is inderdaad het belangrijkste. Je kunt wel elke dag zes uur gaan trainen, dan word je dus goed in zes uur trainen. Maar waar je goed in móet worden is hard schaatsen. En dat hoeft op sommige momenten maar twee minuten te duren. Er zijn genoeg sporters die denken: hoe harder ik train, hoe beter ik word. Maar dat is niet zo.'

'Lang kunnen doorgaan. Ben je zuinig geweest op het lichaam?'

'Dat ben ik zeker. Vooral in de jaren dat ik goed was, heb ik met minimale arbeid het maximale eruit gehaald. Begon ik in augustus pas met trainen en kon ik nóg Europees en wereldkampioen worden. Zuinig zijn op je lichaam interpreteerde ik als een jaar wat minder trainen. Geen slijtage aan je lichaam toebrengen.'

'Ik hoef helemaal geen groots afscheid.'

'Je hebt dus bewust de boel heel gehouden?'

'Nou nee, maar waarom zou je harder gaan trainen als dat niet nodig is? Als ik een kampioenschap kan winnen met een tien kilometer op negentig procent, dan ga je toch niet honderd procent? Waarom winnen met tien seconden extra als je aan één seconde genoeg hebt? Op hogere leeftijd deed ik daar mijn voordeel mee. Als jij de hele tijd als een blinde erin vliegt, wil dat lichaam wel een keer stuk.'

'Deed je autogene training?'

'Altijd. Ik reed alle wedstrijden van tevoren, behalve de vijf en de tien kilometer. Dan denk ik aan mijn tegenstander, zoek uit hoe ik in de wedstrijd zoveel mogelijk gebruik van hem kan maken. Dan start ik hard om dicht achter hem te komen, of juist rustig om daar op het einde gebruik van te maken.'

'Je kon diep gaan.'

'Wel op het moment dat het moest, op de belangrijke momenten; dan kon ik over grenzen heen gaan. Maar nooit als het niet nodig was om te winnen. Kijk, als je het altijd doet, hou je dat niet vol. Tijdens de Olympische Spelen van 1998 in Nagano was ik na mijn tien kilometer tegen Bart Veldkamp ver heen. Daar heb ik nog weken last van gehad. Je lichaam is dan volledig uitgepierd, van slag. Je neemt een dagje rust, gaat weer schaatsen, maar je bent alles kwijt, de timing, je raakt niks meer. Het kostte weken om die weer te vinden. En toen ik een wedstrijd ging schaatsen kwam ik nog niet in de buurt van hoe het was. Ik was in één keer, boem, terug bij af.'

'Vertel eens over de pijn van verzuurde benen.'

'Je hebt pijn en pijn. Als je een wedstrijd kunt winnen is dat andere pijn, een draaglijker pijn dan wanneer je wedstrijden rijdt voor een vierde of vijfde plaats. En dan is er nog het verschil tussen wedstrijd- en trainingspijn. In een wedstrijd ga je dieper, richt je meer schade aan in je lichaam. Toch moet je in trainingswedstrijden veel meer afzien. In wedstrijden heb je een drive in je hoofd waardoor je blijft gaan. Een trance? Bijna lekker? Nou, ik wilde gewoon naar de finish, *that's it.* En ik wilde technisch goed blijven. Niet op de punten gaan rijden, terwijl achterop blijven zitten kracht vraagt en pijn doet. Ik stond mezelf niet toe domweg mijn rondjes te rijden.
Bang voor zere poten was ik nooit. Het hoort erbij als je een groot doel wilt halen. Haal je dat en ben je doodgegaan, dan heb je dat ervoor overgehad. Je bent het ook altijd snel vergeten. Na drie, vier minuten kun je weer normaal praten en evalueer je hoe de race ging.'

'Je straalde altijd zelfvertrouwen uit.'

'Ja, op belangrijke momenten wist ik dat ik goed was, dat ik hoog ging scoren. Dat er iets raars moest gebeuren of ik echt slechte benen moest hebben, wilde het fout gaan. Bang om te verliezen ben ik ook wel eens geweest, dat is menselijk. Maar dan dacht ik al snel: Rintje, gewoon je ding doen, je rijdt goed, die ander moet heel sterk zijn om jou te verslaan. Ik kon mijn vorm altijd goed sturen. Of ik dat zelfbewuste soms speelde om de tegenstanders te imponeren? Nee. Het kan zo overgekomen zijn, maar daar was ik niet mee bezig.'

'Als het niet ging, zocht je de schuld niet op de eerste plaats bij jezelf. Het ijs was slecht, of de trainer, dat soort dingen.'

'Ja, maar ik heb ook echt een aantal wedstrijden verloren omdat ze met het ijs aan het kloten waren. Ik ben natuurlijk een zware schaatser en op het moment dat ze ijs neerleggen met een ijstemperatuur van min 3,5 graden, dan hoef ik eigenlijk niet eens te starten, dat is gewoon bullshit, dan weet je dat je op je bek gaat, dat het helemaal geen zin heeft.'

'Is het een pluspunt voor een topsporter dat hij de schuld niet snel bij zichzelf zoekt?'

'Dat weet ik niet. Veel mensen zeggen: joh, het ligt aan jezelf. Maar als ik zie dat het anders is, zeg ik dat. Als normaal de ijstemperatuur min 7 is en ze leggen min 3,5 neer omdat ze geen rekening hebben gehouden met het publiek, tja, moet ik dan mezelf de schuld geven? We hebben dat een paar jaar in Heerenveen gehad, dat ze liepen te kloten waardoor ik slechte wedstrijden heb gereden.'

'Was je in staat te denken: dat heb ik zelf slecht gedaan?'

'Als dat echt zo was, wel. Maar ik heb die momenten weinig gehad, eigenlijk.'

'Vorig jaar was je minder. Beenbreuk, bekend verhaal. Maar aan het eind van het seizoen was je streng voor coach Gerard Kemkers. Hij had je niet goed begeleid. Ik dacht: als je nou op je 34ste nog niet weet hoe het moet...'

'Maar het was ook zo. Ik weet veel dingen die er gebeurd zijn, ik heb me nog erg ingehouden. Ik heb daar afscheid van genomen, prima. Ik heb de afgelopen drie jaar met Gerard Kemkers nooit één technische aanwijzing gekregen. Dat is ook mijn eigen schuld geweest, al heb ik vaak in evaluaties aangekaart dat er iemand bij moest komen omdat het technisch niet goed genoeg was. Nou, vorig jaar heb ik gewoon voor mezelf de keus gemaakt. Ik wilde nog één keer hard rijden. Ik had bij TVM kunnen blijven en een leuk salaris opstrijken, maar ik wilde niet blijven aanmodderen.'

'Je zei waar het op stond. Wel eens spijt gehad? Je zult toch niet altijd gelijk hebben gehad?'

'Nou, ik had wel gelijk in dingen waarover ik kwaad ben geweest. Je kunt het soms niet toelichten want dan maak je het bepaalde mensen erg moeilijk in de functies waarin ze zitten. Toen het begon met de commerciële ploegen is er vreselijk in ons nadeel beslist terwijl het anders in de reglementen stond. Omkoping wil ik niet meteen zeggen, maar er werd te veel naar bepaalde mensen toegetrokken. Die werden gepaaid en dat werd soms ook bevestigd. Op het moment dat ik dat ga roepen, heeft dat natuurlijk veel impact. Die heb ik wel eens onderschat.'

'Jij wilde winnen. Als het nodig was hard te zijn, was je het. Je hebt niemand gespaard.'

'Ze hebben mij in elk geval ook nooit gespaard, dus dan krijg je dat. Door topsport word je hard. En één ding is zeker: als jíj wordt aangepakt, ga je andere mensen ook niet sparen.'

'Is het jammer dat je hard wordt door topsport?'

'Menselijk gezien is dat natuurlijk wel eens moeilijk. Ik ben als mens gevormd door mijn sport. En dan ben je niet altijd de prettigste persoon om mee samen te zijn. Zeker op de momenten dat het minder gaat, ben ik slechter te genieten. Als individuele schaatser weet ik dat ik asociaal ben geweest, alleen aan mezelf dacht. Als je ouder wordt, ga je daar anders over denken en probeer je meer rekening met anderen te houden.'

'Dan heb je het over je privésituatie?'

'De situatie met mijn ouders, bijvoorbeeld. Kijk, je wordt best verwend, je zit in hotels, alles wordt voor je gedaan. En als je dan thuiskomt, zijn er momenten dat je ervan uitgaat dat alles voor je wordt gedaan. Dat leverde soms spanningen op. Dat is net zo geweest met mijn vriendin. Er zijn genoeg situaties geweest dat het anders had gekund. Ze heeft toch gelijk gehad, wat ik toen niet zo zag.'

'Je hebt dus een flinke tol betaald.'

'Ja, op zich wel. Goed, dat heeft dan zo moeten zijn. Je bent op de wereld gekomen om te leren, dus dat zijn ook leermomenten. Je moet ervoor zorgen dat je die fouten de volgende keer niet meer maakt.'

'Hoe is jouw privésituatie nu?'

'Ik ben vrijgezel. Maar dat relateer ik niet aan mijn schaatsen. Ik heb drie jaar samengewoond en dat heeft ook energie gekost. Er zijn veel dingen gebeurd. En ik had nog één ding voor ogen: ik wil nog één jaar hard schaatsen. En dat gaat moeilijk samen met een vriendin. Al is dat uiteindelijk niet dé reden geweest dat het is uitgegaan, meer een combinatie van factoren.'

'Had jij stress voor wedstrijden?'

'Jawel. Al kon je moeilijk aan me zien of ik gespannen was. Dat kon ik goed verbergen. Ik werd wat stiller, zat rustig aan tafel, erg in mezelf gekeerd. Dan was ik volledig met die wedstrijd bezig. De avond tevoren begon dat al. Als de loting was geweest ging ik nadenken. Normaal slaap ik snel in maar dan duurde het langer. Het gebeurde wel dat ik een nacht slecht sliep. Maar als ik de nachten ervoor goed geslapen had, was dat geen punt. Vaak was ik dan juist heel scherp.'

'Was bij jou de ultieme stress minder omdat je niet als een schaatsmonnik door het leven ging?'

'Dat kan. Ik heb veel andere dingen erbij gedaan en dat was goed voor de afleiding. Ik snap niet dat mensen zoveel jaren blind voor iets kunnen gaan. Daar heb ik veel respect voor, maar ik weet één ding zeker: je houdt het dan niet lang vol. Ik heb altijd "*fun*-dingen" gedaan waaraan ook een risico zat, maar dat maakte het voor mij spannend. Als het hard waaide, stond ik met mijn rug overeind en trainde niet. Al was die afleiding natuurlijk wél goed voor de mentale gesteldheid.'

'Maar afgelopen zomer even niet?'

'Nee, ik heb helemaal niks gedaan. Dit jaar is het alles of niks. Het is de eerste keer dat ik het zo doe. Je moet dingen doen omdat je het graag wílt. Als ik vroeger de bomen zag bewegen moest ik het water op, surfen, dan werd ik echt gek. Maar dat had ik afgelopen zomer niet. Ik had mezelf voorgenomen: het is schaatsen, het is een jaar knallen. Ik was niet bereid het risico te nemen dat ik geblesseerd raakte.'

'Het autoracen is hard gaan zonder "pijn in je poten".'

'Ho, ho. Ik heb het een paar keer zwaar gehad, hoor. Ik ben uit de auto gekomen dat ik niet meer op mijn benen kon staan. Had ik te veel vocht verloren en kreeg ik onderkoelingsverschijnselen. Hebben ze me bijna uit die auto moeten dragen. Zo erg heb ik het zelfs op de schaatsbaan nooit gehad.'

'Surfen en autoracen als "fun". En schaatsen dan?'

'Dat kan ik altijd goed verdelen. Funsporten was voor mij essentieel anders dan gewoon sporten. Snowboarden, windsurfen, gewoon surfen, kitesurfen: allemaal fun. Ik schop misschien mensen tegen het zere been, maar ik vind dat niet echt topsport.'

'Niets leukers dan "fun", toch?'

'Het is ook leuk. Als je je brood ermee kunt verdienen is er niets leukers om te doen.'

'Schaats je alleen om geld te verdienen?'

'Nee, maar dat is wél een verschil tussen topsport en funsport.'

'Afzien hoort bij topsport?'

'Ja, dat hoort daar zeker bij. Afzien is essentieel anders dan een trucje goed kunnen. Surfen is ook zwaar, maar anders. Er zijn dingen die ik een hele dag kan doen en die dan nog niet vervelen. Dat zijn voor mij de funsporten. Natuurlijk heb je schaatsers die een hele dag gaan rijden, maar dat maakt schaatsen nog geen funsport. Als je met schaatsen volle bak gaat, hou je dat niet zomaar een tijdlang vol.'

'Bang voor zere poten was ik nooit. Het hoort erbij als je een groot doel wilt halen.'

'Wat als je de afgelopen jaren een van de twee, de topsport of de "fun", had moeten missen?'

'De topsport dreef me. In mijn hoofd was ik er bezeten van. Anders hou je dat niet zo lang vol en ben je niet bereid er zo diep voor te gaan. Windsurfen kan ik nog jaren doen, dat pak ik ongetwijfeld wel weer op.'

'Lastig dat je je scheenbeen ermee kunt breken.'

'Ach, dat hoort er dan bij, hè. Het gebeurde gezien mijn leeftijd op een lullig moment en ook op een lullige manier, met weinig wind. Het was een draaitje van niks. Je bouwt spanning op en je voelt binnenin iets loslaten. Ik dacht direct: mijn banden liggen eraf, of mijn poot is gebroken. Mijn poot hing erbij. Nou, die is mooi kapot, dacht ik. Zwaaien naar een andere jongen: kun je me helpen? Die gast zei meteen: dat is mooi kut voor je deze winter.
Ik ben wel snel hersteld. Omdat ik fit was, neem ik aan. Na zes weken stond ik alweer op schaatsen. Een ander had er misschien een mooi moment in gezien om te stoppen, maar dat heb ik helemaal niet gehad. Nooit één moment. Hoe snel kan ik herstellen en hoe snel kan ik op niveau zijn, dat was het enige waar ik mee bezig ben geweest.'

'Maar je had toen kunnen afhaken, je hebt immers al zoveel gewonnen.'

'Maar ik kijk nooit naar wat ik al gehaald heb. Ik vind het veel interessanter te kijken wat ik nog meer kan halen. Zeker, er wordt steeds harder gereden en dat lijkt heel schokkend, maar als je kijkt naar de ontwikkeling die heeft plaatsgevonden, in de pakken, in de klimaatbeheersing en zo, dan valt het mee. Het lijkt dat er harder gereden wordt, maar relatief is het een klein beetje. Dat kun je gewoon nagaan. Laat iedereen maar andere pakken aantrekken en schroef die klimaatbeheersing eraf.'

'Of wilde je dat zo zien omdat er voor jou een aanknopingspunt in zat?'

'Nee, nee. Zouden een of twee mannen heel goed zijn geworden, dan kun je ervan uitgaan dat er echt harder wordt gereden. Maar als vanaf onderaan iedereen, paf, een stap maakt van het ene op het andere jaar, tja, simpel. Ik heb nog nooit gehoord dat iemand dat is opgevallen.'

'Vanaf '98 werd je al afgeschreven. Deed dat zeer?'

'Pijn is een groot woord, maar het stak wel. Maar het was ook een prikkel, hè. Ik heb het altijd kunnen omzetten in positieve energie. Zo word je als junior ook al getest. Toen ik met een groep Hagenezen in een team zat, werd uitgeprobeerd wat ik aankon. Op een gegeven moment waren roze shirtjes hip. Als ik dan zo'n shirtje aanhad, begonnen zij over gay dit, gay dat, dan was je homo. Op een gegeven moment raakte ik daardoor geprikkeld. Ik heb Ben van den Burg wel eens een ros verkocht. Daarna heb ik er nooit meer last van gehad.'

'Hoe was de rol van je ouders?'

'Die bemoeiden zich er niet mee. Ze zijn mij altijd blijven steunen. Als je het nog naar je zin hebt, moet je doorgaan, vonden zij. Ik ben nooit "gepusht". Toen ik in de pubertijd kwam, werden andere dingen interessant, wou ik ook wel een keer naar de kroeg. Prima, zeiden mijn pa en ma, maar tot een bepaalde grens. Anders hebben we geen zin meer om elke dag met jou naar de ijsbaan te rijden, dan zoek je lekker zelf maar uit hoe je het gaat doen. Dat was reëel, het kostte hun veel tijd en geld. En ik kon ook makkelijk buiten dat uitgaan. Ik heb het stappen nooit gemist.'

'Je gaat toch niet zeggen dat je als monnik door het leven bent gegaan.'

'Absoluut niet. Af en toe moet je ook wel eens lekker uit de band kunnen springen, maar ik heb wel een bepaalde rem, er is niemand die mij ooit lazarus heeft gezien, ik ben nog nooit dronken geweest. In april, mei ging ik wel een paar keer stappen, maar in het seizoen had ik het er gewoon niet voor over. Ik wilde goed schaatsen en alle dingen daaromheen deed ik met mate.'

'En op vakantie?'

'Het komt niet voor dat ik twee weken níet sport. Ik blijf altijd wat doen. In april was ik nog op wintersport, zat ik een maand in de sneeuw. Dat vind ik geweldig. Me helemaal uitleven, totaal iets anders. Kwam ik terug, was het voorjaar, mooi weer, dacht ik: Rintje, je bent vrij, pak het fietsje. Handjes op het stuur...'

'Je hebt de geest fris gehouden.'

'Het hebben van een frisse geest is een van de belangrijkste dingen voor een topsporter. Gewoon onbevangen je sport doen. Je moet een combinatie vinden tussen genieten van andere zaken en de sport.'

'Wat heb jij door het schaatsen over jezelf geleerd?'

'Dat ik ontzettend eerzuchtig ben. En een doorzetter. En dat ik egoïstisch ben, ik denk heel erg aan mezelf. Vrienden kan ik links laten liggen, maar die accepteren dat. Vaak sprak ik ze drie, vier maanden niet, was ik puur met schaatsen bezig. Maar was ik klaar, was die spanning weg, dan gingen we verder waar we waren gebleven. Ik weet niet of ik na het sporten nog steeds zo egoïstisch ben. Ik denk dat ik dat automatisch zal afschudden.'

'Jij bent allrounder. Ooit gedacht de Olympische Spelen te laten voor wat ze zijn?'

'Nee, de Spelen blijven mij toch trekken. Alleen het evenement op zich vind ik dus he-le-maal niks. Eigenlijk is het een bekrompen wedstrijd.'

'Je hebt de mensen wél de gelegenheid gegeven om te zeggen: Rintje is de beste allrounder aller tijden, maar hij heeft geen goud gewonnen...'

'Is goed, heb ik geen moeite mee. Ik weet dat ik een allrounder ben en dat ik een superdag nodig heb, wil ik uitblinken op één afstand. Maar ik weet wél dat ik het kan. Een paar keer was ik goed, maar was een ander beter. Ik had Koss tegen, die was twee niveaus beter dan de rest.'

'Bestaat er ook nog een rustige Rintje?'

'Nou, ik ben wel een bezig baasje. Ik moet altijd wat te doen hebben. Ik kan moeilijk stilzitten, ja, soms bewust omdat ik weet dat het goed is voor mijn lichaam. Een boek lezen? Nee, nee. Ik ben voortdurend in de weer. Om het huis, in de tuin, of ik ga wat nazoeken. Ook als ik gestopt ben met topsport zal ik veel blijven bewegen. Ik wil niet tonnetje rond worden.'

'Jouw kinderen moeten sporten?'

'Nee, ze mógen sporten. Geen druk uitoefenen, op de achtergrond blijven, zoals mijn ouders het deden, zo hoort het. Maar ik ga wél verbieden dat ze de hele dag aan het computeren zijn. Je ziet genoeg kids van dertien, veertien die al te dik zijn. Met de kinderen van tegenwoordig heb ik moeite, hoor. Veel achter de computer, weinig sporten en te zwaar. Toen ik jong was, gingen we met een grote club windsurfen, waren we altijd bezig. Je ziet nu dat ze niets meer doen.'

'Jij werkt voor Unicef. Je zag in Oeganda kinderen die niks te kiezen hebben tussen computer of surfplank.'

'Die maken andere keuzen, simpeler keuzen, waar ze blij mee zijn. Die kunnen met een houtje tevreden zijn. Hier vervelen kinderen zich en gaan ze maar voor de tv zitten.'

'Relativeerde de armoede die je zag het schaatsen?'

'Nee, ik kan mijn leven niet vergelijken met het leven dat zij hebben. Dat heb ik bewust niet gedaan. Je wordt gek als je daarover gaat nadenken. De ellende daar tegenover de rijkdom hier. Relativeren doe je wel, maar dat is van heel korte duur. Je komt er snel achter dat het geen zin heeft. Het enige wat je kunt doen is je als bekende Nederlander inzetten voor die mensen en ervoor zorgen dat er geld binnenkomt.'

'Wat maakt je laatste seizoen tot een goed seizoen?'

'Als het geen Olympische Spelen worden maar ik goed presteer op het EK en WK dan heb ik daar vrede mee, dan vind ik het mooi geweest. Als ik maar weet: oké, ik heb er alles aan gedaan, dit was het maximaal haalbare, *that's it.*'

'Daarna hoor je in een zwart gat te vallen...'

'Daar heb ik het veel te druk voor. Weet je hoeveel tijd dat autoracen en dat surfen kost, ha ha. Er zijn zoveel dingen die ik na het schaatsen kan doen en wil doen. Ik zal ongetwijfeld gaan werken want ik heb een schurfthekel aan stilzitten. En voor mij is het ook weer een uitdaging hoe ik in een ander leven de draad kan oppakken en mezelf weer doelen kan stellen.'

Lornah Kiplagat

Tradities doorbreken

Vanuit het gezapige Nederland kun je je bijna niet voorstellen hoe buitenlandse atleten moeten buffelen om überhaupt aan sport te kunnen doen. Er is in de loop der jaren veel gezegd en geschreven over mijn vader Petr, die te pas en te onpas 'de Tsjechische drilsergeant' werd genoemd. Ook in 'TV Krajicek', de documentaire die een aantal jaren geleden over mijn zus Michaella en mij is gemaakt, werd de strenge kant van mijn vader nog eens extra dik aangezet. Hoewel ik zelf ook lang niet altijd even gelukkig ben geweest met zijn manier van coachen, begrijp ik nu wel waar mijn vader vandaan komt. Als vluchteling uit het voormalige Oostblok had hij heel andere ideeën over het opvoeden van kinderen – zeker als die kinderen ook nog moesten uitblinken in sport. Elke cultuur heeft nu eenmaal haar eigen benadering. In veel arme landen kun je de uitdrukking 'honger naar de bal' gerust letterlijk nemen: daar waar mensen honger hebben, wordt de motivatie om hard te trainen wel heel erg groot. Het vrouwentennis kent bijvoorbeeld het schrijnende verhaal van Maria Sharapova, die al op zeer jonge leeftijd haar armlastige moeder en broertje in Rusland moest achterlaten om samen met haar vader in Amerika te gaan trainen. Ze hadden maar een paar dollars op zak, dus er rustte een zware taak op de schoudertjes van de zevenjarige Maria. Uiteindelijk heeft Sharapova alle opofferingen van haar familie meer dan gecompenseerd door als een moderne Assepoester Wimbledon te winnen en een van de dikstbetaalde vrouwelijke tennissers ter wereld te worden. Toen een verslaggever aan Maria vroeg of zij in haar jeugd niet te veel had moeten missen, antwoordde de jonge Russische: 'Wat had ik voor keus?'
Nederlandse jongeren hebben heel veel keus. Wil je studeren? Dan krijg je een studiebeurs. Wil je studeren en sporten tegelijk? Dan kun je naar een LOOT-school. Wil je je liever helemaal op je sport richten? Dan heb je als olympische A-sporter recht op een soort basisbeurs. Wij mogen dan vinden dat dit allemaal geen vetpot is, maar zodra je het levensverhaal van de tot Nederlandse genaturaliseerde Lornah Kiplagat hebt gelezen, ga je daar heel anders over denken.

'Na de middelbare school koos je voor atletiek en niet voor een studie medicijnen. Waarom?'

'Dit waren de twee dingen waartussen ik moest kiezen voor mijn toekomst. Medicijnen studeren zag ik niet echt zitten want dan moest ik naar India en daar was ik niet positief over. Ik moest iets bedenken voor mijn leven, balans vinden, het uitstippelen, ook voor de mensen in mijn omgeving. Ik wist dat ik een goede hardloopster was; op school deed ik mee aan wedstrijden. En ik had een nicht, Susan Sirma, die een rolmodel voor mij was. Als zij het kan, wil ik het ook, dacht ik, en ik ben naar haar toe gegaan. We woonden samen in Nakuru. Toen heb ik me helemaal op het hardlopen gefocust.'

'Voor sommige mensen is sport plezier, passie. Jij koos voor atletiek als "manier van leven".'

'Ja, omdat atletiek een uitweg was, iets om je brood mee te verdienen, een manier om een betere toekomst te hebben. Op school hadden sommige studenten bijvoorbeeld voetbal als hobby, maar ik wist toen al dat je sport als werk, als loopbaan kunt doen. Ik wist ook dat je door sport fit blijft, dus de combinatie was prima voor mij: ik zou een carrière hebben en fit blijven!'

'Hardlopen was een manier om je eigen leven te creëren. Wilde je geld verdienen of ook andere delen van de wereld zien?'

'Het was een combinatie van beide. Geld was niet het belangrijkste op dat moment. Toen ik naar Europa kwam, had ik helemaal niets, geen cent op zak en dat maakte niets uit. Maar voor mij was het wél belangrijk te bereiken wat mijn nicht had bereikt. Het reizen zelf deed er niet toe, maar daar zijn, in Europa dus, om het te maken in het hardlopen, dat was wél belangrijk.'

'Hoe moeilijk waren de eerste jaren?'

'Heel moeilijk, want thuis steunde niemand mij. Financieel niet, mentaal niet, op geen enkele manier. Ze konden niet geloven in mijn hardlopen. Mijn ouders vroegen alleen of ik zeker wist wat ik wilde. Nou, ik deed het uit volle overtuiging, tenslotte kon ik niet thuiskomen als mislukkeling en mijn hand ophouden.
In de beginjaren liep ik deels en werkte daarnaast als meid. Ik trainde erg goed omdat de mensen om mij heen allemaal goed trainden, dat motiveerde me sterk. En ik wilde niet naar huis terug, echt niet. Arm was ik

niet in die dagen, maar ik had geen geld. Geen geld hebben is iets anders dan arm zijn. Mijn nicht betaalde het reisgeld en dergelijke. Of de wedstrijdorganisatie deed dat.'

'Het was in die tijd niet normaal dat vrouwen in Kenia hardliepen. Was het gevaarlijk om te trainen?'

'Mijn nicht trainde in Nakuru. In de stad was men al wat moderner dan in mijn dorp, dus je zag wel atleten hier en daar, dat was geen probleem. Maar in mijn geboortedorp was het ondenkbaar dat een vrouw een broek aantrok. Dus als ik wilde trainen vertrok ik om vier uur 's ochtends, dan was ik klaar voordat de mensen wakker werden. Je kon daar als vrouw geen broek dragen, laat staan een strak sportpakje. Dat was een van de hindernissen die ik moest overwinnen toen ik begon met hardlopen. Vervelend was wél dat mensen slecht over je gingen praten. Een familie wil altijd trots zijn op de kinderen en zich niet voor hen moeten schamen. Maar ze zeiden niet dat ik moest stoppen. Als ik mijn loopschoenen en mijn trainingspak aantrok, hielden zij me niet tegen.'

'Was het mogelijk geweest jou te stoppen?'

'Nee. Toen ik vertrok om te gaan trainen, ben ik zes maanden lang niet meer thuis geweest. Ik ben pas naar huis gegaan toen ik in Europa trainde. Toen verdiende ik al een beetje geld, kocht wat spulletjes hier en daar en kon de familie laten zien dat het goed ging.'

'Waren jullie arm of hoorde jullie gezin tot de middenklasse?'

'Middenklasse. Mijn ouders waren niet arm. Maar iemand uit een echt arm gezin had mijn pad ook wel kunnen bewandelen als de gemeenschap hem of haar zou steunen. In Kenia kennen we *arambe*, dat betekent samenkomen om een sterke gemeenschap op te bouwen. Dus als een student uit een arm gezin goed kan leren en wil studeren, komt men bijeen en draagt iedereen bij. Zo kunnen arme getalenteerde kinderen toch naar school.
Maar het belangrijkste is dat veel vrouwen, ook hoe arm of rijk de ouders zijn, helemaal niet naar school gaan. De jongens wel. De meeste vrouwen leren niet door na de basisschool. Als er geld in de familie is, gaat het eerst naar de jongens; de vrouwen tellen niet mee, ze kunnen trouwen. Dat is nog steeds zo, er is niet veel veranderd.'

'In Nederland hebben sporters het vaak over faciliteiten die perfect moeten zijn. Hoe stond het met jouw faciliteiten?'

'Goed eten was geen probleem. En wat voor "faciliteiten" heb je nu eigenlijk nodig voor hardlopen? Een beetje begaanbare weg, meer niet. Je kunt overal lopen. Schoenen? Ik begon op oude canvas gympies. Daarvoor had ik veel op blote voeten getraind. Ik heb ook nationale wedstrijden blootsvoets gelopen. Steun van de atletiekfederatie kreeg ik niet. Ik wist niet eens van hun bestaan af! Ik ken de bond pas sinds kort, sinds ik Kenia vertegenwoordigde voor het WK crosscountry.'

'Hoe ben jij zo goed geworden?'

'Door bijzonder veel te lopen. Ik trainde extreem hard en daarnaast wilde ik niet als mislukkeling terug naar huis. Ik wilde mijn dorpsgemeenschap en mijn ouders laten zien dat er een carrière is. Mijn vader had twee vrouwen en in totaal veertien kinderen. We leefden goed samen. Ik was het op één na jongste kind en ik wilde mijn broers en zussen laten zien dat zelfs de jongste het beter kan doen dan de ouderen. Ik wilde wat bewijzen.'

'Vanaf welke leeftijd wilde je je eigen kostje verdienen?'

'Ik was erg jong. Thuis hadden we een boerderij met koeien. We hadden dus melk die kon worden verkocht, onder andere aan leraren. Dus toen ik in de tweede klas zat, bracht ik melk mee om aan mijn leraar te verkopen. Dat vonden ze thuis goed. Daar verdiende ik een beetje geld mee, waarvan ik pennen kocht en dergelijke. Ik was acht. Toen al hield ik er niet van om van mijn ouders afhankelijk te zijn.
In Kenia hebben we een bloem met de naam paretra, een wilde medicinale bloem. Daar maakt men ook insecticide van. Als je daar een kilo van had, was dat veel geld waard, veertig shilling. Dus in het weekend, als ik voor de dieren moest zorgen, kon ik ook mijn eigen paretra planten. En één keer per maand kon ik één of twee kilo plukken en verkopen. Van dat geld kocht ik mijn schooluniform. Ik kan me niet herinneren dat mijn ouders dat ooit voor me betaalden. Ik was dertien en toen wist ik al dat ik een toploopster wilde worden, want ik las altijd in de krant over mijn nicht die zo goed liep. Er waren ook ooms die aan olympische wedstrijden hadden deelgenomen. Dus er zat talent in de familie. Maar ik dacht er niet over na of ik talent had of niet. Ik deed het gewoon.'

'Hebben jouw ouders ooit gezegd dat ze trots op je waren? Ze moeten toch hebben gezien dat je een sterk kind was.'

'Mijn vader was trots, maar zei dat nooit. Je zag het in zijn ogen. Als hij kon, probeerde hij me te helpen, hoewel ik er nooit om vroeg. De andere kinderen vroegen altijd om iets en bleven vragen... Hij leeft nu niet meer.'

'Je noemde ooit "attitude and altitude" de pijlers onder jouw succes.'

'Het gaat vooral om de houding. Je kunt op grote hoogte leven maar als je niet de juiste houding hebt, kom je er niet. Dus vooral de "attitude" was belangrijk en daarnaast had ik het voordeel van de hoogte. Met mijn houding zou ik in Nederland ook goed zijn geworden. Kijk naar Paula Radcliffe: zij komt uit Engeland, is niet geboren op hoogte maar heeft wel de juiste instelling en is de nummer 1 van de wereld. Alles draait om mentaliteit, de rest is bijzaak.'

'Ik dacht niet na over talent of geen talent. Ik deed het gewoon.'

'Maar jouw motivatie is sterker dan die van westerse meisjes. Die hebben alles en jij wilde een eigen leven creëren. Een sterkere motivatie bestaat niet.'

'Ja, dat is zo. Bovendien wilde ik een voorbeeld zijn voor anderen om te laten zien dat er dingen moesten veranderen in onze leefgemeenschap. Iemand moest daarmee beginnen, er moest iets opengaan. Je kunt wel roepen dat iets geopend moet worden, maar wie gaat het voor je doen? Dan moet je het zelf doen.
Dat gold ook voor ons gezin. Mijn broers en zussen zijn behoorlijk wat ouder, maar ik moet hen meestal onderhouden. Het is een grote familie en we komen altijd bij elkaar in december. De laatste keer luisterden ze naar míj! Mijn oudste broer rende zelfs weg, terwijl hij geacht wordt het hoofd van de familie te zijn. Dat is traditioneel zo: als de vader er niet meer is, wordt de oudste zoon hoofd van de familie. Toen ik hem vertelde wat hij moest doen, begon hij te huilen. Hij liep de kamer uit en ging een halfuur buiten ijsberen. Toen werd hij door anderen weer naar binnen gehaald, want hij moest luisteren. Dat was niet gemakkelijk voor hem.
Hij noemt mij ook geen "kind" meer. Als er in Kenia geen echtgenoot meer is en alleen de vrouw en de kinderen zijn thuis, zegt iemand die op bezoek komt: "Is er niemand thuis?" Als de man zegt: "Dit zijn mijn kin-

deren", bedoelt hij daarmee zijn kinderen én zijn vrouw! Maar deze broer noemt mij dus geen kind meer. Voor Afrikaanse begrippen is dit een revolutie. Een grotere verandering is niet mogelijk. Mijn ouders maar ook mijn broers waren erg traditioneel. Nu roepen ze ons, die vroeger als "kinderen" niet meetelden, bij een familievergadering omdat ze weten dat we bij de familie horen en belangrijk zijn, ook voor de gemeenschap.'

'Terug naar de atletiek. Is het nooit saai en zwaar om al die kilometers te maken?'

'Nee, ik ga er altijd graag op uit, ik geniet van de natuur, vooral hier in de duinen. Ik zet ook nooit een walkman op. Ik verheug me steeds weer op elke training. Mijn trainer maakt een programma voor drie maanden en ik lees en kijk daar steeds weer naar. Elke avond bereid ik me mentaal voor. Ik heb een doel, daarom verveelt het nooit.'

'Afzien, hoe ga je daarmee om?'

'Ik zie nooit echt af. Mijn benen raken nooit echt "verzuurd". Dat ken ik niet. Ik probeer zo hard mogelijk te gaan. Er zal wel iets in mij zijn wat zegt: stop, tot hier, dit is de limiet. Ik voel wel pijn, maar die kan ik "wegblokken". Ik weet hoe ver ik kan gaan zonder mijn spieren te beschadigen. Ik ga erg diep, maar niet te diep.'

De sportieve passie van...
Paul Witteman, presentator

'Na een merkwaardige jeugd, waarin sport werd afgewezen als "voor de dommen", ben ik op school vrij goed gaan tafeltennissen, waarna een studentenperiode volgde met te veel consumpties. Pas toen ik geestelijk volwassen werd, zag ik in dat ik meer moest doen en ben ik vrij fanatiek gaan hardlopen en tennissen. Ik denk dat ik een tiental halve marathons heb gelopen in een redelijke tijd (tussen 1.30 en 1.45). Mijn sportieve helden zijn dan ook vooral hardlopers, in het bijzonder de Nederlandse Ethiopiër Haile Gebrselassie. In die tijd ging het – niet toevallig – ook beter met mijn loopbaan. Ik geloof dat sport een onderschatte functie heeft in het welzijn van het individu. Pas de laatste jaren heeft ook de psychiatrie ontdekt dat sportactiviteiten een positiever effect kunnen hebben op een gekwelde geest dan menig medicijn of vorm van gesprekstherapie. Helaas beperken rugklachten de laatste twee jaar mijn eigen mogelijkheden. En dat is jammer, want lichamelijke prestaties kunnen het zelfvertrouwen vergroten, contacten met medesporters tot stand brengen en vooral het lichaam geven waar het recht op heeft: onderhoud.'

'Je bent nu wereldberoemd. Accepteren ze je in Kenia als een vrouw die goed met haar sport bezig is?'

'Men accepteerde mij al snel op die manier. Toen ik iets begon te verdienen met het rennen heb ik eerst, zelfs voordat ik voor mezelf kleding kocht, voor mijn ouders een huis laten bouwen met alles nieuw erin. Daarvoor woonden ze in een heel eenvoudig huisje. Ik wilde dat ze comfortabel zouden leven en trots konden zijn op hun dochter. Toen de mensen dat zagen, accepteerden ze mij en konden ze het niet meer als probleem zien dat ik ging hardlopen.'

'Dus jij hebt bijgedragen aan de emancipatie van de vrouw in Kenia?'

'Ja, ik bouwde dat huis voor mijn ouders terwijl mijn broers met goede posities en banen dat niet deden! Daardoor gingen mijn ouders ook zelf in meisjes geloven. Vroeger waren mensen niet blij als ze dochters kregen maar nu zagen ze dat ook een meisje "voor de toekomst kan zorgen", van ouders dus. Ze geloven nu dat meisjes meer waard zijn dan jongens.'

'Jij hebt al iets gewonnen wat belangrijker is dan een wedstrijd.'

'Absoluut! Als ik naar huis ga, kan ik zelfs midden op de dag in mijn strakke *skintight* hardlopen zonder dat men mij daarop aankijkt, terwijl vroeger een lange broek al onmogelijk was. Plus dat meisjes naar mijn trainingskamp worden gestuurd, terwijl dat nooit kon en mocht. Meisjes werkten op het land! In de vakanties moesten ze thuis op de boerderij werken. Voor mij is het winnen van een race niet meer dan het puntje op de i.'

'Je kwam naar Europa om te lopen. Nu woon je in Groet.'

'Dat is het goede deel van dit verhaal! Ik vond mijn man, Pieter, en hij vond mij. We zijn getrouwd in 2002 en hebben besloten in Nederland te gaan wonen.'

'Je zou egoïstisch kunnen zijn. Nederland is rijk, jij bent geslaagd. Toch startte je een trainingskamp in Kenia.'

'Al voordat ik Nederlandse werd, had ik het kamp opgezet. Er was behoefte aan. Toen ik begon met trainen ben ik geholpen door mijn nicht. Zij zorgde voor reisgeld van a naar b, ook voor de wedstrijden. Nu help ik meisjes die ervan dromen topatlete te worden Zij kunnen naar mijn trainingskamp komen, waar vrouwen met vrouwen trainen. Vroeger waren er alleen kampen voor mannen. Bovendien behandelden de mannen de meisjes altijd afschuwelijk, net zoals ze thuis gewend waren. Ze gooiden hun vieze schoenen naar je toe om ze schoon te maken. Het waren vreselijke tijden. Daarom heb ik me voorgenomen alles wat ik verdien te stoppen in de ontwikkeling van vrouwen.'

'Waarom alleen vrouwen?'

'In het kamp kunnen de vrouwen zich vrij voelen. Ze hoeven zich niet onzeker te voelen door de aanwezigheid van mannen. Niemand zal schoenen naar hen gooien om die schoon te maken. Op een bepaald moment hadden we toch een paar mannelijke atleten in het kamp om hun te laten zien hoe we de taken verdelen. In het weekend, als de kok of de schoonmaakster er niet was, verdeelden we de taken onderling. De mannen moesten dan de vloeren dweilen. Sommige mannen huilden. Een man die de vloer dweilt, ze konden niet geloven dat ze dat moesten doen! *No way.* Nu zeggen de meisjes tegen de mannen die op het kamp werken: jij doet de afwas vanavond, jij dit en jij dat. Zij moeten leren om leiding te geven aan mannen. Wij helpen ze daar de eerste twee weken mee. Daarna moeten ze dat zelf doen en dat lukt ook!'

'Als het beter moet gaan met Afrika, dan moeten de vrouwen het doen?'

'De vrouwen houden de economie draaiende! Zij repareren de wegen, doen alles. Mannen doen niets. Dat is in alle Afrikaanse landen zo: de mannen zijn heel druk met nietsdoen...'

'Wordt er in jouw kamp alleen hardgelopen?'

'Nee, er zijn ook meisjes die aardig kunnen hardlopen maar daarnaast vooral studeren. Zo is er een meisje dat fysiotherapie deed aan de Hogeschool in Amsterdam. Die is nu afgestudeerd. Ik wil de meisjes een toekomst geven, dat is het belangrijkste. Is het niet in hardlopen, dan in een studie. Dat meisje was een matige loopster, dus we stuurden haar naar een school in Nederland. Zij is goed gesteund door een vriend en nu is ze fysiotherapeute! En zie, ze is toch nog een loopster op wereldniveau geworden. Verder hebben we nog twee meisjes in de VS. Die proberen we zo goed te krijgen in hardlopen dat ze een beurs krijgen. Dan kunnen zij daar verder!
We hebben ook computers in mijn kamp; daarmee kunnen ze studeren en internetten, zich ontwikkelen. Na de middelbare school komen ze naar het kamp, dan zijn ze achttien. Dan zien we wat voor soort meisjes het zijn. Kan iemand niet echt goed lopen, dan krijgt ze een baantje als

assistent-manager. Dat is voor hen ongelooflijk want een manager is toch iemand. Na drie weken doen ze alles. Dus iemand die thuis niets deed, is ineens manager!'

'Welke rol speelt religie in jouw levenshouding? Is anderen helpen een door God gegeven opdracht?'

'Het is voor mij geen plicht. Ik voel dat er behoefte aan is. Toen ik hulp nodig had, kreeg ik die en als niemand mij toen had geholpen was ik nu ook niet getrouwd geweest. Ik weet zeker dat die ander die ik ondersteun ook een betere toekomst heeft, net als ik. Ik geloof wel in God, maar mensen helpen is daarvan niet afhankelijk. Mijn man is niet gelovig en doet hetzelfde! Het heeft met karakter te maken, niet met God. Het succes van mijn kamp in Kenia is mede aan Pieter te danken. Hij had ook kunnen zeggen: waarom breng je al je geld naar Afrika en ondersteun je mensen die je niet kent? Ik doe dit graag, maar als ik er strijd om zou moeten voeren met mijn man, zou het veel minder mooi zijn...'

'Hoe is het leven in Iten, waar jouw trainingskamp ligt?'

'Heel kalm, lekker koel, niet te vochtig, niet te koud. Ook als het heet is in december en januari is het er groen. En de hoogte is goed. Maar erg belangrijk is de rust die er heerst. Dat wil ik nog als belangrijk facet toevoegen aan "houding en hoogte" als voorwaarden om te slagen. Rust is ook een cruciaal trainingsonderdeel en die heb je daar! Hier in Nederland zorg ik daar trouwens ook voor. Ik kijk geen tv, daar heb ik geen tijd voor. Slechts af en toe lees ik de krant, daar haal ik het nieuws uit. Iten is fijn, Groet ook. Ik leef op beide plaatsen hetzelfde. Ik blok de omgeving uit. Alleen als het hier winter is, train ik liever in de zon.'

'Hoe selecteer je talenten?'

'We kondigen een trial, een oefenwedstrijd, aan. Vroeger kwamen er ook meisjes uit Oeganda, maar daar hebben ze nu hun eigen trainingskamp. We hebben nu alleen meisjes uit Kenia. Ook werken we samen met de onderwijzers van de basisschool. Die helpen ons om kinderen van arme families te kiezen die anders niet naar school zouden gaan. De meisjes komen in de vakantie bij ons, als op een kostschool. Wij letten op het talent voor rennen, maar ook op karakter. Dat is het belangrijkste. We kijken naar wedstrijden, praten met de onderwijzer, ik praat zelf met hen en zo vinden we het meisje dat het goede karakter voor topsport heeft. Die pikken we eruit. En natuurlijk moet ze arm zijn.'

'Als je in Nederland geboren zou zijn, waarom zou je dan sporten?'

'Om zoveel redenen! Fit blijven, plezier hebben, andere mensen ontmoeten. Dat is belangrijk voor iedereen. Zelf ben ik dankzij de sport goed geïntegreerd in Nederland. Mensen beginnen met je te praten, dat maakt het veel gemakkelijker. Als ik train in de duinen zegt men gedag en ook bij wedstrijden ontmoet je iedereen, van hoog tot laag. En het leuke van atletiek is dat de mindere goden op dezelfde banen lopen als de goede lopers. Je kunt als eenvoudige loper zelfs in dezelfde wedstrijd staan als echte grootheden.'

'Alles wat ik verdien, stop ik in de ontwikkeling van vrouwen.'

'De kloof tussen allochtonen en autochtonen is groot in Nederland. Voel jij je nog welkom?'

'Als ze mij niet accepteren, is dat hun probleem. Was ik getrouwd met iemand uit Zanzibar, of met een man van een andere stam in Afrika, dan zou ik ook naar de woonplaats van mijn man zijn gegaan. Maar ik ben getrouwd met een Hollander en ik voel me goed hier. Ik denk dat de mensen geen probleem met mij hebben en zich bij mij op hun gemak voelen.'

'Kun je je een week zonder rennen voorstellen?'

'Zeker wel. Ik deel het jaar in drie seizoenen in. Elk seizoen stel ik mij een doel waarop ik me richt in de training. Daarna is er rust. Daar kunnen zomaar twee of zelfs drie weken zonder rennen in zitten. Nee, dat voelt niet als straf, daar kan ik echt van genieten. Ik heb er geen probleem mee, omdat het onderdeel is van mijn schema. Alleen als ik zou moeten trainen volgens mijn planning en ik ben geblesseerd, word ik chagrijnig, down, ben ik niet in andere dingen geïnteresseerd.'

'Welke andere zaken interesseren je dan?'

'Eten buiten de deur, verder niet iets speciaals. De hele dag bestaat uit atletiek of rusten. Soms pak ik een sauna. Met muziek heb ik wel wat. Ik heb alles, noem maar op. Ik hou van die nieuwe apparaten; een iPod en dergelijke heb ik allemaal. Tijdens het hardlopen gebruik ik ze niet, wél voor de race. Sommige muziek kalmeert me.'

'Toch nerveus? En je hebt het belangrijkste al gewonnen, zei je.'

'Maar dat is toch logisch. Ik wil die wedstrijden waaraan ik deelneem wel winnen. Ik win graag, maar als ik verlies: jammer maar helaas, morgen is er een nieuwe kans. Het blijft maar sport. Laten we het niet belangrijker en ingewikkelder maken dan het is. Wat is hardlopen? De ene voet voor de andere zetten. Maar als je dan toch rent, wil je winnen.
Ik ben ooit één keer naar een sportpsycholoog gegaan. Die zei na een paar minuten: "Wat kom je hier doen, jij kunt *mij* van alles leren. Daarom ben jij kampioen."'

'Kan sport zorgen voor een betere wereld?'

'Niet kán, de sport doet dat al. Als mensen sporten, hardlopen, doen ze juist energie op, zijn ze gemotiveerder, zien ze er beter uit, voelen ze zich beter dan degene die thuis lui op de bank blijft zitten. Door hardlopen doe je juist een energiekick op. Ben je oud, ga wandelen. Jij zit beter in je vel en daar doet de omgeving ook haar voordeel mee. Het lijkt me dat dat een betere wereld oplevert. Sport verandert het denken. In het begin moet je de motivatie vinden maar dan komt het moment dat het plezier wordt, dat je eraan verslaafd raakt.
Mensen die sporten, klagen ook minder snel. Want dat is een nationale ziekte hier. Iedereen die het niet meer ziet zitten, moet niet alleen sporten, ik zou hem of haar ook de echt arme mensen willen laten zien. Anderhalf uur van Iten, waar mensen van de honger sterven en niets hebben. Als je daar twee weken bent, ga je waarderen wat je hier hebt en anders naar het leven kijken. Hoe meer je hebt, des te meer je klaagt. Hoe meer geld je hebt, des te meer je wilt. Je kunt toch maar één keer per dag dineren, niet zes keer.'

'Ben je wel eens depressief?'

'Waarom? Nooit! Ik heb geen reden om depressief te zijn. Ik heb alles. Mensen die depressief zijn, missen iets. Ze zouden moeten sporten. Je kunt depressief zijn over de gang van zaken in de wereld bijvoorbeeld, maar wat helpt dat? Als we positief zijn, helpt het misschien een beetje. Ik geloof sterk in positief denken. Je kunt daardoor van alles beïnvloeden. Je kunt geen ijzer met handen breken maar het wél buigen en dan breekt het op het laatst toch.'

'Jij denkt niet, je doet.'

'Ik probeer dingen te willen die haalbaar zijn, die ik kan bereiken. Dat heeft zin. Ik maak mezelf niet gek met dingen te willen die onmogelijk zijn. En als je iets niet bereikt, blijf dan toch positief, maak jezelf niet gek.'

'Mensen die sporten, klagen minder snel. Want dat is een nationale ziekte hier.'

'Raak jij geëmotioneerd door dingen die gebeuren, bijvoorbeeld als een door jou opgevangen meisje een wedstrijd wint?'

'Ja, dat gebeurt. Maar het kan me ook raken als ik meiden zie met talent die hun mogelijkheden niet benutten. Dat ze die grote kans om iets goeds te doen met hun leven niet pakken. Ik leg het uit, vriendelijk, keer op keer, onophoudelijk. Nee, ik word niet boos, het is hun leven, zij moeten beslissen.'

'Jij bent christen. Waartoe is Lornah op aarde?'

'Er is een reden dat ik er ben, het is niet toevallig. Het is zinvol. Je kunt doelen bereiken en dingen zo goed mogelijk doen. Luisteren naar mensen die me adviseren, me corrigeren. Ik ben best hard voor mezelf. Ik wil goede dingen doen in Kenia en wedstrijden winnen, maar aan het eind van de dag is het belangrijkste gelukkig zijn met Pieter. Moeder worden? Ik wil dat niet plannen. Ik leef bij de dag. De dag vertelt zichzelf...'

Pieter van den Hoogenband

De bovenkamer trainen

Pieter van den Hoogenband is een van de aanstekelijkste winnaars die ik ken. Waar schaatsers nog wel eens met het schuim om de mond en het snot uit de neus over de finish willen komen, springt Pieter altijd lachend uit het zwembad. Hij is van nature opgewekt, aanspreekbaar en sympathiek en dat is uitzonderlijk omdat topsporters nu eenmaal een bepaalde mate van egoïsme moeten bezitten. Ik heb tijdens menige Olympische Spelen met enige jaloezie naar Pieter gekeken, en dan vooral naar het gemak waarmee hij pers en publiek om zijn vingers leek te winden. Ik was tijdens mijn tenniscarrière bepaald geen knuffelatleet, maar hem leek het allemaal heel gemakkelijk af te gaan. Dit was echter een typisch geval van 'schijn bedriegt' want zelfs Pieter van den Hoogenband bleek er vaak genoeg moeite mee te hebben gehad dat je als profsporter publiek bezit bent. Tijdens ons interview bleek hij helemaal niet het type te zijn dat zich op zijn gemak voelt te midden van de hossende menigte in het Holland House. Ondanks zijn vrolijke voorkomen is Pieter een serieus man die zeer consciëntieus zijn trainingen afwerkt, die jarenlang naar één heilig doel kan toewerken en die bovendien het belang ervan inziet dat je als profsporter ook, zoals hij dat zo mooi zegt, 'de bovenkamer traint'. Veel sporters leven in een tunnel, dat is algemeen bekend. Ook ik heb me jarenlang bewogen in de geestdodende driehoek trainen-eten-slapen. Hoewel ik lang heb gedacht dat ik lichamelijk noch geestelijk de ruimte had om me in andere zaken te verdiepen, bleek het uiteindelijk juist heilzaam te zijn om naast het 'heilige moeten' ook met iets heel anders bezig te zijn. Na mijn Wimbledon-overwinning richtte ik dan ook de Richard Krajicek Foundation op, een stichting die zich ten doel heeft gesteld kinderen in achterstandswijken aan het sporten te krijgen. Door mijn werk voor de RKF besefte ik dat er naast winstgeving ook nog zoiets is als zingeving. Want of je nu een van de beste zwemmers van de wereld bent, een manager of een kantinemedewerker, het is altijd goed verder te kijken dan je eigen baan lang is.

'Vorig jaar hing er op safari een slang vlak boven je. Als die nou "hap" had gedaan?'

'Dan had ik een mooi maar kort leven gehad. Ik had kunnen kiezen voor zekerheid maar ik heb mijn hart gevolgd en ben met zwemmen in het diepe gesprongen. Het is goed uitgepakt en ik beleef er nog steeds veel plezier aan. De essentie is de passie.'

'Welke "zekerheid" moest wijken voor jouw passie?'

'Ik ben begonnen met de studie geneeskunde in Maastricht. Dat ging goed, ik haalde mijn toetsen, vond het leuk, maar toen kwamen de trainingskampen. Was ik drie weken weg, liep ik alleen maar achter de feiten aan. Trainen, boterhammetjes mee in de auto, bij de training op mijn tenen lopen omdat ik mijn zaken niet goed had voorbereid, hup, autootje weer in. Het was te veel. Rust is ook een belangrijke factor in je training en die had ik dus niet. Toen ik bij Weert met de auto een keer slaperig dat lijntje begon te raken, had ik het gevoel: dit kan verkeerd aflopen. Hier hou ik niet van, ik ga er *all the way* voor, of niet.'

'Waarom "all the way" in zwemmen?'

'Nou, ik had een professor die zei: "Pieter, jij hebt een talent dat misschien maar één of twee mensen op de wereld hebben. Ga dat kunstje zo goed mogelijk uitvoeren. Want als arts kun je nooit meten wie de beste is." Toen dacht ik: daar heeft hij gelijk in. Hij merkte ook dat daar mijn hart lag.'

'Hoe kon die prof jouw talent zo goed inschatten?'

'Op basis van mijn twee vierde plaatsen bij de Olympische Spelen van Atlanta. Voor de kenner was dat "wauw". Zelf vond ik dat waardeloze Spelen. Ik had mensen gesproken over Barcelona, dan creëer je een droombeeld en daaraan voldeed Atlanta in het geheel niet. Ik vond die Amerikanen vervelend, het was niks. Het knakte mijn motivatie. Ik had vol getraind, 24 uur per week, moest ik dat nog vier jaar tot Sydney gaan volhouden? Daar kwam bij dat ik op school toch die rare zwemmer was. Ik week af. Ik had er al een halve dag opzitten als ze aanschoven, stonk altijd naar chloor en had een ballenknijper aan. Ik zat op een kakschool waar ze veel aan hockey deden. De mensen hadden totaal geen begrip voor mijn situatie. Dat vormde ook mijn persoonlijkheid. Dat ik er meer en meer achter kwam: dit is míjn manier van leven en ik heb schijt aan wat jullie van me denken.

Kijk, ik had die Spelen meegemaakt en omdat ik niet op twee paarden wilde wedden had ik mijn eindexamen uitgesteld. Dus het jaar daarna ging ik pas eindexamen doen. Zag ik mensen zich druk maken over schoolonderzoeken. Zeggen: "ik heb niet geleerd" en dan een dikke negen halen. Mensen die ook een jaar jonger waren. Ik voelde me er niet thuis en dacht: wat dóe ik hier.
Ik was nog aan het verwerken dat ik met Wim Kok had geluncht op de Spelen, het Dreamteam had gezien, Charles Barkley die vlak boven mijn hoofd zijn schoen het publiek in gooide en Mohammed Ali die daar in een keer stond. En dan zag ik daar van die "kinderen". Natuurlijk was ik zelf ook nog een kind, maar het was het gewoon niet.'

'Als ik water zie, wil ik erin.'

'En papa vond natuurlijk ook dat je moest gaan voor het zwemmen.'

'Nee, dat vond hij niet. Mijn vader is pas de laatste jaren mijn zwemmen spannend gaan vinden omdat hij nu inziet wat voor belangen er op het spel staan. Vroeger interesseerde het hem geen zak. Hij hield van balsporten, van voetbal, van waterpolo, maar met zwemmen had hij weinig. Dat ik de hoofdrol had in een musical maakte meer indruk dan dat ik Europees jeugdkampioen werd. Ga je eigen gang, stippel zelf je weg uit, vond mijn vader. Gelukkig had ik mijn moeder aan mijn zijde. Die bracht me overal naartoe, steunde me, omdat zij vroeger ook had gezwommen.
Maar goed, na Atlanta ging ik met de grijze massa mee. Dus elk weekend stappen, shoarma eten midden in de nacht, ik kwam in drie weken tijd tien kilo aan. Toch vond ik het vervelend, het was een rotperiode in mijn leven. Ik zat niet lekker in mijn vel, had geen planning, schoof alles voor me uit, het was drie keer niks. Dat heeft bijna een jaar geduurd. Toen kwam ik erachter dat sport in mijn leven een essentieel onderdeel is.'

'Je ontdekte "honger" in jezelf?'

'Kijk, ik heb een hekel aan slapzakken. Dat je ziet dat ze iets kunnen maar niet de ballen hebben om ervoor te gaan. Ik dacht: nu word ik zelf zo'n persoon. Ik had grenzen verlegd met jeugdzwemmen, was als joch van achttien vierde geworden op de Spelen, maar had in feite nog nooit een belangrijke prijs gewonnen. Niet eens een medaille. Dat was mijn eer te na, dus toen ben ik weer begonnen.'

'Voelde je het ook als een verplichting aan je talent?'

'Ja, jazeker. Ik vond het leuk om te doen en wist dat ik er echt heel goed in kon worden. Als je daar achter komt, is dat een kick, hoor! Dat je weet: en nu ga ik ervoor. Direct daarna leverden na amper vier weekjes trainen de Europese kampioenschappen al een bevestiging op. Ik lag er meteen na de series uit op de 200 vrij, maar als startzwemmer in de estafette zwom ik de gouden tijd. Ik baalde zo verschrikkelijk van mezelf dat ik in één keer drie seconden sneller zwom, alleen op gif.'

'Met de mond topsport belijden is simpel. Het doen is een ander verhaal.'

'Juist! Ik had een compleet jaar niets gedaan, in feite is dat een blessure. Toen ik weer begon, was ik vet, ongetraind en begon mijn huid in het water te jeuken bij hitte. Van kinds af aan had ik een stijgende lijn maar nu moest ik totaal opnieuw beginnen. Ik heb een paar keer gedacht aan stoppen. Maar je weet: je móet doorzetten. Dan kom je erdoorheen en kun je verder en verder. Loodzwaar was het, maar toch ook leuk.'

'Ben je streng voor jezelf, of heb je een stok achter de deur nodig?'

'Dat vind ik een teken van zwakte. Als het niet vanuit je hart komt, is het niet vol te houden. Kijk, je stelt elk seizoen doelen en je weet: als ik op die momenten goed wil zijn, moet ik soms door een muur heen kunnen zwemmen. Gewoon, je weet dat je kapot bent, maar dan nóg een keer je tegenstander aankijken en nóg een keer een vijftig meter volle bak doen. Maar al komt de *power* uit mezelf, trainen met anderen maakt de arbeid wél beter te verdragen. Aanspraak, een mop, een verhaal dat je kwijt moet. Zeker als je in je eentje om vijf uur 's ochtends in dat zwembad ligt, voel je je alleen op de wereld af en toe.'

'Je hebt de confrontatie met jezelf gewonnen. Trots?'

'Niet bepaald trots, het hoort erbij. Maar goed, het vraagt wel wat. Bij fietsen of hardlopen heb je nog telkens een andere omgeving, maar om de hele tijd in die bak met water te liggen, twee uur lang op hetzelfde punt uit te komen en dan 's avonds weer, jaar in jaar uit – cadeau krijg je het niet.'

'Is zwemmen leuk?'

'Ja, ik hou van zwemmen. Als ik water zie, wil ik erin. Dat gevoel dat je eruit duikt, dat je op het water ligt, heerlijk. Ik kan mezelf heel goed door stilstaand water trekken, het water pakken. Met een hoge elleboog zodat je nóg meer kracht kunt zetten, mijn vingers een béétje open, dat je het water de baas bent, zeg maar.'

'Maar tijdens de vakanties even niet?'

'Toch wel. Lekker in het zonnetje een boek lezen, een beetje bijkomen, allemaal leuk maar dan gaat het toch jeuken. Ga ik even een sprintje trekken om het luie hart aan de gang te houden. Weet je wat ook fijn is: ik had een keer een trainingskamp op een eilandje bij Madagaskar, ging ik met een maat naar het strand. Je had daar kereltjes met bodyboards, die waren *the king of the beach* omdat ze zich uitleefden op de enorme golven daar. Het is heerlijk om je af te zetten op het moment dat er een golf komt zodat je er met je lichaam bovenop komt, dat je gedragen wordt door het water.'

'Gaat het om winnen of het verleggen van grenzen?'

'Beide. Naarmate ik ouder word, haal ik een grotere drive uit het verleggen van grenzen. Ik heb genoeg gewonnen maar ik weet dat ik nog ietsjes harder kan, dat is voor mij de kick. In mijn sport telt de olympische titel, dat is het enige. Ik ben nu 27, heb drie keer goud gehaald, twee op de 100 vrij, het koningsnummer, en ik denk dat ik het nóg een keer kan. Joop Alberda zei het mooi: "Dan kom je als eerste man op de maan, dan kom je in een gebied dat nog nooit iemand betreden heeft." Dat zou ik een enorme kick vinden. Maar het is niet alleen grenzen verleggen, ik móet ook winnen bij een race.
Ik heb niks met de uitdrukking "ik heb er alles aan gedaan". Daar hou ik niet van, want dan ben je al bezig met verliezen. Ik heb veel talentvolle sporters om me heen gehad die riepen: "Ik ga de wedstrijd in en ik kan ten minste zeggen dat ik er alles aan heb gedaan." Sorry, pardon, dan ben je dus al aan het verliezen. Daar kan ik niks mee.'

'Heb je zwakke dagen?'

'Weinig. Maar dan ben ik ook eerlijk. Dan kijk ik mijn coach, Jacco Verhaeren, aan... douchen? Ja, douchen. Het gebeurt ook dat ik echt vervelend word, iemand aan zijn voeten trek, een techniekopdracht verziek. Dan zegt hij: "Piet, ik kan niets met je."'

'In Nederland lang de ideale schoonzoon, wereldwijd een ster. Leuk?'

'Het interesseert me geen flikker, dat is niet de reden dat ik ben gaan zwemmen. Ik heb genoeg aandacht gehad voor de rest van mijn leven. Zelfs een gids in Zuid-Afrika bij mijn safari wist wie ik was. Kom ik aan in Johannesburg, staan er een paar van die zwervers: "Hey, Pieter!"'

'Is zelfdiscipline een kernpunt in iemands leven?'

'Wie ben ik om dat over een ander te zeggen? Voor mezelf draait het om discipline. Als ik een doel stel, ga ik ervoor. Natuurlijk heb ik zat mensen meegemaakt die dat niet hebben. Dat is hun zaak. Een recreant kan ook gelukkig zijn, mij best. Zolang ze mij maar niet lastigvallen.'

'Jij oogt altijd happy.'

'Ik ben ook happy. Ook zoiets, op de middelbare school was het stoer om chagrijnig te zijn. Je afzetten tegen dit, tegen dat, beweren dat je het proefwerk niet had geleerd, dat soort grappen. En dan mij verwijten dat ik altijd lachte. Ik had vaak plezier en was blij. "Wat zit je nou weer te lachen", zeiden ze dan. Op een gegeven moment dacht ik: ja, hallo, dat is helemaal geen probleem, het is juist een voordeel dat je dat hebt, Pieter.'

'Maar toen je vorig jaar die hernia kreeg, verging het lachen je wel.'

'Toen had ik het zwaar, ja. Die pijn was verschrikkelijk en ik wist niet wat er ging gebeuren. Ik werd knettergek. Ik stond ermee op en ging ermee naar bed. In mijn linkerbeen had ik al geen gevoel meer. Ik stond op het punt om te denken dat in dat been mijn zenuwen zouden afsterven. Van het zwemmen had ik allang afscheid genomen.'

'Hoe heb je het gekregen?'

'Geen idee. Niks specifieks. Je zoekt grenzen op en dat al zóveel jaar, dat zal ermee te maken hebben gehad. Vroeger was ik in voor krachttrainingen. Jongens onder elkaar, bankdrukken, elkaar aankijken en er dan nog maar tien extra doen... Maar ja, je hebt altijd pijntjes. Je gaat door, je wilt er niet aan toegeven. De grens, dit is gevaarlijk, die kon ik niet goed aanvoelen. Tot ik geen twintig meter meer kon lopen, de hele dag op de bank lag, ik in de auto op weg naar de training zat te janken van de pijn, ik mijn auto langs de kant van de snelweg stil moest zetten en op de grond moest gaan liggen. Al die auto's, zoem, zoem, zoem en dan lig je daar als olympisch kampioen te janken van de pijn.'

'Pijnstillers?'

'Onder andere. Maar dat voldeed natuurlijk niet. Foto's brachten duidelijkheid. Mijn pa is mijn belangrijkste medisch adviseur. Hij en mijn dokter gingen navragen waar de specialisten zaten. Ik ben eerst naar een commerciële kliniek gegaan maar daar had ik een slecht gevoel bij. In Amerika wilden ze gelijk mijn wervels vastzetten, hoho, maar in Den Haag vond ik een specialist die de foto's zag en zei: "Morgenochtend vroeg ben jij de eerste." Heel vreemd, maar dat voelde meteen goed.
Ik naar het Kurhaus, kamertje gepakt. Mijn vriendin ging lekker op het strand wandelen en ik snel liggen, want ik kon niet meer zitten van de pijn...'

'Lag je er toen dwars doorheen?'

'Het was zo onwerkelijk. Zwaar waardeloos. Maar ik had ook het gevoel: geef het maar uit handen, je kunt er niets meer aan doen. Ik had vertrouwen in die man, hij had alles goed bekeken en vertelde dat hij me goed kon helpen. Voetbal gekeken, lekker in slaap gevallen, ik heb het over me heen laten komen.'

'Toen volgde de revalidatie.'

'Die zag ik als een uitdaging. Twee weken na de operatie lag ik alweer in het water. Dat was snel. De chirurg vertelde later dat hij een jongen, een paar jaar ouder dan ik, met dezelfde klachten had geopereerd. Hij was minder getraind en had daarbij ook nog een klapvoet opgelopen. Geen gevoel meer in zijn scheen, een en al ellende. Hij zei dat ik mazzel heb gehad, dat ik er redelijk op tijd bij was en een berenconditie had, want het was een forse hernia. Dus al snel realiseerde ik me dat ik goed was weggekomen.'

'En toen je voor het eerst het water weer inging?'

'Apart, fijn. Kijk, ze zijn met buisjes door mijn spier gegaan en hebben die troep weggehapt, die tussenschijf gehalveerd. Maar juist doordat ze door die spier waren gegaan was het een hele klont geworden. Ruggenmerg opengemaakt, zenuwen aangeraakt, maar die pijn was niets vergeleken met de pijn die ik vóór de ingreep had. Ik weet nog dat ik na de operatie voor het eerst opstond: in één keer, whoooooh, yes, kom maar, ik ben verlost.'

'VWO, tijdje studie, daarna altijd lijfelijk bezig.'

'Dat is leuk, anders zou ik het niet zo lang volhouden. Als je het met tegenzin gaat doen, is het klaar voor mij. Maar wees niet bang, ik train de bovenkamer ook, op verschillende manieren zelfs. Na mijn hernia was ik van 's morgens vroeg tot 's avonds laat met mijn revalidatie bezig, wat echt totáál iets anders is dan training. En ik vond op internet een boek van ene Maglischo, een zwembijbel voor zwemtrainers. Dan vind ik het leuk om mezelf te pesten, kijken wat die kerel zegt. Er zit een hoop bullshit in, maar er zijn ook vier pagina's aan mijn races gewijd en daarover zegt hij rake dingen. In mijn hoofd bleef ik er zo mee bezig.'

'Daar lig je dan als olympisch kampioen, te janken van de pijn.'

'Als we het eens omdraaien: leven sommige mensen te veel in hun hoofd?'

'Maakt mij niet uit. Het gaat mij om de beleving. Ik vind het leuk mensen met hun talent goede dingen te zien doen, het maakt niet uit wat. Als iemand een mooie cd opneemt omdat hij daar gek van is, waardeer ik dat. Wat ik wel weer raar vind, is dat bij een enquête over het naar Nederland halen van de Olympische Spelen mensen gaan afgeven op de sport: dat vuile sporten, en er is te veel voetbal op tv. Dan kijk je toch wat anders, of huur je een film! Waar maken die lui zich druk om. We hebben het te goed in Nederland. Dat mensen zich dáár druk om kunnen maken.'

'Welke capaciteiten heb je door het zwemmen nog meer ontwikkeld?'

'Vrienden van mij hebben nog nooit een interview moeten geven. Je moet je presenteren, je ontmoet mensen. En wat ook belangrijk is: ik moet in de organisatie knopen doorhakken, sturen, leidinggeven. Ik ben onvermoeibaar in de weer, het kan altijd nóg beter en stilstand is achteruitgang. Ik heb een team met specialisten om me heen verzameld die ik scherp probeer te houden en omgekeerd zij mij. Zo zijn we continu bezig. Soms moet ik eigenwijs zijn, kiezen voor mijn kijk op de zaak, maar je moet ook je trots opzij kunnen zetten en zeggen: jij hebt daar meer verstand van, help mij.'

'Wie zitten er in dat team?'

'Mijn coach Jacco Verhaeren, inspanningsfysioloog Luc van Agt en Jan Olbrecht, een Belg die de lactaatmetingen doet. Eén keer per maand doe

1. Rintje Ritsma tijdens het EK van 2003.

2. Pijn lijden voor olympisch succes: Zijlaard-van Moorsel wint in 2000 in Sydney de wegrace.

3. Leontien Zijlaard-van Moorsel, niet alleen ijzersterk op de weg, maar ook op de baan. Hier is ze op weg naar brons tijdens de Olympische Spelen in Athene.

4. Athene 2004: Leontien wint goud met de tijdrit en wordt daarmee de derde Nederlandse sporter die vier gouden medailles heeft gewonnen op de Olympische Spelen.

5. Lornah Kiplagat op de 10.000 meter tijdens de Olympische Spelen van 2004, waar ze eindigt als vijfde.

6. 'VdH' in actie in Eindhoven.

7. Pieter van den Hoogenband showt trots zijn gouden medaille na het winnen van het 'koningsnummer': de 100 meter vrije slag heren in Athene.

8. Frank Rijkaard voor Oranje aan de bal in de interland tegen Zweden voor het EK van 1992.

9. Rijkaard als succesvol trainer van FC Barcelona: onder zijn leiding wordt de Spaanse ploeg kampioen van de Primera División in 2005.

10. Maarten den Bakker tijdens een tijdrit in de Ronde van Nederland, 2001.

ik een test; dat heb ik tot nu toe consequent gedaan. Zo kan ik aan de hand van bepaalde waarden de schema's net even preciezer afstemmen. Verder de dokters, een fysiotherapeut, plus een manueel therapeut die hem weer aanvult.'

'Oftewel: winnen is geen toeval.'

'Ja, dat klopt. Mensen zien jouw overwinning maar hebben geen flauw idee hoe je daar bent gekomen. Voor de Spelen in Sydney heb ik een paar jongens een kijkje in mijn leventje gegund voor een documentaire. Daar kreeg ik veel reacties op. Zagen ze me trainen op het keerpunt bijvoorbeeld. Honderd keer per dag voeten plaatsen, stoppen, voeten plaatsen, stoppen. Dan voeten plaatsen, afzetten, voeten afzetten en draaien. Shit, zeiden ze, wij zien alleen maar die 48 seconden op tv.'

'Leuk dat je het keren aanhaalt; dat was niet je sterkste punt.'

'Maar nu ben ik erachter waardoor dat komt: door mijn rug. Achteraf zie ik het de-kip-en-het-eiverhaal van de hamstrings en mijn rug. Ik had stijve hamstrings en stond niet stabiel op dat blok. Ik was altijd blij als ik weer kon zwemmen. Ik heb toen een keer Dean Hutchinson uit Amerika laten komen. Ik kende hem nog van vroeger. Hij heeft me enorm geholpen. Ik merkte dat je met één voet voor en één achter minder spanning hebt. Ik heb toen ook mijn start veranderd.'

'De bekende details.'

'Nog een voorbeeld: als je je scheert en je gooit er water over heb je een heel apart gevoel. Scheer je je een heel jaar niet en pas vlak voor de race je hele lichaam, dan lijkt het alsof het water eraf glibbert, alsof je nóg harder door het water schiet. Het is jezelf een beetje voor de gek houden, maar het is een maf gevoel. En als je het in je hoofd lekker vindt, heeft dat ook zijn waarde.'

'Kan de techniek nog verder worden verfijnd?'

'Zeker. Ik maak zoveel kilometers, foutjes sluipen er zo in. Daarom is het goed om met camera's de training op te nemen, ook in het water. Er gaat nu een nieuw bad in Eindhoven worden gebouwd. Het heeft veel voeten in de aarde gehad, maar nu heb ik het toch zover gekregen dat ook mensen in de politiek inzien dat het niet een "zwembad voor Pieter" zou worden maar een voor de hele gemeenschap. Er moest een "draagvlak" voor komen, ook weer zo'n woord, ga dat maar eens in het buitenland uitleggen. Maar goed, er komt nu een nieuw bad met vier banen met overal camera's. Ik kan mijn techniek continu bewaken en mijn 'knowhow' overdragen aan de jeugd.'

'Jouw team op poten zetten, de bouw van het zwembad aanzwengelen, praten met politici: leerzaam voor een twintiger.'

'Je leert snel en veel van topsport. En op jonge leeftijd, hè. Dat vind ik ook van die voetballertjes. Zo'n Sneijder, bijvoorbeeld: toen hij negentien was, kreeg hij het hele Nederlands elftal op z'n schouders en daarna werd hij hard aangepakt, nul krediet meer. Hoe hard is die leerschool wel niet voor een mannetje van negentien!'

'Waarom zit er geen psycholoog in jouw team?'

'Expres niet, omdat ik vind dat het psychologische aspect ook bij de trainer hoort. En dan heb je te veel kapiteins op één schip. Toen ik jong was, pikte ik uit adviezen of verhalen van mensen zelf die dingen die ik interessant vond. Ik heb wel eens met een psycholoog gesproken maar dat was het niet. En al helemaal niet als hij na afloop mijn naam noemt om er zichzelf mee te promoten. Daar kan ik slecht tegen. In bepaalde dingetjes volg ik mijn hart en, weet je, je moet het ook niet moeilijker maken dan het is. Zwemmen is een simpele sport: je moet harder zwemmen dan je tegenstanders. Het is mijn eigen taak om uit te zoeken hoe dat moet. Daar komt bij dat ik zo min mogelijk afhankelijk wil zijn van iets of iemand.'

'Stel, de fysiotherapeut in jouw team voldoet niet.'

'Dat wordt dan een kutgesprek, maar ík moet wel die prestatie neerzetten. Als hij zich niet meer ontwikkelt, niet mee kan met de andere specialisten die ik om mij heen verzameld heb om steeds beter te worden, tja, dan moet ik een beslissing nemen, daar ben ik hard in.'

'Wat betekent Jacco Verhaeren voor jou?'

'Hij was een jonge getalenteerde trainer, ik een jonge getalenteerde zwemmer en we zijn met zijn tweeën gegroeid. Die weg die je samen bewandelt, dat is een kick. Nu is hij meer vriend dan trainer.'

'En als je met een andere trainer dat stukje extra vooruitgang zou kunnen boeken...?'

'Het klinkt hard maar als dat zo is, zou ik het meteen doen. Jacco is ook professioneel en hard genoeg om die keuze te accepteren, al zou hij er uiteraard moeite mee hebben. Maar hij weet dat het om mij draait. Hij laat zijn eigen ego niet vooropstaan, vindt het prima als een ander mij bijvoorbeeld beter leert starten. Het klikt. En wat heb je aan een theoretisch betere trainer als het niet klikt? Kernpunt blijft de uitdaging. Elk jaar kijken we elkaar aan: héb je het nog steeds?... wil je nog?... en zo gaan we ook al die specialisten af. Kijk, je moet elke keer jezelf en elkaar de spiegel voorhouden en jezelf vooral niet voor de gek houden.'

De sportieve passie van... Dries van Agt, voormalig premier

'Naar profvoetbal kijk ik niet: daarbij komen te veel grove overtredingen voor, het roept te veel rellen op en het is ook nog te commercieel. Mijn hart gaat uit naar het wielrennen; daar ben ik echt goed in geweest, al zeg ik het zelf. Mijn mooiste sportmoment heeft te maken met Gerrie Knetemann. Nadat hij eerder bij een vreselijk ongeluk zo verwond en beschadigd was geraakt dat er voor hem als sportman geen enkele toekomst meer leek te zijn, won hij de Amstel Gold Race. In de emotie die hij dadelijk nadien in het zicht van de camera's toonde, heb ik voluit gedeeld. Ik heb zelf ook allerlei sporten bedreven. Ja, ook tennis, maar daarin ben ik een matige speler gebleven. Hockey heb ik jarenlang met veel enthousiasme beoefend maar ook daarin was ik een halve hannes. Het allertreurigst is wel mijn verhaal over zwemmen. Dat heb ik pas geleerd op de leeftijd van 32 jaar, en wel omdat ik van mijn vrouw anders niet mee mocht op de zeilboot.'

'Zou Jacco ook uit zichzelf een andere coach erbij halen?'

'Zeker, zeker. Vorig jaar hebben Jacco en ik Markus Rogan, sportman van het jaar in Oostenrijk, samen met zijn coach naar Eindhoven gehaald. Hij is ijzersterk in één bepaald facet, de vlinderbeenslag onder water. Daar steek ik wat van op terwijl ik hem weer geleerd heb over de insteek. Hij vond het mooi om te zien dat ik als "groot kampioen" nog steeds die honger had iets te zoeken waarmee ik mezelf kan verbeteren.'

'Hoeveel keer zwem je een finale vooraf?'

'Ach, zo vaak. Dat hoort. In zo'n olympische finale kun je haast niet meer nadenken, dan moet het er allemaal hélemaal in zitten, dan ben je

in een soort trance. Het is gebeurd dat ik mijn eigen vader niet herkende toen die langsliep. Die trance zoek ik niet bewust op, dat gebeurt. Ik keer volledig in mezelf. Ze kunnen 's ochtends bij het ontbijt tegen me aan beppen, ik hoor het niet. Het is een heerlijk gevoel trouwens. Ik ben altijd op zoek naar een kick.
Dat had ik als ventje van amper tien al. Ik ging bij de NK als tiende en twaalfde de finales in en vond dat zo geweldig met die tribunes en baf: twee keer een recordtijd, twee keer kampioen. Het jaar daarna won ik zes gouden medailles, en zo ieder jaar meer. Daarna kwamen de internationale wedstrijden. Zo kreeg ik telkens weer een kick om een doel te halen. Dat je dacht: dit is het echte werk, dit is genieten...'

'Schuilt er in die trance ook nervositeit?'

'Nee. Op een finaledag van de Olympische Spelen sta ik op met het gevoel van: dit is mijn dag. Die dag heb je met rood omcirkeld, daar ben je, goddomme, zoveel jaar mee bezig. Dan weet je: díe dag zeventien over acht, die woensdag, moet ik de wereld laten zien dat ik dat nummer, het koningsnummer, als snelste kan afraffelen.'

'Nogal bijzonder: in één minuut vier jaar voorbereiding waarmaken en dan geen stress.'

'Het enige wat me raakt, zijn de facetten die je niet zelf in handen hebt. En dat houdt je weer scherp. Als ik mijn warming-up doe, word ik ook altijd een beetje agressief. Als er dan zo'n schoolslagtrutje voor me zit, moet en zal ik erlangs. Het is een droombeeld dat ik heb gecreëerd en op die dag is dat op zijn hoogtepunt.'

'Je weet: de voorbereiding was perfect, ik pak jullie.'

'Ja, omdat ik weet dat ik beter ben dan die andere gasten. Het is zelfkennis, jij weet hoe je op dat ultieme moment met jóuw lichaam het snelst kunt zwemmen. In Athene was ik wereldrecordhouder maar ik hoefde mijn tijd niet te verbeteren om te winnen. Ik wist: die eerste 25 meter moet ik op 90 à 95 procent zitten, want in een olympische finale ga je gelijk een beetje in de *overdrive* waardoor je te veel energie verspeelt. Maar dan zie ik die streep van de laatste 25 meter en dan is het: Piet, los, zoef, volle bak doortrekken; dan weet je: die kerel gaat kapot, hij gaat kapot, nú moet je die *jump* maken, dan ga je ernaartoe en begin je ook te verzuren en dan gaat het erom, nu moet je hard finishen, nu wordt het beslist, dit is jouw moment. En dan finish je en word je gek... gewoon die kick, en waar is die camera? Want ik kwam niet met mijn goede arm uit.

Rechts vind ik fijner, maar nu kwam ik dus met links uit en kon niets zien, want ik draaide raar en kon het scorebord niet zien. Toen dacht ik: de cameraman gaat nu de kampioen filmen, dus ik keek naar die vent, hij keek naar het scorebord en, poef, richtte zijn camera op mij. Ik dacht: dit is een goed teken, maar laat ik voor de zekerheid nog maar eventjes kijken.'

'Van trance in extase.'

'Nou ja, goed, dan zit mijn werk erop en sta ik open voor de échte wereld. Hoewel ik me in Athene niet direct kon ontspannen. Ik pakte een flesje en dat viel uit mijn handen doordat mijn vinger was gekneusd bij het aantikken. In die platen zitten sensoren en ik weet dat je die zo hard mogelijk moet aantikken. Doe je het rustig omdat je bang bent voor je vingers, dan krijg je iets later contact. Dus ik heb mijn vinger recht gehouden en landde met volle kracht op die plaat. Mijn vinger was blauw van de bloeduitstorting. Maar het verschil was slechts elfhonderdste, dan wil ik wel even pijn lijden.'

'Wat herinner jij je van zo'n dag?'

'Ik ben alles kwijt, op sommige intense momenten na. Na afloop bijvoorbeeld, met mijn fysio. Hij wil nooit bij die races zijn want hij wil er ook zijn voor de mensen die minder presteren. Het is normaal een koele kikker, maar nu stond hij daar in tranen omdat hij wist wat er allemaal aan vooraf was gegaan en dat het wéér gelukt was. Dat soort momenten duren lang voor mij, net als die laatste slagen, dat is voor mij een soort slowmotion. Zie je het terug, dan is het "bam, bam, bam, bam, bam", maar voor mij duurt het en duurt het.
Een ander moment dat nóg op mijn netvlies staat: in Sydney keek ik Thorpe op de 200 aan omdat we tegelijk zwommen en na 150 meter precies keerden op dezelfde tijd. Die blik, het zal maar een paar honderdsten hebben geduurd, maar voor mij duurde het secondenlang. Dan kijk je hem zo aan en dat is heel vreemd. Er zitten duizenden mensen op de tribunes en miljoenen achter de tv en dan kijk je elkaar aan: hé, dikkop, het is jij of ik.'

'Hoe ver ga je om te winnen? Stel dat ik jou in een zwempak hijs dat lucht vasthoudt, waardoor je een fractie meer drijfvermogen hebt?'

'Nou, dat zou ellende zijn want ik ben ouderwets. Het liefst zou ik, hupsakee, gewoon met zijn allen in kleine zwembroekjes willen zwemmen.'

'Weet je zeker dat er niet vals wordt gespeeld?'

'Het enige wat je kunt zeggen is dat de regelgeving amateuristisch is. Een pak moet zinken als je het in het water gooit. Prima, maar doe dat ook direct na de race met het pak dat iemand aan heeft gehad, zoals bij de Formule 1 waar ook na afloop gecontroleerd wordt. Het is ongelofelijk dat dit niet gebeurt als je ziet wat voor belangen er spelen. Ik word wél geacht als kampioen met drie wereldvreemde mensen om me heen en mijn broekje op de enkels in een flesje te pissen, maar dát wordt dan niet gecontroleerd!
Ik heb ooit gezegd dat er een atletenraad moest komen om dit soort dingen aan te kaarten, maar daar zitten dan weer zoveel slappe zakken tussen. Ik wil best mijn nek uitsteken als ik dan ook word gesteund. Dat is vaak niet gebeurd. Toen dacht ik: dag, ik ga lekker mijn energie in mijn trainingen stoppen.'

'Jouw grens is: er mag niet "gemanipuleerd" worden?'

'Een voorbeeld: Popov won van mij bij de WK in Barcelona in 2003. Ik was ziek geworden maar mijn vorm was nog aardig. Popov was die dag echter beter. Geen punt. Ook niet erg dat hij drie broeken over elkaar aanhad, want hij deed niks onreglementairs. Mijn punt is dat ik het vreemd vind dat daarover in de reglementen niets staat.'

'Je bent toen stevig aangepakt in Barcelona.'

'Ik heb dit verhaal bij een aantal journalisten neergelegd: zoek dat 's uit, daar kun je een mooi verhaal van maken. Maar niemand wil daar zijn vingers aan branden. En als ik er dan wat van zeg, ben ik onsportief, de slechte verliezer, terwijl ík denk aan de sport, aan eerlijkheid.
Er is tijdens dat WK pittig over mij geschreven, érg op de man. Kijk, als journalist ben je een doorgeefluik voor het volk. Ik vind dat je je moet inleven als je ergens over wilt meepraten. Dat mis ik vaak. Maar met een gast van *L'Equipe* heb ik dat weer wel. Die jongen volgt mij al jaren. Elk jaar staat er dan ook twee keer een groot interview met mij in *L'Equipe*. Voor zo'n journalist heb ik respect, niet voor gasten die goedkoop willen scoren. Het is vooral jammer dat je zo teleurgesteld kunt raken.'

'Mensen zien jouw overwinning, maar hebben geen idéé hoe je daar bent gekomen.'

'Goud in Sydney, goud in Athene – wat doet dat met je?'

'Het geeft een vorm van onafhankelijkheid. Ik heb genoeg gewonnen, het geeft een lekkere rust in mijn kop. Drie olympische titels, wie doet mij nog wat? Het klinkt stom en het is niet arrogant bedoeld, maar mensen kunnen niet meer zo gemakkelijk om me heen. Ik heb elke twijfel bij wie dan ook weggenomen. Het is een soort onafhankelijkheid dat je je daar niet meer druk om hoeft te maken. Dat je fijn je energie in andere zaken kunt steken.'

'Zijn er momenten dat je denkt: shit, ik heb het toch maar mooi gedaan?'

'Vooral na de race in Athene had ik dat. Werd ik wakker: pffpffpffpff, die gouden plak! Oh, gelukkig, hij hangt er nog. Of met Jacco: konden we allebei niet slapen, zijn we op het balkon gaan zitten om naar de lichtjes te kijken. Zo van: hij is binnen, jongen, hij is *in the pocket*, we hebben hem weer, ooohhhh, we hebben hem weer, als ik nu eens zou gaan schreeuwen, aaaaaggghhh, maar nu ga ik slapen hoor, want ik moet morgen weer zwemmen, oh, waar is die medaille, gelukkig, hij is echt. Aan de andere kant ben ik niet materialistisch ingesteld. Al jatten ze die medaille, *so what*. Ze pakken me nooit meer af dat ik gewonnen heb. Nóóit meer.'

'Hoe hard had jij het nodig stoom af te blazen na Athene?'

'Ook dat is ervaring. Ik weet dat ik pleinvrees kreeg na Sydney. Toen werd ik geleefd. Thorpe is daar een halfgod en ik versloeg die halfgod, dus ik wilde dat met mijn vriendin in de haven vieren in een bootje. Ik was helemaal vermomd en tóch herkenden ze me. Horden mensen kwamen op me af, waarop ik snel met beveiliging in een hotel ben getrokken, dat soort taferelen. Daar had ik geen trek meer in. Zwemmen was weliswaar niet hot in Griekenland, dus het was niet zo gek als "Down Under", maar ik merkte dat ik de triomf liever vierde met de mensen die me lief zijn, die dicht bij me staan. Ik hou meer van kwaliteit dan van kwantiteit.'

'Hadden lichaam en geest na Athene tijd nodig om te herstellen?'

'Dat lijkt me logisch. Je moet jezelf fris houden. Soms moet je kunnen genieten van het succes. Doe je dat niet, dan is het niet vol te houden. Je moet er een moment bij stilstaan. Aan het eind van het olympisch jaar had ik weer te maken met verkiezingen en dat soort zaken. Dat zijn niet mijn favoriete bezigheden, maar daarna ben ik dus naar Zuid-Afrika geweest. Het zat me echt tot híer, ik moest eruit. Dat heb je geestelijk en lichamelijk nodig op z'n tijd.'

'Heb je genoeg rust genomen door de jaren heen?'

'Ik heb altijd de goede tussenweg gevonden. Spanning en ontspanning. Slim getraind. Kwaliteit leveren in plaats van kwantiteit. Ik had geleerd van Marcel Wouda die had getraind in Michigan en bijna een marathonzwemmer was geworden. Wouda was bijna een paard, had een longinhoud van tien liter, een rusthartslag van achttien slagen per minuut. Maar als ik wilde kon ik hem zo laten huilen. Dan ging ik in een trainingssessie volle bak voorop en dan moest hij afhaken omdat hij niet die kwaliteit kon leveren. Je moet ook creatief zijn in Nederland met de zwemuren. Zo hebben wij een route uitgestippeld die mij op het lijf geschreven was.'

'Hoe "creatief" moest je zijn als je trainde in de Tongelreep?'

'Behoorlijk. Incasseringsvermogen moest ik ook hebben. Kwam ik daar vroeger binnen, dan was het: "Verdomme, Van den Hoogenband, wat moet je, ik zwem hier al 35 jaar over deze lijn, jij spatteraar, jij dopingmanneke." Ik heb moeten vechten om tussen de vrijzwemmers een baantje te krijgen. Bij de Spelen gingen dat soort dingen door me heen.'

'Je bent altijd bezig met "over vier jaar". Hoe zit het met het "nu", met de dag van vandaag?'

'Dag na dag ben ik bezig met dat ultieme doel, mijn vierde titel binnenhalen. Geschiedenis proberen te schrijven. Maar wees gerust, aan het eind van een trainingsdag denk ik niet: weer een stapje dichter bij de Spelen. Dan heb ik genoten van wat hopelijk een mooie trainingsdag was.
Ik ga voor het uiterste maar leef niet in een koker. Ik kan genieten van lekker eten, een goed glas wijn. Maar ook van simpele dingetjes. Met Minouche in het weekend lekker buiten zitten, eekhoorntjes zien spelen. Van mijn financiële onafhankelijkheid geniet ik ook. Dat is het belangrijkste pluspunt van het geld dat ik verdien. Krijg ik straks de roeping om mijn studie op te pakken, dan kan dat.'

'Straks en sport?'

'Los van de sport zal ik nooit komen. Vroeger, tijdens Atlanta, wist ik zeker dat ik na het zwemmen wat anders ging doen. Dat gaat me niet lukken, weet ik nu. Ik zou graag iets met gelijkgestemden doen. Met al de sporters in dit boek zou ik een avondlang over sport kunnen lullen. Maar ik heb ook jongens om me heen gehad bij wie een bepaalde factor ontbrak. Ik ken te veel mensen die zich op de belangrijke momenten verschuilen of met excuses komen. Daar heb ik niets mee, ook niet met mindere goden die alleen maar de A-status najagen. Die status is door NOC*NSF in het leven geroepen om van talent topper te kunnen worden. Nu heb je erbij die alleen zwemmen om die A-status te halen, hebben ze weer een tripje naar Athene of Peking in het verschiet. Hoe lager mensen sport bedreven hebben, hoe gefrustreerder ik zou worden als ik met hen zou samenwerken. Dat wil ik voorkomen.'

'Een van jouw managers noemde jou "buiten het bad lui".'

'Als dingen te vaak niet goed geregeld zijn, zeg ik daar wat van. Dan kan ik meedogenloos zijn. Word ik opgescheept met een fotograaf die geen respect heeft voor mij als sportman, die denkt dat ik een model ben, dan wil ik wel eens de telefoon pakken en de waarheid zeggen. De eerstvolgende keer ben ik dan niet zo happig en dat wordt uitgelegd als lui. Maar ik steek mijn energie liever in hoofdzaken, niet in bijzaken; die vind ik niet belangrijk.'

'En belangrijk blijft die passie?'

'Absoluut! Om me heen verandert er veel, maar in mijn hart zit nog dezelfde goesting. Waarom zou ik, nu ik ouder ben, wakker worden en denken dat het niet meer gaat? Natuurlijk kan ik op mijn vijftigste niet meer zo hard zwemmen. Maar ik ben zuinig op mijn lichaam geweest, al zou je dat met die rug niet zeggen. Ik ben op mijn zestiende al preventief krachttraining gaan doen. Mijn pa zit in de sport, mijn ouders hebben me nooit gepusht, allemaal dingen waarvan ik nu de vruchten pluk. Plus dat ik pas op mijn achttiende vol ben gaan trainen en minder kilometers achter mijn naam heb staan dan vele anderen aan de wereldtop, die al vroeg zijn begonnen. Ik wil nog één keer exploderen, daar in Peking, dat is mijn eindstation. Dan is dat hoofdstuk van mijn sportlevenboek klap, dicht, klaar.'

Esther Vergeer

Doorzettingsvermogen

Hoewel Esther Vergeer in een rolstoel zit, wilde ik haar niet in dit boek opnemen als 'de gehandicapte sporter'. Zij is voor mij gewoon een van onze beste sporters; een innemende persoonlijkheid met een zeer sterke honger naar de bal. Een vrouw met ambitie, wilskracht en doorzettingsvermogen, kortom: een topsporter om trots op te zijn. Je hoort vaak dat iemand is 'veroordeeld' tot een rolstoel. Nu lijkt het me ook een enorme strijd te leren accepteren dat je nooit meer zult lopen maar veel mensen wie het overkomt, verdrinken niet in hun verdriet maar bijten zich vast in hun revalidatie, zoals ook rolstoeltennisster Esther Vergeer dat heeft gedaan. Tegenwoordig is zij de nummer één op de wereldranglijst en meervoudig paralympisch kampioene. Ik heb wel eens geprobeerd met Esther te tennissen, maar het is ongelooflijk moeilijk je rolstoel zó voort te bewegen dat je niet alleen snel bij de bal bent, maar ook nog tijd hebt om je racket goed vast te pakken én gericht te slaan. Na het interview met Esther schaamde ik me een beetje voor de grote kloof die er tussen valide en invalide tennissers is. Naast het riante prijzengeld kunnen de valide tennissers ook nog profiteren van een perfecte organisatie, medische begeleiding en natuurlijk de erkenning van het grote publiek. Esther en haar collega's moeten veel zelf uitzoeken, zoals de eeuwige strijd met vliegtuigmaatschappijen, gestoei met hotels (zijn de kamerdeuren bijvoorbeeld wel breed genoeg?) en het chronische gebrek aan belangstelling voor hun prestaties vanuit de media. 'De oorlog in Irak is goed voor de gehandicaptensport,' vertelde een zitvolleyballer mij laatst tot mijn verbijstering. 'Al die jonge, sterke mensen die armen of benen zijn kwijtgeraakt zijn straks een aanwinst voor de Paralympics.' Dat vond ik wel érg cynisch bekeken. Desondanks hoopt Esther Vergeer op meer tegenstand want zoals het een topsporter betaamt, wil zij zichzelf blijven verbeteren. Ik hoop dat haar verhaal anderen zal inspireren om zich óók te blijven verbeteren, op welk gebied dan ook. Want, zoals Esther Vergeer in dit interview zegt: het ergste is iemand die kán bewegen, maar het niet doet.

'Altijd in die rolstoel gezeten?'

'Nee, vanaf mijn achtste. Dat is gekomen door een operatieongeluk. "Ongeluk" tussen aanhalingstekens, want het was een risicovolle operatie. Na afloop bleek dat die niet helemaal gelukt was. Tussen mijn zesde en achtste heb ik drie keer een hersenbloeding gehad. Eerst werd gedacht aan een normale hersenbloeding, maar drie in twee jaar tijd op zo jonge leeftijd, dat klopt niet. Na veel onderzoek en uiteindelijk een ruggenprik bleek dat ik een bloedvatafwijking rondom mijn ruggenmerg had. Er zit daar een bloedvat met veel zwakke vaten ertussen. De bloedingen werden onder andere door zwemmen veroorzaakt. Ik heb het twee keer in het zwembad gehad; dan wordt de druk op je aderen hoger doordat je onder water zwemt. Daardoor konden er vaten springen. En ik heb het een keer gehad na een enorme ruzie met mijn broer. Dan maak je je druk, wordt de bloeddruk hoger en kan er een vat springen. Tijdens die operatie hebben ze geprobeerd de bloedvaten die slecht waren dicht te maken of weg te halen.'

'Is dat wél gelukt?'

'Nou ja, gedeeltelijk. Ze hebben niet alle slechte vaten kunnen weghalen maar wel een aantal goede. Dat was dus niet de bedoeling. Toen ik in de uitslaapkamer lag, vertelden de artsen dat de operatie was geslaagd en dat ze tevreden waren. Totdat ze reflextesten onder mijn voeten gingen doen. Toen bleken mijn benen niet meer voor honderd procent te reageren.'

'Hoe was het om je als kind van acht te realiseren dat je levenslang gehandicapt zou zijn?'

'Ik had dat besef eerst niet. Je ligt in het ziekenhuis, je bent ziek en daar hoort een rolstoel gewoon bij, dacht ik. Het zou wel weer goed komen. En in het revalidatiecentrum ben je ook omgeven door zieke mensen en mensen in een rolstoel. Maar toen ik weer naar school ging en mijn vriendjes en vriendinnetjes zag, kon ik ineens niet meer meedoen met tikkertje en verstoppertje. Dat ging lastig, net als bij iemand logeren. Toen had ik het gevoel: dit is niet leuk meer, nou mag het wel weer over zijn.'

'Maar je wist dat het niet meer overging.'

'Ik heb het er nooit héél moeilijk mee gehad. Aan mij en mijn ouders werd gevraagd of ik professionele hulp nodig had. Maar op de een of andere manier werd het op natuurlijke wijze opgevangen. Door mijn familie, maar ook door de leraren op school en mijn vriendjes en vriendinnetjes. Er werden altijd wel speciale spelregels gemaakt. Ik werd nooit buitengesloten of gepest. In die zin is het vanzelf geaccepteerd. Door hen en door mij.'

'Je bent geen moment "verslagen" geweest?'

'Nou ja, die momenten heb ik natuurlijk ook gehad. Vooral 's avonds als ik naar bed moest. Bijna elke avond was ik aan het huilen. Waarom? Hoe moet het als ik later groot ben? Hoe gaat het dan met kinderen? Daarover maakte ik me zorgen. Ik was immers nog maar acht. Ik heb veel moeilijke momenten gehad maar ben nooit depressief geweest. Huilen lucht op en dat was bij mij ook zo.'

'En bij die revalidatie speelde sport een grote rol?'

'Ja. Ik ging naar revalidatiecentrum De Hoogstraat waar ze toen nog geen aparte jeugdafdeling hadden. Ik zat opgescheept met volwassenen en jongvolwassenen en voelde me helemaal niet op mijn gemak. Ook deed de fysiotherapie pijn. Dan word je geconfronteerd met de dingen die je niet meer kunt. Je moet proberen te lopen, maar dat lukt niet meer. Je moet fietsen, maar het gaat niet. Dat zijn vervelende dingen. Maar sport was ook een onderdeel en dat vond ik direct leuk. Kinderen horen te spelen! Liefst buiten. En sport was voor mij op dat moment het enige wat ik leuk vond en waarin ik mijn ei kwijt kon.'

'Heeft sport geholpen bij het accepteren van je handicap?'

'Daar ben ik honderd procent van overtuigd. Niet alleen omdat het mij leerde omgaan met mijn rolstoel: wat doe ik als ik val, hoe kom ik een stoepje op, hoe draai ik snel genoeg, dat soort praktische dingen. Maar ook ontmoette ik in de sport mensen die er erger aan toe waren dan ik. Je ziet hoe die door het leven gaan, wat voor trucjes je allemaal kunt doen, zeg maar.'

'Kon je er ook energie en woede in kwijt?'

'Ik was een beweeglijk, energiek meisje. Sporten was goed voor me. Mede daardoor leerde ik zo handig met mijn stoel omgaan dat ik mee kon doen met de spelletjes van mijn vriendinnetjes. Ja, ik kon er ook boosheid in kwijt. Sport was en is een uitlaatklep, bijvoorbeeld als je weer iets meemaakt op straat, een gebouw niet is aangepast, een vliegmaatschappij lastig doet omdat je een rolstoel hebt, er geen rolstoeltoilet is in een restaurant – kleine dingen die toch erg frustrerend zijn. Gelukkig wind ik me er niet heel erg meer over op, ik weet hoe Nederland in elkaar zit. Maar als je een rotdag achter de rug hebt, helpt sport absoluut.'

'Maar jij wilde ook winnen, de beste zijn.'

'In het begin was revalideren natuurlijk het belangrijkste. Daarna wilde ik me misschien bewijzen tegenover de buitenwereld. Kijk, ik ben niet zielig; kijk, ik kan dít wél. Ik wilde laten zien dat ik ergens goed in was. Dat was meer gericht op de buitenwereld, op de mensen om me heen. Het was goed voor mijn gevoel van eigenwaarde. Het klinkt volwassen, maar als kind van acht denk je daar toch over na. Je wilt niet aan de kant worden geschoven. Nu sport ik voor mezelf. Die drang om te winnen zit in me. Ik wil de beste zijn.'

'Zonder rolstoel had ik nu minder doorzettingsvermogen gehad.'

'Wat was de rol van de sport in de puberteit?'

'Veel vriendinnen gingen uit maar voor mij was dat niet zo gemakkelijk. Dus ik moest het ergens anders in kwijt. In sport vond ik veel voldoening.'

'Heb je extra wilskracht gekregen door die handicap? Of had je die van jezelf?'

'Allebei een beetje. Dat niet zeuren, doorgaan, niet bij de pakken neerzitten, zit in de familie. Maar die eigenschap is door mijn handicap versterkt. Elke dag komt me dat van pas. Zonder rolstoel had ik nu minder doorzettingsvermogen gehad, maar nog steeds wel een flinke portie.'

'Je speelde ook goed basketbal. Waarom koos je voor tennis?'

'In 1998 zat ik in beide Nederlandse selecties. Toen ik klaar was met de Havo ging ik naar het HBO en lukte het niet meer beide sporten te combineren. Ik moest kiezen. Er waren verschillende redenen waarom ik voor tennis koos. Dat het een individuele sport is, trok me. Plus het vele reizen, het prijzengeld, de Paralympics, het nummer 1 zijn op de wereldranglijst, de vele wedstrijden die je speelt. Tennis bracht zoveel meer, er zat zoveel meer uitdaging in. Spijt van die keuze heb ik natuurlijk niet. Nog steeds geniet ik ervan. Maar ik zit wel te wachten op meer concurrentie.'

'Je wilt liever meer concurrentie?'

'Weet je, ik ben nu vijf jaar lang nummer 1. Daar zijn redenen voor. De perfectie in mijn training is de voornaamste. Ik tennis veel, doe fitnesstraining, laat me mentaal begeleiden. Ik sta er professioneel tegenover. Maar ik had gehoopt dat internationaal meer atletes dat hadden gedaan. Tennis is een snelgroeiende sport voor gehandicapten maar dan heb je het vooral over mannen. Ik vraag me wel eens af of ik nog geloofwaardig overkom als ik altijd alles gemakkelijk win. Ik weet zelf wat ik ervoor doe, maar buitenstaanders weten dat niet altijd.'

'Heb je er voordeel van dat je "slechts" een enkelvoudige laesie hebt?'

'Ja.'

'Is dat competitievervalsing?'

'Ja en nee. Het is gehandicaptensport en geen enkele handicap is hetzelfde. Ik heb toevallig een goede handicap voor tennis. Mensen met een hoge dwarslaesie komen nooit meer bij de top. Dat is nu eenmaal de ontwikkeling. Misschien dat over tien jaar alleen mensen met een amputatie het nog redden. Van de vrouwen met een amputatie heb ik trouwens nog steeds gewonnen. Maar dat zijn nog jonge grietjes. Die kunnen er nog aankomen.'

'Vier keer goud, al jaren 's werelds beste. Trots?'

'Dat lijkt me logisch. Maar het mooiste is, dat ik een doel heb gesteld en dat ook heb gehaald. Er is niets mooiers dan dat. Het maakt niet uit op welk gebied je dat doet. Bij mij is dat sport, maar mensen die de beste putjesschepper willen zijn, hebben dat ook. En zakenlui die miljonair zijn of een eigen zaak hebben, doen precies hetzelfde.'

'Je hebt alles gewonnen, wat wil je nu nog?'

'Nóg beter worden. Ik ben nog lang niet uitgeleerd. Er valt zat te verbeteren aan mijn spel: tactiek, techniek, alles. Daar ligt nog genoeg uitdaging voor mij.'

'Waarom ben jij het boegbeeld van de Nederlandse gehandicaptensport?'

'Dat moet je aan andere journalisten vragen. Ik weet het niet. Dat wordt me opgelegd. Erg vind ik het niet en ik snap het ook wel. Wat ik niet begrijp, is waarom niemand het stokje overneemt. Ik heb altijd zelf doelbewust de media opgezocht. Mede daardoor heb ik de sponsors die ik nu heb en kan ik zeggen dat ik professioneel tennis. Dus ik vind het absoluut niet erg.'

'Als je verlegen was geweest en lelijk, was het niet gebeurd.'

'Dat klopt. Je moet je mondje wel bij je hebben, ja. En mijn uiterlijk? Kan misschien helpen, ja...'

'Ben je trots op je lichaam?'

'Nee. Ik word er continu mee geconfronteerd dat ik een handicap heb. Ik heb gewoon niet het lichaam dat ik graag zou hebben.'

'Als je jezelf in de spiegel ziet, denk je dan: shit?'

'Niet shit, het had erger kunnen zijn. Maar ik denk wel: als ik niet gehandicapt was geweest, hoe had ik er dan uitgezien? Had ik dan zo'n kont gehad, was ik zo lang geweest, had ik zo'n figuur gehad? En hoe zou die kleding mij staan? Vorig jaar moest ik voor het Champions Dinner bij Roland Garros, waar ik werd gehuldigd, een galajurk kopen. Dat was hartstikke moeilijk. Doordat ik in die stoel zit, heb ik onwijs dikke armen, dat soort dingen.'

'Vanaf de heupen goed toch?'

'Het bovenste deel van mijn lichaam is misschien vrij normaal. Maar trots ben ik er ook niet op. Als ik een plastisch chirurg als sponsor had gehad, had ik het wel geweten. Strakke buik, die benen minder dik, armen wat dunner, bouw wat slanker.'

'Dan had je weer niet de fysieke kracht gehad om te winnen.'

'Dat is ook waar. Het is niet zo dat ik de krachttraining haat of oversla omdat ik geen breed bovenlichaam wil hebben. Ik wil gewoon winnen, klaar.'

'Je bent voor je sport dik twintig weken "onderweg". Verveelt dat nog niet?'

'Helemaal niet! Ook al speel ik elk jaar dezelfde toernooien. Mijn schema is goed: paar weken spelen, paar weken thuis. Ik kijk er altijd naar uit om de andere sporters te zien. Gewoon met hen om te gaan, leuke dingen te doen. Om te tennissen, in een ander land te zijn, de mensen van de organisatie tegen te komen, ja, dat vind ik echt heel leuk. En ik heb nu een vriend, een Amerikaanse rolstoeltennisser. Daarom vind ik het misschien wel extra leuk om zoveel weg te zijn. Tegelijk heb ik daarover ingezeten. Stel dat het uitgaat, hoe kom ik dan in godsnaam aan contacten? Ik ben heel verlegen hoor.'

'Hou op, zeg.'

'Echt waar. Als ik op een feestje ben of bij een presentatie of opening van het een of ander, dan ben ik niet de eerste die op mensen afstapt en zo. Wel ben ik open en spontaan, heb mijn mondje bij me, dat zat er altijd wel in, maar ik ben door het sporten een stuk directer geworden. Ik durf nu meer.'

'Sport levert toch ook sociale contacten op? Jij komt nog eens iemand tegen.'

'Soms mensen die je alleen op de televisie ziet of in je dromen tegenkomt. Die ontmoet ik, ja. In 2001, toen ik in Monte Carlo tot 's werelds beste gehandicapte sporter werd gekozen, kwam ik Jordan, McEnroe, Schumacher en anderen tegen. Jordan tikte me op mijn schouder en ik dacht: wie is dat, omringd door acht bodyguards? Michael stak daar ver bovenuit en zei: "*Congratulations, my love.*" Ik vond dat een prachtige avond. Een mooie prijs ook. Je wordt gekozen door de beste sporters van de wereld en die weten waarover ze het hebben. Dan ben ik wel zo dat ik 's avonds op de hotelkamer stiekem een traantje wegpink.'

'Is het fijn om met gehandicapte sporters onder elkaar te zijn?'

'Ja. erg prettig, veilig. Iedereen weet wat de consequenties zijn van het hebben van een handicap. Je hoeft er niet moeilijk over te doen, niemand kijkt raar op. Je hoeft niks uit te leggen, dat vind ik heerlijk.'

'Dat Amerikaanse vriendje: is hij belangrijk voor je?'

'Wauw, dat vind ik een lastige vraag. Hij is zeker belangrijk voor mijn ontwikkeling, het hoort gewoon bij 24 zijn. Dus ik ben blij en ermee bezig. Maar af en toe heb ik twijfels. Ik wilde niet iemand in een rolstoel, dat bevestigt vooroordelen. Daar heb ik het nog steeds moeilijk mee. Als ik over hem vertel, vragen ze gelijk of hij ook in een rolstoel zit. Dat is zo vervelend. Ik ben er nog steeds niet helemaal uit. Heel dubbel. Ik verwacht dat iemand anders mij neemt om wie ik ben, dat mijn handicap geen rol speelt. Dus het is een beetje oneerlijk tegenover hem, David. Ik vind hem heel leuk. Zijn persoon past bij mij, daar ligt het niet aan. Alleen de afstand, de taal misschien en zijn handicap. Hoe moet ik over die barrières heen stappen? Moet ik dat gewoon accepteren, gaat het vanzelf? Als we bij elkaar blijven en stel dat ik ooit kinderen zou mogen krijgen, hoe gaat dat dan? Worden die gepest?'

'Kun je kinderen krijgen?'

'Nou, ik denk het wel. In principe hoeft een dwarslaesie geen handicap te zijn, geen belemmering. Ik ben hier als jonge vrouw natuurlijk volop mee bezig.'

'Moet bij jou alles wijken voor de sport?'

'Absoluut niet. Ik ben nu al verschrikkelijk bang dat ik niets meer overheb als ik stop met sporten. Dat ik nu niet genoeg doe aan mijn sociale leven. Ik zou er ook graag meer aan willen doen. Met vriendinnen leuke dingen doen, bij ze langsgaan, er op verjaardagen zijn, kleine dingen. Toen ik nog op school zat, had ik veel meer vriendinnen dan nu. Dat verwatert gewoon.'

'Je had wel tijd om met een vriendin naar Turkije te gaan.'

'Ja, dat was voor de Paralympics in 2000. Sindsdien ben ik niet meer zomaar weggeweest. Nee, dat is niet erg of stom. Ik zie het tennis ook een beetje als vakantie. Dan blijf ik ergens een paar dagen extra. En ik ga af en toe naar mijn vriend in Amerika; dat is ook vakantie.'

'Zijn er naast tennis nog andere leuke dingen?'

'Ja, ik ben weer begonnen met een studie, marketingcommunicatie. Echt, dat is leuk. Lezen, nee. Internet, ja. En winkelen met vriendinnen vind ik heerlijk. Al mijn prijzengeld lekker uitgeven! Stappen doe ik amper, het is lastig. Vaak is een discotheek niet op gehandicapten ingericht. Dan zijn er alleen trappen met het toilet boven. Ik ben niet zo'n stapper. Niet goed in dansen, en zo. Vaak voel ik me ook bekeken. Dan komen er rare mensen om me heen hangen. Die vinden het dan "goed" dat ik er ben, pakken me bij mijn armen en gaan met me dansen. Dan denk ik: doe je dat met iedereen? Daar hou ik niet zo van.'

'Muziek?'

'Ja, alle genres. Sommige muziek ontroert me. Bij liedjes van Borsato kan ik soms janken. In mijn uppie, hè, terwijl niemand het ziet. Swingende muziek is ook lekker. Het zal er niet uitzien, maar ik swing graag.'

'Als jij valide topsporters ziet, wat denk je dan?'

'Als ik bij een validententoernooi ben, vraag ik me wel eens af of zij beseffen hoe gelukkig ze mogen zijn met twee gezonde benen. Maar ik oordeel nooit over hun instelling of zo. Ik zal niet denken: val eens een paar kilo af, ga eens trainen. Dat zou ik dan ook tegen mezelf moeten zeggen. Al zit ik in een rolstoel, ik moet die kilo's ook kwijt. Maar op de een of andere manier heb ik daar moeite mee. Waar ik níet tegen kan, zijn mensen die kúnnen bewegen maar dat niet dóen! Jongeren die de lift nemen op het station en een uur in de wind stinken. Mensen die gemakkelijk met de fiets naar hun werk kunnen maar altijd de auto pakken, dát begrijp ik dus niet.'

De sportieve passie van... Paul de Leeuw, presentator

'Ik sta elke dag vijftig minuten op een cardioapparaat en daardoor voel ik me nu aanzienlijk fitter dan voorheen. Mijn drankgebruik is nog steeds overmatig en mijn eten soms baggervet, maar de cardio geeft me een enorm compensatiegevoel. Daarnaast *kijk* ik vooral graag naar sport. Mijn favoriete tennisspeelster is de melodramatische Mary Pierce. Zij staat op de baan alsof ze net is bijgekomen van een lange operatie en af en toe een klein wegzakkertje heeft. En dan de schouders van de beide zusjes Williams! Als je het rokje wegdenkt, zou je zweren dat het Carl Lewis is. Nu we het toch over homo's hebben: die onderwatercamera tijdens de waterpolowedstrijden vind ik geweldig. De betere baltechniek en het graaiwerk kun je daar prima zien. Wat betreft atletiek ga ik voor de 100 meter. Tijdens de Olympische Spelen 2000 in Sydney heb ik het zelf mogen aanschouwen: de zinderende stilte voor de start en de miljoenen flitslichtjes uit fototoestellen... dat was absoluut een hoogtepunt uit mijn sportcarrière – als kijker dan.'

'Door mijn tennis laat ik zien dat je als gehandicapte een normaal leven kunt hebben.'

'Nogal wat Nederlanders zijn niet gehandicapt maar wel depressief.'

'Een aantal zal daar vast een reden voor hebben maar ik denk dat het ook aangepraat wordt. Door henzelf en door de media. Als jij goed in je vel zit door te sporten zal dat een stuk minder worden. Nee, ik denk niet: mens je bent valide, wat zeur je nou. Ik relateer niet alles aan mijn handicap. Erg zijn wel de lui die zeggen te weten hoe ik me voel omdat zij ook ooit twee weken in een rolstoel hebben gezeten. Die begrijpen er dus echt helemaal geen reet van, en dat zeg ik dan ook.'

'Ben je boos, dan heb je die uitlaatklep op de baan.'

'Precies. Als ik opgefokt ben, sla ik extra hard of ben ik ineens heel agressief aan het bewegen. Mijn coach, Aad Zwaan, merkt dat: "Zware dag gehad, Esther?"'

'Droom je wel eens dat je weer kunt lopen?'

'Nee, nooit. Als ik droom dan loop ik niet maar zit ik ook niet in een rolstoel. Het is ook niet dat ik zweef, ik ben er niet bewust mee bezig, denk ik, met lopen of in de rolstoel zitten. Maar ik zie mezelf nooit rennen en dat is wel zo prettig, want wat zou wakker worden dan frustrerend zijn.'

'Hoe kijk je aan tegen wat jou is overkomen?'

'Ik zie het als pure pech. Heel vervelend, maar toeval, pech of hoe je het ook wilt noemen. Het is niet een van hogerhand voorbestemd lot. Ik ben niet "uitverkoren" om het boegbeeld van de Nederlandse gehandicaptensport te zijn. Het is daarom ook niet zo dat ik boos zou zijn op God om wat mij is overkomen.'

'Wél op de medici die toen die operatie hebben gedaan?'

'Boos is een verkeerd woord. Vorig jaar heb ik precies dezelfde operatie ondergaan omdat die vaten weer waren gegroeid. Die moesten opnieuw verwijderd worden. Dat was erg spannend. Maar de artsen en de medische techniek zijn zó vooruitgegaan dat het een fluitje van een cent was. Toen realiseerde ik me wel dat ik waarschijnlijk nooit in een rolstoel terecht zou zijn gekomen als ik nu was geboren.'

'Is er nog enige hoop dat...?'

'Ik denk dat mensen met een dwarslaesie binnen een redelijk korte termijn weer een beetje kunnen staan of lopen. Dat zijn de standaard-dwarslaesies. Je breekt je rug of nek en binnen zoveel tijd moet dat gerepareerd worden; dat moet in de toekomst mogelijk worden. Zit je al twintig jaar in een rolstoel, dan heb je geen kans. En mijn geval is helemaal complex, want het is geen breuk in de zenuw. Voor mij is de redding ver weg.'

'Je praat er goed over. Nooit puur verdriet meer?'

'Puur verdriet niet. Ik baal wel en ik vraag me af hoe zou het zijn als ik had kunnen lopen. Voor zover mogelijk heb ik het geaccepteerd. Het went, maar nooit voor de volle honderd procent. Toch ben ik blij met het leven dat ik nu heb want ik had ook achter de geraniums kunnen gaan zitten. Petje af voor mij? Vergeet mijn omgeving niet, hè: vader, moeder, coach.'

'Wat voel je als je goud wint?'

'In Syndey was het overdonderend. Er was een kans, maar ik had die niet hoog ingeschat. Toen bracht goud zuivere blijdschap en verbazing dat ik het toch had gered. Een supertrots gevoel. In Athene was het meer een soort opluchting. Iedereen verwachtte het van me en ik verwachtte het ook van mezelf, ik had de lat hoog gelegd. Ik wilde niet thuiskomen met minder dan twee keer goud. En dat lukte! Ik was gelukkig niet op mijn gezicht gegaan. Een mengeling van opluchting en toch ook blijdschap. Al zit er op mijn euforie wel een rem. In Sydney niet, de laatste jaren wél. Toen was het janken, daarna nooit meer. Half en half verwacht ik te winnen. Nee, mijn handicap zorgt niet voor een zeurende ondertoon. Wél dat er minder invalide tennissers zijn dan valide.'

'Hoe goed had je als valide tennisster kunnen worden?'

'Geen idee. Ik vraag het me elke keer weer af en vraag het ook aan andere mensen. Mijn lengte is met 1.79 meter goed, ik ben sterk, heb balgevoel en een behoorlijk inzicht in de rally. Maar misschien had ik de ultieme drive wel niet gehad. Ik heb nooit gesport voordat ik gehandicapt raakte. Pas toen ik in die rolstoel terechtkwam... enfin, het is even logisch als zinloos dat ik er vaak over nadenk.'

'Vertel eens iets over jouw stichting Handzzzup!'

'Dat is een stichting die rolstoeltennis organiseert voor kinderen van zes tot plusminus twintig jaar. Die halen we van mytylscholen en revalidatiecentra om ze te laten kennismaken met tennis. Het is leuk om dat voor ze te doen en ik weet hoeveel ik eraan heb gehad dat ik ging tennissen, ging sporten. Ik weet ook hoe hoog die drempel is geweest. Het is heel wat om als invalide kind naar een validenvereniging te stappen en te vragen of jij daar mag komen trainen. Waar haal je in vredesnaam alle informatie vandaan? Ik help bij het nemen van die hobbels.'

'Schaal de waardering voor jou als mens, vrouw en sporter eens in.'

'Wie wil er niet op de eerste plaats als mens worden gewaardeerd? Dat is alles. Niemand hoeft mij te waarderen omdat ik goed kan tennissen of omdat ik vrouw ben. Ik wil normaal behandeld worden. Dat ik een rolstoel nodig heb om me voort te bewegen mag niet uitmaken. In Nederland maakt het nog steeds veel uit, daar word ik een beetje moe van. Door mijn tennis laat ik zien dat je als gehandicapte een normaal leven kunt hebben: op vakantie gaan, autorijden, parachutespringen, de dingen die iedereen doet, en ik dus ook.'

'Wat doe je voor de Johan Cruyff University?'

'Daar begeleid ik gehandicapte sporters op school. Als ervaringsdeskundige, zeg maar. Ik ben gehandicapt, heb gestudeerd en doe aan sport. Ik laat zien wat er allemaal mogelijk is. Johan staat voor het integreren van de gehandicapte en mindervalide sporters.'

'En daar ga je dan in jouw eigen auto naartoe!'

'Ja, het halen van mijn rijbewijs is nog steeds een van de mooiste prestaties in mijn leven want ik was zo afhankelijk. Mijn ouders, mijn broer, iedereen moest mij altijd brengen en halen. Het OV gaat gewoon niet, zeker niet als je een tennisstoel hebt en een tennistas. Vanaf mijn dertiende keek ik al uit naar de dag dat ik achttien zou worden en dat ik mijn rijbewijs kon halen. Toen ik was geslaagd ging er een wereld voor me open. Nog steeds geniet ik er elke dag van dat ik een auto heb.'

'Ik wilde niet thuiskomen met minder dan twee keer goud.'

'Mooi leven, goud, trots, auto. Ben je toch nog wel eens "eenzaam" in je handicap?'

'Eenzaam vind ik een verschrikkelijk woord. Ben ik ook niet, voel ik ook niet zo. Maar ik denk wel dat veel mensen geen benul hebben van wat er allemaal bij komt kijken als je gehandicapt ben. Wat je moet doen als je op vakantie gaat, waarmee je rekening moet houden, hoe lastig het is als de wc op de eerste verdieping zit. Wat voel je je dan ongemakkelijk. Dat je soms het vijfde wiel aan de wagen bent.'

'Je hebt valide mensen die wél eenzaam voor het raam zitten.'

'Zonde, zonde. Er is zoveel te doen. Doe iets. Ga sporten!'

'Hoe ziet jouw sportieve toekomst eruit?'

'Ik ga absoluut door tot Peking. Mijn passie voor sport, voor tennis, is onverminderd groot. En ik heb ook nog niet genoeg gewonnen. Daarna? Ik blijf altijd bewegen, want ik heb geen zin om een gezellige dikkerd in een rolstoel te worden.'

'Als ik zeg dat jij van een nood een deugd hebt gemaakt?'

'Dan ben ik het daar helemaal mee eens!'

Frank Rijkaard

Durven loslaten

Als voetbalsupporter werd ik altijd rustig van Frank Rijkaard. Je voelde gewoon: het zit wel goed met hem. Het beschamende 'spuugincident' ten spijt, was Frank altijd rustig en beheerst. Je dacht als toeschouwer nooit: wat gaat hij vandáág nou weer doen, zoals de Engelse voetbalfans dat bijvoorbeeld bij Paul Gascoigne hadden. Frank leek altijd op de juiste plek te staan en op het goede moment een actie in te zetten. Maar bovenal liet hij zich zelden gek maken. En ondanks het feit dat hij een zeer gedreven sportman was (en is), kan Frank Rijkaard erg goed relativeren. Dit laatste kan een gevaarlijke eigenschap zijn voor een profsporter, want zodra je de gedachte aan winnen kunt loslaten heb je eigenlijk al verloren. Toen een Amerikaanse *football*coach eens werd verweten dat zijn team bijzonder onsportief op een verloren partij had gereageerd, zei hij geïrriteerd: 'Natuurlijk zijn het slechte verliezers. Wat wil je dan dat ze zijn, góede verliezers?' Maar loslaten is méér. Eigenlijk betekent het dat je het vermogen moet hebben fouten, mislukkingen en pijnlijke verliezen naast je neer te leggen. Zelf was ik daar helemaal niet goed in. Ik heb in mijn tenniscarrière soms wel maanden wakker gelegen van bepaalde wedstrijden die ik had verloren en die ik naar mijn gevoel had moeten winnen. Ik heb dit lange tijd gezien als een teken van mijn gedrevenheid, maar nadat ik me was gaan verdiepen in het zenboeddhisme, realiseerde ik me dat je niet alleen moet leren hoe je moet winnen, maar ook hoe je moet verliezen. In elk verlies zit een winst. Vroeger liet men zieke mensen beschimmeld brood eten omdat ze daar op miraculeuze wijze van opknapten, niet wetende dat er een vorm van penicilline in zat – een mooi voorbeeld van hoe iets slechts ook goede kanten kan hebben. Ik heb het relativeren moeten leren, maar Frank Rijkaard is ermee geboren. Na het lezen van dit interview drong één gedachte zich aan me op: Frank is een stil water met een diepe grond. Hij blijft zichzelf vragen stellen en kiest zelden de gemakkelijkste weg. Ondanks alle grote prijzen die hij in de afgelopen decennia heeft gewonnen, heeft Frank Rijkaard oog gehouden voor de kleine dingen die het leven zo bijzonder maken. Zijn anekdote over die oude Spaanse man bij het kampioensfeest van Barcelona in 2005 vind ik persoonlijk een juweeltje.

'Wat betekent voetbal voor jou?'

'Voetbal is voor mij liefde voor de bal. Eigenlijk is voetbal teruggaan naar het kind-zijn. Als je een bal zag, wilde je hem altijd uitproberen. Tegen een bal wil je trappen. Daar wil je mee bezig zijn. Nu heb je van die zilveren ballen, gemaakt met moderne technieken. Maar de behoefte er een paar keer tegenaan te knallen, ermee te spelen, is er nog altijd. De bal blijft aantrekken. Daarin zit mijn grootste passie voor voetbal.'

'Schuilt in de trainer van FC Barcelona nog de kleine Frankie die van de bal houdt?'

'Verstopt wel, want dat is de realiteit niet meer. Maar elke keer als ik het veld op loop en de ballenzak wordt geleegd, heb ik de onbedwingbare behoefte die bal aan te raken. Het liefst zou ik er meteen een pass mee geven. Het kind-zijn zit er nog steeds in. Maar dat leid je in banen, het heeft geen zin, het hoeft niet meer. Die spelers moeten hem raken. Je gaat ook niet meer rennen, want de spelers moeten trainen. Maar de aantrekkingskracht die de bal heeft, is even groot als in mijn kinderjaren.'

'Zitten er nog andere dingen in voetbal waarop je verliefd bent, bijvoorbeeld het tikken van de noppen als je de kleedkamer uitkomt?'

'Dat vind ik een fase verder. De bal is de basis. Kijk, als je later op een hoger niveau gaat spelen komen er allemaal randverschijnselen bij zoals een wedstrijd winnen, een goed gevoel hebben met je teamgenoten, volgende week weer een lekkere wedstrijd spelen, het tikken van de noppen, de geur van pas gemaaid gras. Maar het zijn afgeleiden van de honger naar de bal.'

'En voetbal als spel, ben je daar ook gek op?'

'Ja, ik heb niets leuker gevonden dan een partijtje spelen. Het is je passie, dus is het ook zo dat veel wedstrijden je aandacht trekken; die wil je zien. Dat had ik al als jong ventje: in de huiskamer grote internationale wedstrijden volgen en dan intens meeleven. Ja, dat is liefde voor het spel, liefde voor het voetbal, maar het blijft een afgeleide van de oorspronkelijke motivatie en die zat en zit voor mij in spelen met een bal.'

'Hoe ervaar je die passie als trainer?'

'Zelf voetballen is heel anders. Ik kan als trainer blij zijn met een overwinning en ook met de opinie van sommige mensen, maar ik heb als trainer niet zo vaak voldoening. Je streeft altijd een utopie na. Als alles klopt, zeg je: ja, zo zou het moeten. Maar dat gebeurt niet vaak en dat is wel frustrerend. Tegelijkertijd is het een drijfveer.'

'Zijn er momenten dat Barcelona speelt volgens jouw utopie?'

'Dat gebeurt twee, drie keer per jaar. En dan is het ook snel weer weg want dan komt de volgende uitwedstrijd tegen een op papier kleinere tegenstander. Je weet: dat wordt weer héél anders. Maar het onvoorspelbare is ook leuk. Ik streef naar het hoogste, wat natuurlijk niet altijd bereikt wordt. Maar dat neemt niet weg dat je met een *overall view* tevreden kunt zijn.'

'Terug in de tijd. Ronald Spelbos heeft ooit gezegd: "Frank is een lieve jongen in een niet zo lieve wereld".'

'Ik snapte wel wat hij bedoelde. Ik kan me voorstellen dat hij dat zo opvatte maar het was niet helemaal waar. Ik ging nooit huilend naar huis, bij wijze van spreken. Wél bepaalde ik aan wie ik me wilde hechten en aan wie niet. Als ik dat gevoel niet had – en dat was vooral in de beginjaren het geval, ook met Ronald – dan liet ik verstek gaan. Ik was nog geen prof in mijn doen en laten. Dat leidde tot deze uitspraken. Ik zei later altijd over mezelf: ik ben een geboren voetballer, maar een gemaakte prof.
Toen ik dat op een gegeven moment doorkreeg, nam ik een consequente houding aan. Al die randverschijnselen of

De sportieve passie van... Marco Borsato, zanger

'Ik doe stadionconcerten in de Kuip, in het Sportpaleis in Antwerpen en daarnaast ook nog theatershows. Voor al die optredens moet ik topprestaties leveren, dus ik werk al jaren met ex-olympisch atleet Miguel Janssen. Hij stelt voor mij een op maat gemaakt sportschema op, waardoor ik niet alleen fysiek maar ook mentaal sterker word. Ik heb gemerkt dat mijn weerbaarheid op beide vlakken wordt vergroot als ik me in sportief opzicht goed voorbereid. Ik denk dan ook dat sporten je kans op succes vergroot, ongeacht het terrein waarop je werkzaam bent. Wat mij betreft vervullen topsporters een heel belangrijke functie in de samenleving. Het zijn echte helden. Als ik denk aan mijn mooiste sportmomenten, dan zie ik natuurlijk de knieval van Richard Krajicek bij het winnen van Wimbledon of de massahysterie na het winnen van het EK door Nederland. Maar de grootste topsporters zijn voor mij díe sporters die ook tijdens nederlagen en bij verlies grote mensen zijn gebleven. Voor al deze sporters maak ik een diepe buiging.'

dingen waaraan ik me ergerde, liet ik in de kleedkamer achter. Ik ging meer voor mezelf. Ik vind dat ik altijd een teamspeler ben geweest, maar ik ging voor mezelf en stoorde me niet meer aan mensen die ik niet zag zitten. Je kunt het lief noemen, dat niet reageren, maar bij mij was het gewoon mezelf omdraaien en denken: zoek het maar uit.'

'Waar kwam die houding vandaan?'

'Karakter, denk ik. Ik neem afstand van dingen en mensen die me niet aanstaan. Ik heb me daar altijd onafhankelijk in gevoeld. Als dat betekende dat ik van Ajax naar Groningen moest, kon me dat niet schelen. Men noemde mij kwetsbaar maar dat was ik niet. Iets waarin ik me niet kon vinden, daar liep ik het liefst van weg.'

'Je keerde in 1987 Johan Cruijff bij Ajax de rug toe. Zelfde verhaal?'

'Nee, dat mechanisme had ik toen al doorbroken. Ik voelde me bij Ajax niet prettig meer, ik wilde iets anders. Eigenlijk neem ik al mijn beslissingen mede uit een soort waardering en respect voor de mensen die ergens werken en voor de supporters die van die club houden. Als ik er niet voor de volle honderd procent achtersta, heb ik niet het recht ergens te blijven en ben ik hard voor mezelf. Dan maar een stap achteruit...'

'Ik ben niet bang om te verliezen.'

'Cruijff wilde van jou een leider maken. Foutje?'

'Daar was ik toen nog niet klaar voor, nee. Maar ik praat nooit over fout of goed. Er is gedaan wat er gedaan is. Nu praat ik met de ervaring van zelf coach zijn. Dus als ik het team richting wil geven en ik geloof heilig in iemand als leider, dan kun je daar op insteken. Maar gaandeweg kunnen dingen niet goed uitpakken of niet goed werken, en dat ligt vaak aan twee partijen.'

'Als je wegliep, konden ze je ook niet raken.'

'Nee. Dat sloot ik uit: zoek het maar uit, ik ga mijn weg wel. Het was eigenwijsheid. Maar als ik erop terugkijk, moest ik zo het vak leren. Weten dat het niet alleen liefde voor de bal was. Niet alleen op straat spelen met je vrienden, voor wie je wél door het vuur gaat. Ik moest leren dat je iets vertegenwoordigt. Op de eerste plaats jezelf, maar ook het publiek, de club en noem maar op. Dat je daaraan verplicht bent het beste in jezelf naar boven te halen.'

'Zijn er mensen die daarin een rol hebben gespeeld?'

'In de eerste plaats ben ik dat zelf geweest. Als zeventienjarig talent maakte ik mijn debuut en ik vind dat ik daarna drie jaar lang heb lopen kwakkelen. Ik vond het wel leuk, maar aan de andere kant ook weer niet. Toen speelden we die wedstrijd tegen Bohemian Praag en die jongens waren agressief. De Mos zei toen "dat je met Rijkaard de oorlog niet kunt winnen". Dat vond ik wel een goeie. Ik was groot en sterk maar deed ik er wel alles aan op dat moment? Nee, omdat ik niet genoeg geraakt was door de hele ambiance. Toen heb ik voor mezelf de beslissing genomen: ambiance of geen ambiance, ik probeer het beste uit mezelf naar boven te halen. Ik wist dat ik ook nog mindere wedstrijden ging spelen, maar ik wilde na afloop minstens kunnen zeggen dat ik er alles aan had gedaan. Met die mentaliteit heb ik in de regel nooit meer problemen gehad. Als ik nog eens slecht speelde, had ik daar vrede mee.'

'Hou jij van Ajax?'

'Uh... ja, ja.'

'Maar het "wíj zijn de besten" en de Amsterdamse branie passen niet bij jou?'

'Ik hou van spel met bravoure. Dat flitsende, die filosofie van Ajax dat ze op hun manier willen spelen – daar hou ik van. Maar ik heb niks met schreeuwen dat we de besten zijn, dat moet je gewoon laten zien. Voor iedereen met een verleden bij Ajax is dat een belangrijke periode in zijn voetbalcarrière. Ikzelf denk eerder aan De Meer terug, aan Sjakie Wolfs, met mensen dicht erop. Het is een deel van jezelf, logisch dat je daarvoor sympathie voelt.'

'Toen je wegging bij Ajax, hoe was je er toen aan toe? Depressief?'

'Echt niet. Ik ben bewust gestopt. Er waren mogelijkheden zat om terug te keren. Drie wedstrijden spelen en de mensen zijn het vergeten, maar dat wilde ik niet. Ik was er klaar mee en bereid concessies te doen. Bij Haarlem spelen? Ook goed. Ik zag wel waar ik uitkwam. Het was een beetje in het diepe, heel onbevangen.
Het enige waar ik in die tijd niet mee uit de voeten kon, was de media-aandacht die het met zich meebracht. Veel mensen zeiden en schreven dat ik labiel was en zus en zo. Dat las ik liever niet, want ik vond het al-

lemaal gezwets. Ik vond het toen niet terecht. Ik wilde juist rustig mijn weg gaan en niet dat mensen me gingen nawijzen of aankijken. Dat was vervelend, maar ook dat wende.
Als mens was ik er dus niet slecht aan toe maar als sportman zat ik op dat moment in de duisternis. Ik speelde niet! Ik heb toen zes, zeven maanden niet gevoetbald. Dat is niet goed voor je carrière. Maar ik heb het sporter- en mens-zijn altijd goed kunnen scheiden. Je doet je best en het gaat zoals het gaat...'

'Tijdens dat gewonnen EK kende het chauvinisme, het nationalisme geen grenzen. Een beetje "te"?'

'Zelf waren we ervoor afgeschermd. Thuis speelde dat meer. Je zat in dat kamp, je ging voor het hoogst mogelijke, je deed je werk. Maar ik vind Nederland wel een klein landje dat groot is in het vieren van overwinningen. Nee, niet "te", gewoon leuk. Het heeft veel weg van gezelligheid.'

'Heb jij bij AC Milan geleerd de spotlights te accepteren?'

'Op werkgebied wel, ja, hoewel ik het altijd zoveel mogelijk ontliep. Ik ging er enigszins schichtig mee om. Een beetje ertussendoor fietsen. Eigenlijk ging dat heel natuurlijk omdat ik Ruud en Marco als bliksemafleiders had rondlopen. Die maakten het mij makkelijker om te functioneren zoals ik wilde.'

'Wat heeft AC Milan jou gebracht?'

'Als mens: ervaring. In het buitenland werken en wonen. En ook het redelijk succesvol zijn, dat was een toegevoegde waarde. Maar als het níet succesvol was geweest, dan had ik ook gezegd: de ervaring. Ander land, ander werk, andere cultuur, andere mensen. Maar succesvol zijn is wel het uitgangspunt; dat geldt voor iedereen die in het buitenland gaat wonen of werken. Dat doe je alleen om jezelf te verbeteren. Voor de een telt het financiële aspect meer dan voor de ander, maar je gaat erheen om jezelf te verbeteren.'

'Jouw eerste associatie met het WK van 1990?'

'Dat gedoe met Völler is me natuurlijk altijd blijven achtervolgen. Ik werd er tegen Duitsland uitgestuurd en dat werd op niet zo elegante wijze in beeld gebracht. Door de intrede van camera's die alle hoeken van het veld filmen, kwam het overduidelijk in beeld maar daar dacht ik op dat moment niet over na.'

'Sport kan ook mindere kanten in mensen naar boven halen?'

'Zo heb ik dat niet gevoeld.'

'Je voelt geen schaamte voor het spuugincident met Völler?'

'Nou, ik vind het geen reclame. Het zijn niet de prettigste beelden om terug te zien. Kijk, ik ben de eerste om te zeggen: fout geweest, klaar, accepteren, ervan leren en niet meer doen. Maar dit is ook wel iets wat in me zit.'

'Wat zit er in jou?'

'Nou, dat nogal heftig reageren als ik vind dat er onrecht in het spel is. Als kind deed ik dat met een knokpartij, maar dit zag iedereen. Het is iets wat erin zit. Maar ik was wél de eerste die zei: het was niet goed, je excuses aan Völler aanbieden, leren en doorgaan.'

'Voel je drift?'

'Ja, maar die probeer ik natuurlijk altijd te onderdrukken.'

'Maar de emotie van het spel haalt hem wel eens naar boven?'

'Ik weet niet of het de emotie van het spel is. Het is meer de emotie die je zelf hebt.'

'Die verering van sporters zie ik helemaal niet zitten.'

'Wat ervoer je op dat moment als onrechtvaardig?'

'Ik kreeg mijn tweede gele kaart wat mij een schorsing op zou leveren. En dat terwijl ik hem *niet* geraakt had. Völler maakte een duikeling, terwijl er vijftig centimeter tussen zat. Ik hield in, wilde mijn tackle inzetten maar zag dat hij te ver was. Hij duikelde en dat vond ik nog niet eens zo erg, want dat was slim, dat uitlokken. Maar hij stond op en zei dat ik een kaart moest krijgen. En toen kréég ik hem, terwijl ik niets had gedaan. Verder was het een optelsom. Het hele toernooi liep toch al niet zoals het moest lopen dus er kwam een behoorlijk stuk frustratie uit. Nou ja, voor hetzelfde geld haal je wél uit en was het misschien nog erger geweest allemaal.'

'Jullie waren bij dat WK niet professioneel genoeg. Beenhakker werd geaccepteerd in plaats van Cruijff.'

'We waren te bleu, te onervaren, te jong. Het overviel ons. Ten eerste die stempartijen over de bondscoach, daar had ik een waanzinnig slechte smaak van in mijn mond. Daarna werd het ook nog gepubliceerd, walgelijk. Ik vond dat stemmen verantwoordelijkheid afschuiven door de bond. Dan kon Libregts worden ontslagen. Ja, wij hebben ons laten misbruiken, maar je wist toen niet wat je nu wel weet.'

'Jouw eerste gedachte bij 1990 is "Völler" en niet "gemiste wereldtitel"?'

'Nee, want we waren niet goed genoeg als team. Ik was daar gefrustreerd over, daarom heb ik daarna bedankt voor het Nederlands elftal. Ik was ook niet tevreden over mezelf, niet tevreden over hoe we dat toernooi hadden gespeeld. Toen dacht ik: als je er niet meer achterstaat, moet je het niet meer doen. Daar vind ik het Nederlands elftal te belangrijk voor. Dus ben ik bijna twee seizoenen gestopt.'

'Rinus Michels heeft je in een goed gesprek over de streep getrokken. Toen vond men je weer labiel.'

'Niet in één gesprek. Hij heeft mij meerdere keren benaderd en ik heb gezegd dat ik het niet deed omdat ik te veel respect had voor het Nederlands elftal. Dat het geen duiventil is waaruit je weggaat om daarna gewoon terug te komen. Michels is naar Italië gekomen en hij zei: "Het is moedig als je zo'n beslissing neemt, maar het is nog véél moediger als je erop terug durft te komen, als je bedenkt dat sommige mensen zullen zeggen: 'Labiel, die Rijkaard.' En dat je er dan boven staat en het toch durft te doen." Dat raakte me. Ik dacht: ik heb maling aan alles en iedereen, als ik iets wil dan doe ik het, wat ze ook zeggen. Michels heeft mij doen inzien dat je standpunten verdedigen een groot goed is, maar dat het soms moed vereist om van een ingenomen standpunt af te wijken. Kijk, het was voor mij rustiger en makkelijker geweest om het níet te doen.'

'Keerde je terug naar Ajax om iets recht te zetten?'

'Nee, niets "rechtzetten". Ik wilde nog spelen en vond Ajax op dat moment voor mij de grootste uitdaging omdat het thuis was, in Amsterdam. We kennen allemaal de Amsterdamse mentaliteit. Als je twee wedstrijden geen bal raakt, word je afgeslacht door je eigen vrienden. Ik vond het belangrijk voor mijzelf, het was iets wat mij wakker zou houden. Dat was ook zo. Ik had ook bij een clubje aan het strand kunnen gaan spelen, dat vond mijn vrouw veel interessanter, maar met mijn karakter zou dat zijn uitgegaan als een nachtkaars. Ik wist: mijn familie, mijn broer, die zitten allemaal boven op Ajax. Het was voor mij de moeilijkste weg, maar uiteindelijk ook weer de makkelijkste om die drive te hebben en te houden.'

'Ben je altijd bewust met je lichaam bezig geweest?'

'Nee, niet echt. Ik denk dat ik meer uit mijn lichaam had kunnen halen. Met voedingssupplementen en de juiste krachttraining had ik mijn lichaam misschien sterker kunnen maken. Dat ik dat niet deed, was gemakzucht. Als het je gemakkelijk afgaat zónder, waarom zou je het dan doen?'

'Edgar Davids heeft gezegd: "Mijn lichaam is de tempel van mijn ziel." Kun je daar wat mee?'

'Dat begrijp ik wel. Edgar leest graag dat soort literatuur. Dan is dat een zin waarin hij zich kan vinden. En het is niet alleen een mooie zin, hij benadert het ook echt zo. Hij doet veel om zijn lichaam strak en in conditie te houden.
Zelf gebruik ik mijn lichaam als alarmsignaal. Dan voel ik dat ik maar weer eens wat moet gaan doen: bewegen, rennen, fitness, rondootje meedoen, elke dag een beetje bewegen. De geest is sterker dan het lichaam maar als ik weer een beetje in beweging kom, voel ik me ook beter en fitter als trainer.'

'En dat rokerskuchje is geen signaal?'

'Nee, dat heb ik niet. Maar ik krijg wel dagelijks het signaal dat ik ermee moet stoppen. Het is me nog niet gelukt daarnaar te luisteren.'

'Toen je gestopt was als voetballer had je die BV in onderbroeken. Waarom noemde je die Het Zwarte Gat?'

'Ironie. Van dat zwarte gat had ik geen last, van die BV wél. Ik deed het ook niet om los te komen van het voetbal. Na mijn carrière ging ik juist vaker naar wedstrijden dan tijdens. De link met voetbal heb ik altijd gehouden. Die passie zorgde ervoor dat ik me opgaf voor de trainerscursus. Uiteindelijk ben ik trainer geworden om mezelf te prikkelen. Je moet toch vooroplopen, het voortouw nemen, de aandacht kanaliseren, allemaal dingen waar ik niet van hou.'

'Het vooroplopen dat Cruijff ooit van je wilde maar waar je niet aan toe was, zit in het trainerschap?'

'Ja, dus voor mij is het een dubbel zo grote uitdaging geweest. Het trainer-worden had een behoorlijke impact op mijn mens-zijn. Dat was voor mij het moeilijkste. Maar ik heb altijd de moeilijkste weg genomen. Dat geeft dan juist mijn motivatie een impuls.'

'Waarom durfde je bondscoach te worden?'

'Op de eerste plaats ben ik niet bang om te verliezen, sportief gezien. Als ik maar iets met volle overtuiging doe.'

'Dat is geen reden om ja te zeggen.'

'Ja, maar goed, ik kreeg wél het vertrouwen van mensen die ik hoog had zitten, Michels en Cruijff. Hun advies was: doen! Dat gaf me het gevoel: en nou ga ik het doen ook. Maar ik begreep de mensen die zeiden: ho, wacht even, er komt veel bij kijken. Daar ben ik op mijn eigen manier mee omgegaan. Ik heb mensen met veel ervaring om me heen verzameld, dat functioneerde wel. Is iedereen in de begeleidingsgroep onervaren, dan is dat lastig. Maar als de manager goed is en je hebt een "Nees" erbij, een Doesburg, een Krol, dan wordt het weer voetbal en kun je dat kanaliseren en op het elftal loslaten.'

'Maar een goed paard is nog geen goede ruiter.'

'Daar kan ik me best in vinden. Maar alles heeft zijn voors en tegens. Er is helaas geen definitie van het coachschap te geven. Dat is vaak des te vervelender voor diegenen die verkondigen dat het een vak is dat je stap voor stap moet leren. Dan komt er een jonge bondscoach, en ik heb het nu even niet over mezelf, en die doorbreekt ál die regels. Dat is frustrerend voor mensen die dat niet goed vinden. Enfin, het gaat zoals het gaat. De een straalt het wel uit en krijgt het wel voor elkaar, de ander niet. Maar het getuigt wel van een zekere slimheid om de juiste mensen om je heen te verzamelen.'

'Je was bij Barcelona geen eerste keus.'

'Nee, maar dat was terecht. Het aanbod kwam ook voor mij als een verrassing, hoor. Heb ik weer die afweging gemaakt: waarom wel, waarom niet. Wil je het? Ja? Doe het dan!'

'Je wist dat je weer met Cruijff te maken zou krijgen.'

'Nou ja, ik heb altijd in mijn achterhoofd gehad dat mede door de invloed van Johan mijn naam hier naar voren kwam, anders kan ik het zelf ook niet verklaren. Bang dat hij over mijn schouder ging meekijken was ik niet. Het gekke is dat we elkaar na dat "moment" in het verleden nog ettelijke keren zijn tegengekomen en ik moet eerlijk zeggen dat ik altijd veel respect voor Johan heb gehad. Ten eerste als voetballer: ik heb met hem gespeeld en dat was een geweldige ervaring. En vervolgens als trainer. Alleen heb ik op dat moment voor mijn eigen weg gekozen en dat was in het begin moeilijk. Daarna ben ik mezelf geweest en heb ik nooit *hard feelings* ten opzichte van Johan gehad.
En wat betreft dat over de schouder meekijken: als Johan iemand ergens neerzet, heeft hij daar vertrouwen in. En hij kent natuurlijk de karakters van de mensen die er zitten. Het is een groot goed dat we die vriendschap hebben. Ik herken nu veel grootmoedige karaktereigenschappen bij hem. Hij wíl gewoon de ervaring overdragen en noem maar op. Dat is prachtig.
Johan weet hoe ik ben. Maar hij weet ook dat ik interesse in hem heb, dat ik af en toe wil horen hoe híj dingen ziet. Sommige mensen denken dan dat het over het elftal gaat en over het aankoopbeleid en dat hij zegt: nu dit doen en nu dat, maar zo werkt het niet. Iets wat ik nooit zou kunnen doen, is iets kopiëren. Hij begrijpt dat.'

'Geeft de komst van Van Bommel jullie verhouding goed weer?'

'Ik wil het niet over namen hebben. Ik herhaal alleen maar dat Johan *niet* aangeeft wat er moet gebeuren. Hij heeft wel overal zijn mening over, maar dat is goed.'

'Aan trainer van Barcelona zijn kleven dingen waaraan jij een hekel hebt. Media-aandacht, konkelende bestuursleden, vooroplopen enzovoort.'

'Met de roem kan ik redelijk omgaan, dat had ik als speler al naast me neergelegd en het zei me ook niet veel. Ik kan intens blij zijn met een overwinning of een goed gespeelde wedstrijd, maar die verering van sporters zie ik helemaal niet zitten. Maar ik ben niet gek, ik weet hoe het functioneert. Het gaat op dat moment niet om mij, het gaat om de functie die ik vertegenwoordig. En die andere zaken, zeg maar de moeilijke momenten, dat is juist een van de redenen waarom ik het ben gaan doen. Om mezelf te prikkelen. Je ziet veel andere trainers die natuurlijk ook de geijkte problemen van het werk hebben, maar dat zíjn echt trainers. Voor hen is trainer-zijn iets als boodschappen doen in de supermarkt. Voor mij is wat ik doe moeilijk.'

'Er als mens beter van worden, is dat de uitdaging?'

'Ik vraag me altijd af, los van het voetbal, of het functioneren in de sport je helpt te groeien als mens. Het is zo dat ik er weerbaarder door word. Dat ik ook langer ergens voor knok, standvastiger ben. Ik zou ook ergens op een terrasje kunnen gaan zitten, maar nee: ik wil *dit*. Het is voor mij de grootste uitdaging.
Ik weet niet wat de uitkomst is, maar ik heb wel het idee dat ik het probeer. Nee, dat is niet iets wat mijn vader en moeder mij hebben meegegeven. Het komt uit mezelf. Kijk, de passie voor de bal blijft de basis. Maar als mens zegt iets in mij dat ik dit moet doen. Ik moet op de tafel gaan staan en zeggen wat ik ervan vind. Of ik nadenk over mezelf en het leven? Bij tijd en wijle wel. Ik denk dat alle ervaringen die je als mens opdoet en alle omstandigheden die je opzoekt je kunnen prikkelen en bijdragen aan je ontwikkeling. Voetbal op zich helpt daar niet bij, dat komt neer op achter een bal aanrennen. Maar wél alles wat erbij komt kijken, wat je meemaakt.'

'Lees jij over dit soort zaken?'

'Absoluut. Ik heb zóveel boeken gelezen, over zelfontwikkeling maar ook zweverige en esoterische boeken, over enneagrammen, astrologie, numerologie, al dat soort dingen trekken mijn aandacht.'

'Neem de astrologie. Haal je daar iets uit?'

'Ja. Dan heb ik het niet over het lezen van een oppervlakkige horoscoop. Maar als je verdergaat in de astrologie of numerologie dan is het wel zo dat er heel wat raakvlakken zijn bij mensen die op dezelfde dag zijn geboren of die een bepaalde naam hebben of in een bepaalde stad geboren zijn. Dan zitten er globaal, qua basis, dezelfde karaktereigenschappen in, al kan er veel worden bijgestuurd door je omgeving of noem maar op. Maar je haalt er heel wat uit, ja.
Numerologie trekt me nóg meer, net als enneagrammen. Maar ik moet erbij zeggen: ik doe het vluchtig. Ik lees zo'n boek, het pakt me, ik leg het neer en zou het bij wijze van spreken na een jaar weer kunnen lezen want ik ben het dan alweer grotendeels vergeten. Ik ben geen fanaat, niet iemand die zich daarmee dagelijks bezighoudt.
Nee, ha ha, ik ga niet mijn opstelling maken op basis van numerologie. Maar er is wel meer tussen hemel en aarde dan wij denken. Dat soort boeken en inzichten helpen je om dat te zien.'

'Zou ieder mens moeten streven naar zelfontplooiing?'

'Niet "moet", want ik zeg nooit "moet". Ik zal altijd zeggen: doe wat je leuk vindt en waar je jezelf goed bij voelt. Dat is voor mij wat ik nu doe: werken met veel verantwoordelijkheid en plichtsbesef. Daarvan zijn veel mensen afhankelijk. En dan heb ik het niet over financieel gewin, maar over de gewone man die slecht opstaat als er door ons niet gepresteerd is. Ik vind dat een mooie verantwoordelijkheid. Dat ik iets kan bijdragen, iets kan doen wat mensen waarderen. Als het goed gaat, ben ik nog niet eens zo tevreden over mezelf, maar tevreden omdat anderen dat zijn.'

'Wat heb jij met de schoonheid van het spel?'

'Daar heb ik een ruime kijk op. Mensen denken bij "schoonheid" aan een doelpunt van Bergkamp, een actie van Marco of van andere grote spelers. Maar ik zie ook schoonheid in een gemene tackle of dat iemand even op de teen van de tegenstander gaat staan zonder dat iemand het ziet. Ik zie ook schoonheid in lijden. En in een speler die tegen zichzelf vecht en niet in de wedstrijd zit. Dat pakt je aandacht en dan kun je aan het eind van de wedstrijd zeggen: prachtig, hij heeft zichzelf erin geknokt. Of hij heeft het níet getrokken en is eronderdoor gegaan, dat is óók schoonheid. Het hoeft van mij niet allemaal "schoon" te zijn, schoonheid is soms ook iets binnen het toelaatbare van de regels doen, waardoor het resultaat beïnvloed kan worden. Dat vind ik ook iets hebben.'

'Wat betekent winnen voor jou?'

'Daarop word je beoordeeld door de buitenwacht. Zelf wil ik winnen als ik het verdien te winnen. Het gaat om het spel. Daar begint het mee. Hoe beter het spel, des te meer kans om te winnen. Winnen is een uitvloeisel, meer niet. En als je er alles aan hebt gedaan is verliezen niet zo erg, dan kun je er vrede mee hebben. Al blijft het essentieel voor een coach. Zijn functioneren hangt onder andere af van de resultaten.
Ik heb van jongs af aan het gevoel dat het mooi is om te winnen als je er recht op hebt. Ik kan niet blij worden van een wedstrijd waarin je slecht speelt maar toch met 1-0 wint. Met goed voetballen en een gelijkspel kan ik meer tevreden zijn. Dan krijg je wel kritiek, maar ik vind het de basis. Dan zie ik de grote lijnen, dat we goed op weg zijn. Dus dat is op dát moment belangrijker dan winnen. Maar uiteindelijk draait het daar altijd weer om.'

'Voedt winnen jouw ego?'

'Nee, dat vind ik het mooie van succes: voor je het weet, is het voorbij. Het is het mooie en het trieste van iets bereiken; een sportman weet gelijk dat dát moment niet meer terugkomt. Met mijn ego heeft het verder niets te maken. Dat is kortzichtig denken. Voetbal is een teamsport, dus ik heb veel mensen om me heen met wie ik het hele jaar werk. Als we dan winnen, kijk ik om me heen en denk in de eerste plaats aan al die mensen. Niet zo van: ík heb gewonnen.'

'Als je wint, word je opgehemeld. Is het verleidelijk daaraan verslaafd te raken?'

'Totaal niet. Ik ben altijd een eenling geweest, heb me nooit laten leiden door meningen, of het nu lof was of kritiek. Dan lijkt het alsof je je afsluit voor alle kritiek, maar eigenlijk is niemand in zijn oordeel zo hard voor mij geweest als ikzelf. Aan intrinsieke motivatie heeft het mij nooit ontbroken. Maar respect voor de mening van de buitenwacht heb ik altijd gehad. Even aanhoren, altijd in de dialoogvorm. Ik vind het niet erg als iemand iets kritisch roept. Als daar een kern van waarheid in zit, kan ik dat toegeven, daar eerlijk mee omgaan.
Waar ik meer moeite mee had, waren complimenten. Als ze zeiden dat ik sterk had gespeeld en ik vond zelf van niet, ging ik uitvinden waarom zij het misschien goed vonden. Maar ook dat heb ik achter me gelaten.'

'Leuk, al die aandacht?'

'Nee, niet echt. Ik heb me nooit prettig gevoeld bij massale aandacht. Maar ik kan er wel mee omgaan. Laat ik het zo zeggen: het hoort bij de uitdaging die je aangaat. Ik heb er niet zoveel moeite meer mee, ik heb het verstopt. Je kunt zeggen dat ik door het voetbal opener ben geworden ten aanzien van de buitenwereld. Wat intimi, wat de vriendenkring betreft, is er niks veranderd. Ik hou van lol en plezier, maar dan wel met mensen bij wie ik me prettig voel.'

'Heb je er moeite mee als je als coach hard moet zijn?'

'Met geplande hardheid wel. Je hebt mensen die plannen dat, die zoeken iets om te kunnen ingrijpen. Dat vind ik vaak gespeeld, al werkt het meestal wel. Bij mij past dat niet. Ik moet hopen dat er een moment komt dat ik me écht erger aan iets. Als het spontaan komt, heeft het voor mij waarde. Dan doe ik het ook met kracht, heftig, al probeer ik mezelf altijd in te houden. Dan komt er iets van die oude jeugdmentaliteit naar boven, het liefst zou ik dan een paar knallen uitdelen...'

'Dat komt "overtuigend" over.'

'Of het werkt of niet maakt me niet zoveel uit. Maar ik ben dan het dichtst bij mezelf, ik neem mezelf niet in de maling. Er zijn zat mensen die een act opvoeren en daar iemand voor misbruiken. Dat heb ik altijd doorzien en ik kon het nooit zo waarderen. Maar het kan werken. Ik zeg niet dat het goed of fout is.'

'Is voetbal te belangrijk geworden in de samenleving?'

'Nee, alleen het mediapark is enorm gegroeid. Vroeger zag je één Europese wedstrijd, nu alles. Het gaat zo ver dat je gefilmd wordt als je het hotel komt binnenlopen of als je je tas van de band haalt op Schiphol. Allemaal zinloze informatie, allemaal uitvergroot. Je zag het tijdens het laatste EK. Elke omroep heeft een filmploeg. Ik vind het een overkill aan meningen, zienswijzen en aandacht. Mensen die ooit één keer tegen een bal hebben getrapt, ex-voetballers, cabaretiers, alles en iedereen heeft er wat over te zeggen. Maar het spel op zich is niet veranderd. Voor de ware voetbalsupporter die altijd al naar het stadion ging, is de passie dezelfde gebleven.'

'Jij bezorgde met de titel voor Barcelona veel mensen in 2005 een mooie zomer.'

'Ja, dat is fijn, iets kunnen bijdragen aan het geluk van een ander. Dat is voor mij een enorme drijfveer. Je doet er hard je best voor, je wint en dan zorgt het succes ook voor blijdschap bij al die mensen die ermee naar bed gaan en ermee opstaan. Wij reden tijdens het kampioensfeest in een open bus door de stad, stapvoets, en ik zat beneden door het raam alles te observeren. Ik zag de mensen naar boven kijken. Op een gegeven moment staat daar een man van een jaar of zeventig. Mooi in het pak, ouderwets, met zo'n stropdas, en die stond te klappen, heel langzaam, zachtjes, terwijl de tranen over zijn wangen biggelden. Dat beeld vergeet ik niet snel. Ik werd er emotioneel van, was dankbaar dat ik dat mocht meemaken...'

'Je krijgt er veel geld voor; is dat belangrijk?'

'Ja en nee. Ik kan klinisch en kil zeggen: ik krijg als trainer alle klappen als het niet goed gaat, ik ben de eerste die erop afgerekend word, dus dat moet vergoed worden. Het gaat je niet in de koude kleren zitten, het is méér dan een baan. Anderzijds worden nogal wat beroepen ondergewaardeerd ten opzichte van sport, maar dat is een marktmechanisme. Een krankzinnig mechanisme, dat wel. Kijk eens wat bijvoorbeeld verpleegkundigen in nachtdiensten doen. En leraren, die met kinderen het

grootste goed in handen hebben. Of mensen die werken in de bejaardenzorg. Allemaal ondergewaardeerd ten opzichte van voetbal.
Persoonlijk heb ik altijd gezegd dat ik geld geen leidraad vind. Het is nooit mijn drijfveer geweest. Geld maakt mij niet gelukkig. Maar ik zal nooit ontkennen dat ik goed geld verdien en verdiend heb.'

'Als je niet gegrepen zou zijn door de "liefde voor de bal", wat dan?'

'In principe denk ik aan die "zweverige" kanten. Nee, geen studie, ik had meer tijd in zelfstudie gestopt. Ik had het interessant gevonden me in te leven in hoe mensen zich voelen en hoe je dienstbaar zou kunnen zijn. Door iets te zeggen, iets te doen. Liefde voor mensen, je proberen te verdiepen. En daarnaast de muziek. Ik had wel een instrument willen kunnen bespelen.'

'Er is een overkill aan meningen over voetbal.'

'Ben je door het lezen van "zweverige" boeken gelovig geworden?'

'Nee, ik heb altijd wel geloofd, ook op christelijke scholen gezeten. Dus de bijbelverhalen zijn me bijgebleven. Als klein jochie neigde ik naar iets geloven, voortvloeiend uit het onderwijs op school, maar op een gegeven moment stapte ik daar vanaf. Ik vond dat het niet klopte. Ik bedoel: het geloof op zich is goed, maar door de interpretatie van mensen kom je toch weer in hokjes terecht. Dit is wél goed, dat weer niet – zoveel geloven, zoveel meningsverschillen. Het blijkt dat de mensheid daar moeilijk mee overweg kan.
Maar neem nu die oude man en mijn dankbaarheid. Wie ben ik dankbaar? Wie gunde mij dat moment? Dan zoek je het toch ergens anders. Ik had bijna het gevoel dat ik *iets* moest bedanken. Je legt dan toch aardse dingen ergens anders neer. Maar hoe doe je dat met negatieve dingen? Natuurrampen, waarom? Goed, dat is nu eenmaal de natuur. Maar oorlogen zijn weer mensenwerk. Die kun je nooit afschuiven op het heilige geloof. Wél op de mensen die het geloof verkeerd in praktijk brengen en overbrengen en die hele volksstammen in hun macht houden om zo zelf bestaansrecht te hebben. Wat dat betreft ben ik wars van geloof... eigenlijk tégen geloof.
Als je niet oppast, wordt je houding tegenover het geloof heel radicaal. Maar er is weer evenwicht als je voelt dat je "iets" dankbaar bent.'

'Dus je gaat in Camp Nou voor de wedstrijd niet naar het kapelletje?'

'Mensen mogen elkaar om het geloof naar het leven staan, maar als ik in de gang naar het veld dat kapelletje zie, voel ik wél acceptatie en ook respect omdat ik weet dat veel mensen daaruit kracht en steun halen. Wie ben ik om daaraan geen aandacht te besteden. Ik ga dat kapelletje niet binnen, want dan zou ik mezelf verkeerd neerzetten en niet eerlijk zijn.'

'Heb jij je in de voetballerij niet een vreemde eend in de bijt gevoeld? Veel gelijkgestemden kom je niet tegen.'

'Zo ben ik nou eenmaal. Dit zijn ook geen zaken waarover je dagelijks praat. Als je uit de voetbalwereld komt, zit je toch in het stramien van trainen, werken en resultaten boeken. Maar met vrienden, vaak mensen van buiten het voetbal, kan ik praten over dit soort dingen. Naast alle onzin en galgenhumor en noem maar op.'

'Praat jij met jonge jongens in de selectie van Barcelona over zaken buiten het voetbal?'

'Ik denk niet dat het zo werkt. Je moet door schade en schande wijs worden. Zij zijn meer gebaat bij duidelijke opdrachten hoe ze moeten functioneren in het veld dan bij filosofische gesprekken. Dat leidt alleen maar af. Dat werkt niet. Maar ik hou er wel rekening mee dat die gasten nog volop in ontwikkeling zijn. Ik vergeet nooit al die wedstrijden waarin ik zelf niet vooruitkwam omdat ik ergens mee zat. Ik meen dat snel te herkennen. Ik merk het als er iets met iemand aan de hand is. Daar vraag ik dan naar. Maar verder is voetbal niet zweverig, meer direct.'

'Wat doe je om je te ontspannen?'

'Luisteren naar muziek. Mijn rust pakken, me afsluiten voor de wereld – dat gaat me goed af. En pielen met moderne technologie, *handhelds* installeren, programmaatjes downloaden, daar kan ik me in verliezen.
Andere sporten volg ik globaal. Mijn focus ligt op voetbal. Vroeger had ik wel wat met boksen en nu kijk ik naar *Free Fight*-gala's als die op de tv zijn. Dat is de dood of de gladiolen: vechten voor je leven. Ik begrijp dat veel mensen ertegen zijn en het druist ook tegen veel normen in, maar de pure oerinstincten die ik zelf op het veld moest beteugelen komen bij *Free Fight* naar boven. Het gekke is dat die gasten respect voor elkaar hebben, maar in de ring elkaar willen verslaan. Er zit geen gelijkspel bij, je kunt je nergens achter verschuilen: directer kan niet. Het is geen passie van me maar de oerinstincten die het losmaakt, pakken mij.'

'Terug naar het "zweverige". Leuk dat de evolutie tot de bal heeft geleid?'

'Ja, ja, ja! En die bal is dus eigenlijk een kleine aardbol, de vorm is gelijk. Hij is rond en hij beweegt.'

'En jouw verdere "evolutie"?'

'Wat ik nu doe, is een bewuste keuze. Ik ben met plezier trainer van FC Barcelona. Het is niet zo dat ik eigenlijk iets anders wil want dan zou ik dat doen. De intrinsieke motivatie heeft het bij mij altijd gewonnen.
Er kan een moment komen dat ik het voor mijn ontwikkeling goed vind om wat nieuws te gaan doen. Maar voorlopig ben ik als voetbaltrainer hier nog niet klaar. Ik zit er middenin. Een draai voor mijn kanis zal ik ook nog wel krijgen, dat hoort er allemaal bij. Daar loop ik niet voor weg. Je moet ook respect hebben voor wat je doet. Voetbal is een serieus spel. Het spel is plezier, maar het serieuze is dat wat je vertegenwoordigt. Niet erin stappen, even weggaan en dan zomaar weer terugkomen. Daarvoor respecteer ik het voetbal te veel. Bovendien blijf ik zo in de buurt van mijn passie: de bal.'

Maarten den Bakker

Uit het dal

Ik las laatst in de krant dat er steeds meer aanwijzingen komen dat intensief sporten bijzonder heilzaam kan zijn voor mensen die te kampen hebben met depressiviteit. Maar wat doe je met een topsporter die door deze ziekte wordt geveld? Depressiviteit kan iedereen overkomen, al wordt de aandoening nog wel eens verkeerd begrepen. Want het is zo makkelijk gezegd: ik voel me een beetje depressief. Maar mensen die overwerkt zijn of die last hebben van de vallende blaadjes kun je bepaald niet vergelijken met mensen die daadwerkelijk te kampen hebben met een zware depressie. Zoals ik heb begrepen uit het verhaal van wielrenner Maarten den Bakker is het een inktzwarte put van totale lusteloosheid. Zijn liefde voor de wielersport heeft Maarten een extra stimulans gegeven om zich terug te vechten in het peloton. Hoewel ik mijn ervaringen absoluut niet wil vergelijken met de lijdensweg van Maarten den Bakker, heb ik ook perioden van grote neerslachtigheid gekend. Vooral in de jaren dat ik vervreemd was van mijn vader, werd ik geregeld overvallen door gevoelens van innerlijke leegte. Ik voelde me op zulke momenten onverklaarbaar down: ik kon dan nergens meer van genieten en zag de toekomst somber in. Maar waar Maarten juist kracht putte uit het wielrennen, werd mijn gemoedstoestand niet bepaald beter van het nomadische tennisleven. Elke week in een andere hotelkamer, in een andere stad, in een ander land of zelfs op een ander continent – en altijd ver weg van mijn gezin. Uiteindelijk ben ik met een psycholoog gaan praten. Deze gesprekken hebben voor een ware ommekeer gezorgd in mijn manier van denken en leven. Mijn gevoelens van neerslachtigheid bleken toch meer met mijn vader te maken te hebben dan ik had gehoopt of gewild. Toen ons contact verbeterde, verdween ook de somberheid die over mijn leven kon hangen. Ook bij Maarten den Bakker kwam de depressiviteit niet uit het niets; het was een optelsom van zaken uit zijn verleden die hij niet goed had verwerkt. Toen hij eenmaal was genezen en voor het eerst weer kon koersen, zat hij huilend op zijn fiets – van puur geluk en vol passie voor zijn sport.

'Wat is je prilste herinnering aan fietsen, aan wielrennen?'

'Ik zat op de lagere school in Oudenhoorn en daar hadden ze een "dikkebandenrace" georganiseerd. Daar heb ik zelf niet aan meegedaan, maar ik stond te kijken en vond het prachtig. Die race is echt voor de jeugd. Ze mogen dan meedoen met hun schoolfietsje of met hun mountainbike. Ik fietste altijd al naar school, dat vond ik gewoon mooi. Na die race wilde ik ook wedstrijdjes fietsen.
Ik twijfelde nog of ik op voetbal zou gaan maar moest van mijn ouders een keuze maken. Voetballen én fietsen was te veel. Maar ik fietste graag en wat vriendjes van school zaten al op wielrennen, dus toen was de keuze wel gemaakt. Ik kreeg een racefietsje en na een paar keer het clubparcours te hebben gereden, was ik verkocht.'

'Wat vond je mooi? Het materiaal, de glimmende karretjes?'

'Ja, ook. Ik weet nog dat ik een racefietsje ging uitzoeken. Ik was elf, maar ik zag gelijk dat alles glom en blonk. Toen al vond ik het materiaal mooi, en dat is nog steeds zo. Ik herinner me nog mijn eerste ritje. Hoe licht dat fietste, hoe soepel, hoe hard je kon gaan, hoe je ermee door een bocht kon suizen... En natuurlijk dat lekkere gevoel dat je op een gegeven moment beter bent dan je vriendjes.'

'Genoot je ook van het buiten zijn, het trotseren van de elementen?'

'Nou, ik ben geboren op een boerderij en dan ben je sowieso veel buiten. Er kwamen vaak vriendjes spelen, altijd buiten. In de hooiberg, tussen de koeien. En buiten fietsen natuurlijk. Machtig mooi vonden we dat. Dat heb ik nog steeds, trouwens. Als ik naar school fietste en er viel eens een buitje, dan kon ik er goed tegen. Het had wel wat, in de regen tegen de wind in knoerten. Ik moest meehelpen op de boerderij en dan rende je ook niet gelijk naar binnen als het regende.
Maar ik heb ook altijd het gevoel gehad dat ik er goed in moest zijn. Ik had vriendjes die na twee of drie rondjes alweer langs de kant stonden of die niet vooruitkwamen als je met hen ging trainen. Die vonden het leuk, maar ik vond "leuk" niet voldoende, ik wilde winnen. Dat gaf toen al een kick: wind, regen en dan beter dan de anderen zijn.'

'Het "geluid" van een goed geoliede, stille fiets, zegt dat je wat?'

'Ja, uiteraard. De fiets is een schakeltje van de ketting. De conditie moet goed zijn, je moet fit zijn, gezond. Maar direct daarna is het materiaal heel belangrijk in de wielersport. Mooi om van die lichte bandjes te horen zoeven, echt. Het geluid van zo'n machtig peloton heeft wel wat. Staat daarentegen je ketting net ietsjes te droog en begint hij te kraken, daar kun je je daaraan ergeren.'

'Beschrijf eens de geur van het peloton.'

'Die bestaat uit massageproducten, olie en zweet. Dat soms gemengd met een natte weg die je ruikt, of de natuur, of een boer die bezig is met het land. Dat allemaal door elkaar heen, dat is de geur van het peloton. Ik herken die uit duizenden.'

'Mijn depressie was pijnlijker dan al die jaren wielersport.'

'Hou je ook van het sociale, van het samen met anderen in een waaier rijden, bijvoorbeeld?'

'Dat heb ik van jongs af aan hier op die dijken in de polder gedaan. Dat geeft een lekker gevoel. In zo'n waaier haal je een hogere snelheid door met elkaar samen te werken. Je hebt elkaar nodig. Je komt op kop, in de wind, maar redelijk snel daarna rijd je weer achteraan en kun je profiteren van de anderen. Op het eind doe je vaak nog een sprintje en probeer je te winnen. Samen sterk, maar je wilt ze er toch opleggen.
Dat zie je ook in de wedstrijden. Als je in die tweede waaier komt te zitten, wil je terug naar de eerste. Als dan zo'n waaier niet loopt, wordt er gevloekt, getierd en gedaan: verdomme, de waaier loopt niet, zo komen we nooit terug. Op dat moment heb je elkaar nodig. Ben je weer aangesloten bij de eerste, dan doe je alles weer voor jezelf.'

'Jij bent een harde werker. Omdat pa en ma dat ook waren?'

'Niet toen ik een klein ventje was. Later wel. Als ik in de Tour helemaal op mijn knieën zat, het niet meer zag zitten en naar huis belde, zei mijn vader: het is overal wat, hier in de polder zijn ze ook hard aan het werk. Dat hielp. Als je op de boerderij bent opgegroeid heb je gezien wat je moet doen voor je centen, je zit erbovenop. Dat heb ik meegenomen in mijn sport. Ik leerde dat je eerst moet investeren in trainen; doe je dat goed, dan kun je later prestaties verwachten.'

'Gaven ze jou wel de ruimte om te fietsen?'

'Mijn ouders zagen in dat sport voor kinderen belangrijk is. Ik zwom, zat bij de reddingsbrigade, deed trimloopjes en fietste. Ik heb een goede jeugd gehad, ik mocht genoeg spelen. Natuurlijk moest ik op drukke dagen helpen, maar zij zagen in dat sporten met vriendjes goed is voor je ontwikkeling. Dat je er je energie in kwijt kunt. Bij sporten komt ook discipline kijken: trainen, je fietsje onderhouden, ervoor zorgen dat je op tijd op de club bent, met jeugdtrainers leren omgaan – allemaal goed. Het was een prima combinatie: naar school, af en toe helpen op de boerderij en daarnaast sporten. En mijn ouders vonden het zelf ook leuk. Ze leerden nieuwe mensen kennen als ze bij wedstrijdjes gingen kijken. Het was gezellig. Vaak kwamen de jongens die fietsten bij ons over de vloer.'

'Op welke leeftijd ging je vol voor wielrennen?'

'Op mijn vijftiende, toen ik naar de nieuwelingen ging. De afstanden worden groter, de pelotons ook en je krijgt dan echte klassiekers van dorp naar dorp. Dat vraagt een hardere training. Vanaf die leeftijd wilde ik beroepsrenner worden. Je weet dat er nog een lange weg te gaan is, al was ik ook weer niet elk uur van de dag bezig met fietsen. Wel hield ik op die leeftijd mijn voeding al in de gaten en ging ik van wedstrijdje naar wedstrijdje leven.'

'Hoe lang heb je het gevoel gehad dat je de beste zou worden?'

'Ik heb nooit het idee gehad dat ik de beste zou worden. Bij de nieuwelingen won ik best nog vaak, maar er waren zat jongens die net zo sterk waren. Ik heb wel altijd het gevoel gehad: ik kan heel goed worden, maar niet een van de besten. Nee, zeer deed dat niet. Ik kon in de richting van de top. Op sommige dagen kon ik winnen, maar een Rooks, Knetemann of Theunisse was ik niet. Geen probleem. Het niveau dat ik kon bereiken was voor mij acceptabel om er alles voor te doen.
Als je jong bent, droom je nog van grote triomfen maar naarmate je ouder wordt, leer je dat zoiets moeilijk wordt. Wel heb ik mijn hele carrière het gevoel gehouden dat ik op een goede dag kon winnen. Tenslotte ben ik bij de profs twee keer Nederlands kampioen geweest en bij de amateurs ook. In topvorm reed ik met de besten mee. Maar de grote mannen hebben die topdagen gewoon vaker per jaar. Ik wilde een goede renner worden, iemand die iets betekende in de sport. Daar had ik alles voor over. Ik had ook het bedrijf van mijn vader kunnen overnemen, maar voor mij was beroepsrenner worden het ultieme.'

'Je wist dat je "knecht" zou worden. Heeft dat je niet afgeschrikt?'

'Daar heb ik nooit moeite mee gehad. In zo'n groot peloton zitten, een gat dichtrijden, de kopman uit de wind houden, een sprint aantrekken, dat gaf een kick, een tevreden gevoel. Daar ontvang je ook waardering voor. Die absolute top is maar voor enkelen weggelegd.
Ik vind het wel wat hebben. Ik zag toen ik jong was beelden van de Ronde van Vlaanderen met die kasseien; dat sommige jongens zich opofferden en hoe mensen dat waardeerden. Soms heeft het publiek meer op met renners die het vuile werk opknappen dan met een kopman die het net niet heeft.
Als je weet dat je er het maximale uit hebt gehaald, kun je daar een voldaan gevoel van krijgen. Ik heb het knechtenwerk nooit met tegenzin gedaan. Waarschijnlijk omdat ik ook mijn topdagen had. Kijk, de eerste 120 kilometer knechten en dan afstappen had ik niet interessant gevonden. Bovendien reed ik voor goede ploegen. In kleine ploegen kun je meer je gang gaan. Daar kon ik soms jaloers op zijn maar het had ook wel iets, deel uitmaken van een mooie ploeg.'

'Wat is de charme van het leven in het peloton?'

'Dat je met allemaal gemotiveerde mensen aan het werk bent om een paar dagen in het jaar de beste te zijn. Je bent omringd door mensen met karakter. Het is ook avontuurlijk. Je zit veel in het buitenland en als je op zo'n fiets een berg moet afdalen, volle bak, dan geeft dat een kick. Je gaat van koers naar koers, in een roes. Het is een schoolreisjesgevoel. 's Ochtends met zijn allen aan het ontbijt, dollen en dan afspreken dat je ze vandaag eens een goede knal zal geven. Er zit ook een soort broederschap in. Het leven in het peloton kan veilig, vertrouwd aanvoelen. Maar je moet ertegen kunnen, tegen de constante wedstrijdspanning, het altijd van huis zijn. Ik ken profs die dat geestelijk niet aankonden. Die kregen heimwee. Voor mij gold: hoe beter ik reed, des te prettiger ik me voelde.'

'Over die broederschap. Jullie verlinken elkaar nooit?'

'Misschien onderling wel eens.'

'Maar als jij moet vertellen wat je van iedereen weet, ben je lang bezig.'

'Ja, dan ben ik misschien wel even bezig. Maar het valt soms echt wel mee, hoor. En ik weet ook niet precies wie wat gebruikt want een renner heeft meestal een vertrouwensrelatie met de arts. Het is niet zo dat iedere coureur tegen mij komt zeggen: nou, gisteren heb ik met die renner of die arts dit of dat besproken over doping of vitaminen. Met bepaalde jongens kun je wat betreft de "verzorging" makkelijker praten dan met andere.'

'Er zit een grijs gebied tussen "verzorging" en doping. Heeft dat jouw liefde voor de sport verkleind?'

'Nou, ik heb daar wel eens een knauw van gekregen. In de jaren negentig, toen die Italianen zo verschrikkelijk hard reden. Toen ik prof werd, kende ik renners die echt niet beter waren dan ik. En die zag je dan een paar seizoenen later gigantisch hard rijden, tja... Maar er is gelukkig ook een hoop boven water gekomen in Italië. Kijk, ik ben geen absolute topper, maar kon echt wel een aardig stukje fietsen. Toen ik tweedejaars prof was, werd ik vijfde in Tirreno-Adriatico en weet ik het allemaal. Maar even later trainden wij ineens niet goed meer, waren we de patatgeneratie.
In de voorbereidingskoersen in Spanje werd op een gegeven moment zo hard gereden dat ik kapot thuiskwam. Dan denk je: maar ik heb van de winter toch óók keihard getraind? Op dat moment krijg je een knauw. Er waren duidelijke vermoedens, waar ik grote moeite mee had. Zat ik er dwars doorheen, terwijl die anderen vlogen en werden wij voor van alles uitgemaakt, dat deed zeer.
Ik was mezelf toen aan het ontwikkelen. In de tests kon ik zien dat ik groeide. Van mijn twintigste tot mijn vijfentwintigste werd ik elk jaar

De sportieve passie van... bisschop M. Muskens

'Ik heb in mijn jeugd veel gehockeyd; ik was zelfs de spil van het eerste hockeyelftal. Toen ik in 1999 getroffen werd door een herseninfarct, kon ik van de ene op de andere dag niets meer. Bij de revalidatie kreeg ik onder andere weer een hockeystick in mijn handen gedrukt, om te oefenen een bal richting te geven. Het was net of het lichaam die bezigheden herkende, alsof het lichaam zelf een geheugen heeft. Mijn sportieve verleden heeft mijn herstel bevorderd. Toch rook ik weer, maar nu sigaartjes. In Lourdes zei een arts namelijk tegen me dat het niet erg was om af en toe een sigaartje te roken, maar zonder te inhaleren. Welke sporter ik bewonder? De wielrenner Wim van Est, vanwege zijn doorzettingsvermogen en zijn persoonlijke hartelijkheid. Als hij in de jaren vijftig een koers had gewonnen, ging hij naar de pastoor van St. Willebrord, legde een deel van zijn prijzengeld op tafel en zei: "Alstublieft pastoor, restaureer er maar weer een deel van de kerk mee."'

sterker. En toen werd je nóg weggereden. Je wist dat je op een normale manier eigenlijk niet meer mee kon doen.'

'Je had ook kunnen snoepen.'

'Mijn gezondheid was me te lief. Je bouwt op basis daarvan een relatie op met de ploegarts. Ik heb daarin voor mezelf een goede lijn gevonden. En gelukkig zijn er nu betere controles. Die gekkigheid is eraf. Er wordt nog steeds hard gereden, maar midden jaren negentig ging het gigantisch veel harder dan nu. De laatste jaren had ik weer het gevoel dat ik op een goede dag mee kan doen.'

'Er zijn nog steeds zondaren.'

'Ja, daar baal ik ontzettend van. Zo lang ik fiets, worden er renners gepakt. Dat went niet, maar het hoort er gewoon bij. Het blijft een vervelend aspect van de wielersport, maar het overheerst niet. De mooie kanten overheersen. Bovendien: in andere sporten zie je het ook. En als ik in de zakenwereld had gezeten, waren er ook mensen geweest die je iets proberen te flikken. De hele maatschappij heeft zo zijn rotte kanten. Maar mijn liefde voor het fietsen heeft het niet gebroken.'

'Sport is goed voor lijf en leden. Wielrennen ook?'

'Bij wielerwedstrijden zie je wel eens oud-renners lopen en de meesten zien er nog goed uit. Zeker in vergelijking met andere mannen van die leeftijd. Ze hebben loeihard gesport en doen het nu vaak nog voor het plezier. Wat mezelf betreft, ik weet dat ik af en toe zo op m'n knieën heb gezeten dat ik wist: nu is het beter om af te stappen. Ook in de Tour de France had ik moeten stoppen. Na die Tour heb ik een maand nodig gehad om weer een beetje normaal te worden. Maar schade, nee.'

'Op je knieën zitten, beschrijf dat gevoel eens.'

'Je bent zo uitgewoond, zo moe, dat je hartslag niet meer omhoogkomt. Je kunt niet meer presteren. En daaraan is een bepaald gevoel gekoppeld. In de wielersport komt dat doordat je vaak zo lang op de fiets zit. Je hele systeem staat op een laag pitje. Je bent als het ware overtraind. Het heeft te lang geduurd, te veel dagen achter elkaar, je krijgt er echt een down gevoel van. Maar je zit wél in de Tour en je wilt wél Parijs halen. Het plezier is dan volkomen weg. Na afloop was ik wekenlang al moe als ik opstond. Geen puf om te trainen, geen zin in een wedstrijd, die dingen. Gevaarlijk? Ik denk dat het lichaam een bepaalde beveiliging inbouwt. Het menselijk lichaam is sterk, hoor. Ik ben er ook niet bang voor, ik weet dat het met rust weer goed komt.'

'Heb je wel eens van pijn zitten janken op de fiets?'

'Nee, ik geloof het niet. Ik vind pijn helemaal niet het probleem. Dat pijn lijden maakt me niet uit. Als je jong bent, moet je er echt doorheen maar na verloop van tijd went het. Qua pijn lijden verleg je met de jaren de grens. Nee, te grote vermoeidheid is een groter probleem. Dat moet je als sporter zien te voorkomen. Je moet op tijd je rust pakken maar in de Tour de France gaat dat niet.'

'Het leven in het peloton kent een soort broederschap.'

'Haal je voldoening uit afzien? Is het zelfs lekker?'

'Als ik twee maanden niet fiets en dan ineens volle bak ga, heb ik een ander soort pijn in mijn benen dan als ik getraind ben. Ben je conditioneel in orde en ga je vol rijden dan heb je wel pijn in je benen, maar dat is een zó bekend gevoel. Een lekker gevoel is het in zekere zin doordat je lichaam bij zware inspanning endorfine aanmaakt.
Pijn lijden op de fiets geeft achteraf voldoening. Een heel behaaglijk gevoel in je lijf. Wel is er verschil tussen een training en een wedstrijd. Train je zwaar, dan ben je aan het investeren, met een doel bezig: ik doe het voor die en die wedstrijd. Dat kan een pijnlijker gevoel geven dan tijdens de wedstrijd zelf. Dan draag je een rugnummer, zit je op je lichtste fiets, ben je met de koers bezig. En vóór de koers staat al vast dat je pijn gaat lijden. Je bent erop ingesteld. Met als toevoeging dat je in de derde waaier meer afziet dan voorin. Zit je mee, dan weet je: het is goed, hiervoor heb ik getraind. Hiervoor heb ik die pijn geleden. En in die derde waaier zit je te denken: godver, heb ik er alles voor gedaan, zit ik in die derde waaier. Ik zie af terwijl ik dáár had moeten zitten.'

'Hoe voelt het om in topvorm te zijn?'

'Een beetje euforisch. Je lichaam is top en je verkeert in blakende gezondheid, heerlijk. Je weet: als ik die fiets pak en volle bak ga, dan is dat ook het maximale dat ik met mijn lichaam kan doen. In topvorm ben ik vrolijker en positiever dan als ik vermoeid ben.'

'Vraagt kopman-zijn meer dan fysieke kwaliteiten alleen? Karakter, een grote bek?'

'Het is een combinatie. Had ik nóg iets meer talent gekregen van moeder natuur, dan had ik een goede kopman kunnen zijn. Jawel, ik kan wel voor mezelf opkomen, al zijn er jongens die meer met de vuist op tafel slaan, die meer zeggen dan ik zonder beter te zijn. Dat is het karakter van die jongens. Maar als mij tekort wordt gedaan durf ik dat best te zeggen. Misschien laat ik soms te veel toe, maar ik was geen betere renner geweest als ik meer een klootzak was geweest.'

'In Holland Sport moest jij zeggen: "Ik was een fijne knecht, maar het is mooi geweest." Je zei dat, terwijl je het niet vond.'

'Ik dacht dat Wilfried de Jong daarop door zou gaan, weer iets ging vragen. Dat is dan misschien het karakter, hè. Ik had het voor hem over die zin uit te spreken, voor een ander weer niet. Ja, misschien was ik inderdaad geen kopman door een mix van karakter en lichamelijke capaciteiten. Kan, kan. Maar als ik de benen had gehad van een Armstrong... Ik bedoel: wat moet ik onecht gaan lopen doen voor de start van de Alpe d'Huez. Maar ik deed op sommige dagen tegen de andere jongens in de ploeg mijn mond echt wel open. Met de rol die ik vervuld heb, heb ik vrede. Ik denk ook dat de mannen met net dat beetje extra aanleg daar ook het karakter bij hebben. De groten hebben vaak een killersmentaliteit. Lichamelijk top en een goede kop erop, dat zijn de echten.'

'In 2002 ben je lang zwaar depressief geweest. Was je bang dat fietsen er niet meer bij zou zijn?'

'Het was een samenloop van omstandigheden. Alsof ze hierboven er de stekker uittrokken. Het komt niet uit het niets, zo'n depressie; ik zat met dingen die niet goed liepen. Fietsen was mijn leven, mijn wereldje. Ik was heel bang dat ook dat definitief zou wegvallen want in die tijd was het met fietsen ook gedaan. Ik miste het, maar ik zat zo diep dat ik eerst weer normaal moest gaan functioneren. Met het hoofd, zodat je weer positief kunt denken. Dat je weer wat kunt betekenen voor jezelf en voor anderen. Het fietsen viel weg, maar al het andere eigenlijk ook.'

'Die stekker eruit, dat gebeurt niet zomaar.'

'Nee, zeker niet zomaar. En nu heb ik ook nog wel eens af en toe dat gevoel. Maar toen was het echt, ja...'

'Kwam het door het wielrennen?'

'Nee, door het fietsen juist *niet*. Ik zat al een tijdje niet goed in mijn vel. Het was een samenloop van nare omstandigheden, privé, dingen waar ik lang mee heb gezeten en die ik waarschijnlijk niet goed heb verwerkt, geen plaats heb gegeven. En juist toen zat ik ook tegen overtraind zijn aan, dus ik fietste ook niet met plezier. Dat kan wel aan de depressie hebben bijgedragen, maar de hoofdoorzaak was het niet. Het was een combinatie van dingen.'

'Vol bezig met fietsen en dan ineens in een zwart gat.'

'Ik heb met artsen gesproken natuurlijk, toen het helemaal fout ging. Die zeiden: je bent in een zwart gat gevallen en dat is snel gegaan. Maar je komt er ook weer uit, dat heeft alleen tijd nodig. Toen ik in die depressie zat, had ik het idee: hier kom ik niet meer uit. Dat is zo'n vervelend gevoel, dat is niet te beschrijven. Ik kan me het nu ook bijna niet meer voorstellen. Het was een zware depressie. Gewoon niets meer zien zitten. Later klom ik daar uit. Dan heb je weer houvast. Niet dat ik dacht: ik ga volgende week weer koersen, zo werkt het niet. Maar je gaat weer keuzen maken: dat wil ik, dat niet. En stukje bij beetje vind je jezelf terug.'

'Zijn er momenten geweest dat je wilde stoppen met leven?'

'Ja... Dat is zo, ja... Er zijn momenten geweest dat ik erg diep zat. Het leven hoefde van mij niet meer. Normaal als je in een depressie zit, zie je aan het einde van de tunnel nog wel een beetje licht, maar voor mij was alles weg. Ik wilde bij wijze van spreken het liefst van de wereld af zijn.'

'Was fietsen een strohalm?'

'Dat werd het later, beetje bij beetje. Niet tijdens die depressie. Je staat op dat moment helemaal geblokkeerd. Je weet wel dingen die je wilt, lekker met mijn vriendin optrekken, met mijn vrienden, fietsen, maar het gaat niet, je zit in een depressie. Dan ga je ook op een gegeven moment aan "dingen" denken. Het hoefde van mij niet meer. Dat is het gevoel van een depressie. Je kunt nergens meer van genieten. Je eetlust is minder, je gevoel is weg. Ze hebben wel gezegd: Maarten, het komt goed! Maar ik had nergens gevoel bij, de fut was eruit. Dan kon ik wel twee uur op een fiets gaan zitten, maar het deed me niets. We hadden het net over pijn lijden op de fiets. Die depressie was zwaarder en pijnlijker dan al die jaren wielersport bij elkaar.'

'Fietste je nog wel af en toe?'

'Ja, maar dat kon je geen trainen noemen. Jij had me eraf gereden, echt waar. Ik heb ook momenten gehad dat ik me niet meer kon voorstellen dat ik beroepswielrenner was. Toen keek ik verschrikkelijk tegen mezelf op: in de Tour gereden, Nederlands kampioen geweest! Ik vond amateurs die een criterium wonnen al goed. Ik was zo down. Als ik de buurman zag werken op het land had ik daar enorm respect voor. Die vent staat in het leven en ik – ik kan niets. Maar ik ben er uitgekomen, in fasen. Totdat ik weer die drang had om te koersen en daarmee kan ik toch zeggen dat ik, al ben ik misschien geen topper, wel de instelling heb om goed mijn sport te bedrijven. En dat de liefde voor het wielrennen groot is, want ik ben toch weer teruggekomen. Tijdens mijn herstel wilde ik op enig moment weer fietsen omdat ik dat zo graag doe.'

'Beschrijf eens het moment dat jij dacht: heerlijk, ik fiets weer.'

'Ik heb huilend op de fiets gezeten. Dat had ook te maken met het gevoel dat weer terugkwam. Dat je weer gevoel had bij lekker eten, bij alles. En dat ik weer de keuze kon maken er alles aan te doen om op een acceptabel niveau terug te keren in het peloton. En als je dan weer op je fiets zit en dat denkt, voelt, dat is onbeschrijflijk...'

'Er zijn psychologen die sport gebruiken om mensen uit een depressie te krijgen.'

'Het is bewezen dat sporten een fijn gevoel geeft. Er worden in je lichaam stoffen aangemaakt die een positief effect kunnen hebben. Mensen met een depressie wordt aangeraden te gaan sporten omdat ze zich daardoor wat beter gaan voelen. Maar zit je in een zware depressie, dan vraagt dat ook tijd; de geest moet gewoon herstellen. Breek je een vinger, dan heelt die na verloop van tijd. Dat is ook zo in je hoofd. Het is altijd vanzelfsprekend dat het goed gaat, maar in je brein kan ook een storing optreden.'

'Heeft die periode jouw beleving van het wielrennen veranderd?'

'Ja en nee. Ik was superblij dat ik terug was in het peloton en dat ik weer kon trainen. Daar genoot ik van en ik stond erbij stil hoe uniek dat was. Maar toen ik jong was, had ik ook af en toe dat gevoel. Ik genoot weer erg van het fietsen en van het wereldje. Niet dat ik direct mee kon. Het ging wel om het niveau van beroepswielrenners! Ik wilde er alles aan doen om het waar te maken en als dat niet lukte, had ik het toch geprobeerd. Dan had ik er een punt achter gezet. Zo sterk stond ik wel.'

'Hoe was het om terug te keren in de schoot van het peloton?'

'Dat was ook emotioneel. Ik reed wel mee, maar had nog steeds die golfbewegingen. Dagen dat ik me goed voelde, maar ook af en toe dat onzekere, dat breekbare gevoel, de naweeën van de depressie. Maar ik weet nog dat ik in de Ronde van Qatar zat. Super weer, 25 graden, ik ging van start en kreeg over mijn hele lijf kippenvel. Ik had weer een rugnummer! Ik zat weer in het peloton! Mijn niveau was echt nog niet goed, maar ik was er weer bij.'

'De Tour is zwaar, maar op de boerderij zijn ze ook hard aan het werk.'

'Terug op de plek waar jij je thuis voelt?'

'Ja, ja, ja, dat klopt. In de weken en maanden daarop werd ik alleen maar sterker in mijn hoofd. Nu neem ik die depressie nog wel mee, maar het is verleden tijd voor me. Ik heb het meegemaakt, het is een zware periode geweest, ook voor mijn vriendin Ellen en mijn vrienden, maar die is afgesloten. Qatar was het moment dat ik terug was, thuiskwam, terug in het peloton. Toen het beter met me ging, wist ik het zeker: ik wil renner zijn zolang het gaat.'

'Heb je door die depressie meer angst om te stoppen?'

'Die is er wel, maar het gevoel dat ik het nog graag doe, overheerst. Ik voel me lekker tussen de coureurs. Het is geen vlucht in het peloton uit angst om te stoppen. Punt is ook dat ik nog mee kan. Het niveau in de Pro Tour is zo hoog, daarvoor moet je ook de kwaliteiten hebben, de inzet en de motivatie. En die heb ik nog. Maar ik zit in mijn nadagen, dat is zo. Er is ook wel een beetje angst om te stoppen, maar een paar jaar geleden kon ik me daar drukker om maken dan nu.
Ik heb van mijn hobby mijn beroep kunnen maken en zolang het nog kan, ik er nog niet af wordt gereden en de motivatie er nog is, ga ik door. Maar ik blijf niet wielrennen omdat ik angst heb om te stoppen.'

'Je fietst wel eens met je dochtertje voor op de fiets. Is dat niet net zo leuk als in het peloton?'

'Ja! Op sommige momenten leuker zelfs. Maar anders leuk. Als topsporter ben je met prestaties bezig en dát is anders, puur. Ja hoor, van mij mag ze wielrenner worden. Ik zal dat niet stimuleren maar wielrennen voor vrouwen vind ik wel mooi. Als zij het leuk vindt, zal ik haar adviezen geven maar het moet uit haarzelf komen.'

'Ooit moet je afscheid nemen. Als jij oud bent, komen we je dan nog tegen op de racefiets?'

'Zeker weten. Als ik stop met koersen, met het profgebeuren, zit ik de week erna gewoon weer op de fiets om een rondje te rijden. En er zijn hier een hoop jongens in de buurt met wie ik graag fiets. Je hebt hier duinen en strand, dus ik ga ook af en toe hardlopen. Maar fietsen zal altijd mijn grote liefde blijven.'

'Er is niks veranderd sinds die "dikkebandenrace"...'

'Nee, ik kan af en toe wegrijden op de fiets en hetzelfde gevoel hebben als toen ik vijftien was en beroepsrenner wilde worden. Daarom kon ik ook lang in het profpeloton zitten. Er zijn er een hoop die lichamelijk niet versleten zijn maar die de motivatie kwijtraakten. Daar had ik nooit last van.'

Inge de Bruijn

Eenzaamheid verdragen

'Waar het op neerkomt is dit: je moet een leven lang trainen voor tien seconden,' aldus de atletieklegende Jesse Owens. In de zwemsport is het niet veel anders. Uit de verhalen van Pieter van den Hoogenband en Inge de Bruijn heb ik pas goed begrepen hoe monotoon het trainingsschema van een zwemmer eigenlijk is: steeds maar weer in diezelfde bak met water – en uiteindelijk is het allemaal secondenwerk. Wat een drive moet je dan hebben, wat een motivatie en wat een talent voor eenzaamheid. De trainingsplek van Inge in Amerika klinkt als een soort ballingsoord, vanwaar ze zelfs niet mocht vertrekken om de begrafenis van haar opa bij te wonen. Haar tomeloze inzet heeft echter op alle fronten vrucht afgeworpen want Inge de Bruijn, het meisje dat eigenlijk stewardess had willen worden, is uitgegroeid tot de succesvolste olympische sporter die Nederland ooit heeft gehad.
Wat ik met haar deel, is ons beider geluksgetal: zeven. Behoorlijk wat profsporters steunen op een of andere vorm van bijgeloof. Rituelen maken je rustig. Wanneer je steeds maar weer hetzelfde doet, ontstaat er een aangename regelmaat die vertrouwen geeft op moeilijke momenten. Wanneer je een beslissende tiebreak moet spelen, een penalty moet nemen of in een paar seconden moet gaan bewijzen dat vier jaar trainen niet voor niets is geweest, kun je wel wat houvast gebruiken. De Tsjechische tennisser Ivan Lendl was de koning van de rituelen: zijn hele carrière stuiterde hij drie keer bij de eerste service en zeven keer bij de tweede. Zelf had ik geen vaste stuit, maar wel de regel dat het een oneven aantal moest zijn. Waarom? Geen idee. Dat vond ik gewoon fijn. Net zoals ik het best lekker vond om alleen te zijn. Ik verfoeide vaak de eenzaamheid van mijn revalidaties, van mijn trainingen en van al die anonieme hotelkamers, maar als ik moest aantreden in de Davis Cup werd duidelijk dat ik wel degelijk een *Einzelgänger* was. Daarom kreeg ik van mijn teamgenoten ook de weinig flatteuze bijnaam 'Remy': alleen op de wereld. Ook Inge voelde zich in Amerika vaak alleen op de wereld, maar bij haar werd het dé weg naar de wereldrecords.

'Ben je een beetje content met het leven tot nu toe?'

'Zeker, heel blij. Ik had het voor een groot deel nooit willen missen. Het zwemmen is het mooiste wat ik tot nu toe heb meegemaakt. Ik weet niet hoe het is om kinderen te krijgen, niet hoe het is om getrouwd te zijn, maar dit is het allermooiste, ja.'

'Als ik zwem, spoel ik de zorgen van me af.'

'Je vindt dat je een hoge tol hebt betaald.'

'Dat klopt, maar daar kies je voor. Ik wist dat de weg naar de top lang zou zijn, met veel barricaden en obstakels die je eerst moet overwinnen. Maar je moet eerst door een donkere tunnel, wil je het licht zien en dat is letterlijk en figuurlijk zo geweest. Het was vallen en opstaan. Het zou niet leuk zijn als het een gespreid bedje was, als je het in de schoot geworpen kreeg. Tot op een bepaalde leeftijd was dat zo want ik barstte van het talent. Dat werd ook altijd gezegd door menig coach, maar daar moet je dan ook nog wat mee doen. Tot mijn zeventiende kon ik het af met weinig training. Toen besefte ik dat het zo niet langer ging. Ik verbeterde mijn tijden niet meer met aanleg op zich, dus dan moet er gewerkt worden. En, ja, die combinatie leverde wonderen op.'

'Wat heeft al dat goud met jou als mens gedaan?'

'Ik formuleer het altijd zo: ik ben begonnen met zwemmen omdat het een passie is. Door die successen ben ik bekend geworden en dat is knap lastig af en toe. Dat is een gewenningsproces waar ik doorheen moest, want ik was het natuurlijk niet gewend om aangeklampt en toegejuicht te worden.'

'Lastig voor een "boerentrien uit Barendrecht", zei je.'

'Ja, ik kom uit een simpel gezin, we hadden vroeger geen cent te makken en zijn ook simpel opgevoed. Maar met een heel hechte familie. Dus dat show- en poehawereldje kende ik totaal niet. Het is gek, vreemd, lastig als je daarin automatisch belandt door je successen.'

'Heb jij een basaal gevoel van tevredenheid in de zin van: dit pakken ze me nooit meer af?'

'Ja, dat gevoel blijft altijd. Als ik het met iemand over sport heb, gaat het altijd kriebelen. Als ik clinics doe of presentaties en het komt aan bod, dan krijg ik een warm gevoel vanbinnen. Dat gaat nooit weg. Ik herbeleef vaak de topmomenten, dat de adrenaline door je lichaam gutst, met mijn moeder en tweelingzus op de tribune. Op het moment suprême waarop je alles moet waarmaken raakte ik helemaal in extase. Er is geen mooier gevoel dan om *in the zone* te zitten, wat ik geregeld heb meegemaakt op de grote toernooien. Maar soms ook tijdens een training, hoor. Als ik een training van negen kilometer heb en er zit een set bij waarin ik records zwem – man, dat is gewoon... Dat gevoel kun je niet uitleggen. Dat is zo moeilijk. Ik kan niet uitleggen hoe het voelt om olympisch kampioen te zijn. Dat is té mooi om onder woorden te brengen. Dat je het doel dat je voor ogen had gehaald of zelfs overtroffen hebt, niks mooiers dan dat. Als ik 82 ben, voel ik dat nog. Als ik er nu zo over praat, krijg ik zin om, huppetee, die Spelen opnieuw te doen.'

'Dat houdt een keer op, dat opnieuw doen.'

'Aan alles komt een eind. Maar goed, dit is zó mooi. Ik had het "voor geen goud" willen missen. Ook al heb ik er veel voor over moeten hebben. Ik heb ervoor gekozen mijn vaderland te verlaten om te gaan trainen bij Bergen, voor mij de beste coach van de wereld. Daar heb ik zó moeten afzien. Zelfs toen mijn opaatje overleed, mocht ik niet terug naar Nederland voor de begrafenis. Hij was een *drill instructor*, zoals ze hem noemden. Op dat moment kon ik die man wel... Dan dacht je: waarom, heb je vraagtekens. Nu kan ik zijn voeten kussen, echt.'

'Je had ook, pak hem beet, stewardess kunnen worden en nu moeder van twee kindjes kunnen zijn.'

'Toevallig wás dat mijn droom, ik wilde stewardess worden. Ik heb als meisje nooit de droom gehad olympisch kampioen te worden. Het is voor mij stapsgewijs gegaan. Op mijn vierde had ik mijn A-diploma al, onze hele familie bestond uit waterratjes: waterpolo, zwemmen. Zelf beoefende ik vier sporten: paardrijden, ballet, zwemmen en waterpolo. Maar mijn droom was reizen. We hadden geen geld, dus ik had nog nooit gevlogen. Op mijn elfde kreeg ik mijn eerste brief. De brievenbus ging, daar lag de envelop. KNZB stond erop, dat was mijn eerste uitnodiging voor een internationale wedstrijd. In Londen! Ik was zó blij. Twee weken van tevoren had ik mijn koffer al gepakt, slapen deed ik niet meer. Mijn onderbroeken vergat ik in te pakken, zo "van de wap" was ik. Ik ging vliegen! Als ik er nu op terugkijk, ben ik uiteraard blij dat ik zwemster ben geworden en niet stewardess.'

'Nooit verslaafd geraakt aan alle aandacht?'

'Soms is aandacht leuk, net zo vaak irritant. Ik ben gewoon, normaal, loop elke dag lekker in mijn joggingpakje naar de AH. Ik hou van de simpele dingen in het leven. Lekker met mijn neefje en nichtje naar de dierentuin. Zoals ik al zei, ik ben eenvoudig opgevoed. Maar als ik een presentatie heb, of ik heb iets anders belangrijks waar ik in een galajurk naartoe moet, *so be it*. Dan is het leuk om op en top vrouw te zijn. Sommige mensen hebben het maar over "glamourvrouw". Natuurlijk moet je er op zijn tijd representatief uitzien maar ik vind het heerlijk om normaal door het leven te gaan. Daarom heb ik ervoor gekozen lekker in Barendrecht te wonen, waar ik vandaan kom. Daar is rust en stilte in mijn leven. De familie is belangrijk voor mij; die houdt je met beide beentjes op de grond.'

'Stel dat alle opofferingen niet tot wereldprestaties hadden geleid.'

'Sowieso heb ik altijd met plezier gezwommen. Zwemmen is mijn passie, mijn grote liefde. Maar of het de moeite waard was geweest als ik niet had gewonnen? Moeilijk te zeggen. Ik weet nu hoe het is om olympisch kampioen te zijn en zoveel succes te hebben, daar kan niks tegenop! Ik was eerzuchtig, wilde in alles de beste zijn. Niks half werk. Het ging om winnen. Maar had ik dat niet gedaan, ach, ik ben rijk in het gezond en gelukkig zijn. Ik weet altijd wat te maken van het leven. Ik ben niet afhankelijk van mijn successen.
Maar goed, het totaalplaatje was dus goed. Zo vind ik het reizen nog steeds fantastisch. Met plezier stap ik in het vliegtuig. Veel sporters zijn verwend en denken: jeetje, daar gaan we weer. Heb ik nooit gehad. Omdat ik vroeger nooit de mogelijkheid heb gehad om te reizen, geniet ik er nu met volle teugen van. Het wordt je aangeboden, alles ligt op een presenteerblaadje, het is maar wat je er zelf mee doet.'

'Maar je hield geen kick over aan het trainen op zich?'

'Nee, nee. Ik vond trainen het minst leuk. Zo zwaar, zo eenzaam. Al kon ik wél een kick krijgen als het in een training fantastisch ging. Ik hield alles bij in mijn logboek en dan stond daar echt een *big smiley* naast. Maar er staan meer *sad faces*. Ik moest vechten voor een schouderklopje van Bergen. Dat was niet erg. Ik wil niet bedolven worden onder complimentjes, dat is vroeger al genoeg gebeurd. Het was juist mooi als je na een trainingsperiode van een halfjaar ineens een waanzinnige training draaide en hij zei: "*You go, girl!*" Dan liep hij gewoon door, heel saai, stoïcijns, maar hij meende het uit de grond van zijn hart. Dan was ik echt in extase. En dan wist je: je bent op de goede weg.'

'Als je erover praat, stralen de emotie en de passie nog steeds van je af. Ben je zo'n gevoelsmens?'

'Heel erg. Dat zit ook in de familie. Ik ben erg begaan met andere mensen, wil dat het met iedereen goed gaat. Als ik een verliefd stelletje zie, maakt me dat blij. Dingen die fout gaan, raken me vol. Dat 11-septemberverhaal bijvoorbeeld. Ik ben in mijn eentje gaan kijken. In oktober was dat. Alles in het stof! Ik heb gehuild. Dan brand ik echt een kaarsje, ook voor mensen die ik niet ken. Ik hoop altijd dat het goed gaat met iedereen.'

'Toch moest je soms "in de tunnel" leven.'

'Anders gaat het niet. Van nature heb ik een blik voor alles en iedereen. Vroeger was ik daardoor snel afgeleid. Maar ik heb een goede balans weten te vinden. In een trainingsperiode moest mijn verstand op nul.'

'Je hebt iets met kinderen en bewegen.'

'Het is leuk om te weten dat mede door Pieter en mij het zwemmen weer in de lift is gekomen, dat zich zowel in Nederland als in Amerika duizenden jongetjes en meisjes hebben aangemeld om net zo te worden als wij. Ik heb ook een campagne gedaan om kinderen te stimuleren op hun vijfde met zwemles te beginnen. Er verdrinken nog steeds te veel kinderen doordat ze gewoonweg niet kunnen zwemmen. En dan doe ik natuurlijk ook veel voor Kika (Kinderen Kankervrij). Kinderen zijn geweldig.'

'Heb je ook respect voor de mindere goden?'

'Ik heb een zwemmer gekend – totaal geen talent. En maar werken elke dag: trainen, trainen en nog eens trainen. Haalde hij nét de Nederlandse kampioenschappen, was ik hartstikke blij! Voor zo'n prestatie heb ik soms meer respect dan voor mezelf. Hij moet zoveel harder werken, want hij heeft niet die gave die ik heb gekregen.'

'Stel, jij won de 100 vrij in Sydney in stilte, zonder publiek, zonder spotlights.'

'De euforie was dezelfde geweest. Je doet het namelijk voor jezelf. Het ging mij niet om de glitter en glamour, maar om het goud! Als ik op de Spelen was of op een groot toernooi, nam ik alles wel op maar het draaide om drie mensen. In Athene zag ik mama zitten, mijn zus en mijn

coach. Dat is alles. Voor de rest sloot ik me af. Pas later heb ik de beelden teruggezien. Jeetje, al die camera's! Daar ben je niet mee bezig. Vroeger wel, dan keek ik van tevoren toch even waar een camera stond. De laatste jaren heb ik dat niet meer.
In Barcelona in 1992 was ik meer foto's aan het maken van Boris Becker, Steffi Graf en dat soort mensen dan dat ik überhaupt met mijn race bezig was. In Sydney en Athene heb ik alleen maar op mijn bed gelegen: slapen, eten, trainen enzovoort. Dáárvoor was ik er. Ik had niet eens een camera meegenomen! Ik was daar om een topprestatie te leveren, dus moest ik top voor mezelf zorgen en me prima voorbereiden. Me afzonderen van de buitenwereld. Ik had hard getraind, dat ging ik niet laten verpesten door de massa's mensen die naar me kijken. Mensen die het spelletje snappen, die weten waarmee ik bezig ben, beseffen dat goed. De rest vindt het niet leuk. Er is dan gewoon geen tijd. En mijn coach stond het ook niet toe.'

'Ik heb voor een zwemster het perfecte lichaam.'

'Is de passie voor zwemmen naarmate je ouder werd zuiverder geworden?'

'Intensiever ook. Je leert dat door de jaren heen. Ouder en wijzer ga je beseffen dat details een grote rol spelen. Ga ik lopend naar dat restaurant of met de bus? De bus dus, om je benen te sparen. Ik ben daar intensief mee bezig. Met voeding, met inspanningen plegen, met mijn lichaam, met rust. Vroeger had ik dat besef niet.'

'Hoorde bijgeloof tot de intensiteit van de voorbereiding?'

'Mijn geluksgetal is zeven. Maar ik heb meer vormen van bijgeloof. Elke keer een nieuw badpak. Ik neem een koffer vol badpakken mee. Ja, dat moet gewoon nieuw zijn. Want als je het dan een paar keer had aangehad, ging de magie eraf, ha, ha. Het klinkt stom, maar sporters zijn over het algemeen zo.
Ik heb niet alleen iets met bijgeloof, ook met religie. In het vliegtuig naar Amerika heb ik eens naast een priester gezeten. Ik hing aan zijn lippen, hij had zulke mooie verhalen. In dat vliegtuig kreeg ik van die priester een dikke armband met een kruis. Niet een rozenkrans maar dikker. Die heb ik altijd bij me als ik op reis ga. Altijd!
Ik ben door de jaren heen gevoelig geweest voor het geloof. Gelovig ben ik niet, maar ik weet dat er iets is. Iemand, iets, wat dan ook, helpt mij. Als ik dan in het water lig, dan denk ik wel dat er iets is.

In Amerika ging ik op een gegeven moment bijna elke zondag naar de kerk. Ze hadden daar een band en een groot scherm. Ik voelde me daar één. Ik werd er zo door geraakt, ik voelde me thuis in die kerk. Er worden armen om je heen geslagen en dan was het huilen! Want je vindt dingen mooi, je herkent dingen. Het ging namelijk niet alleen over God maar ook over *trust, hate, friendship*, herkenbare dingen uit het dagelijks leven. Of dan was er een verhaal over eenzaamheid – moest ik weer huilen. Was er een vrouw naast me die zei: "*It's okay.*" Ja, ik heb daar iets mee.

Of ik moet ergens overstappen, staat daar zo'n heilig vrouwfiguurtje. Ik kom net uit het toilet, ze kijkt me aan en zegt: "*God bless you.*" Ik ben ook gezegend met heilig water. Toen voelde ik dat er iets is. Ik mis die diensten af en toe. Ik wil ooit nog met Jakline, mijn tweelingzus, naar een gospelkerk. Lijkt me geweldig!'

De sportieve passie van... Wouter Bos, fractieleider PvdA

'Ik houd heel erg van sport. Het is alleen omdat ik geen keeper kon worden in het eerste van Feyenoord dat ik uiteindelijk voor een andere (politieke) carrière heb gekozen. Ja, ik ken uiteraard de zegswijze "een gezonde geest in een gezond lichaam", maar daar leef ik eigenlijk veel te weinig naar. In mijn werk maak je nu eenmaal heel lange dagen, al is dat natuurlijk geen echt goed excuus. Ik rook niet, maar verder ben ik redelijk zondig. Na jaren van knieklachten heb ik nu eindelijk een knieoperatie achter de rug; misschien dat ik hierdoor binnenkort weer kan gaan hardlopen. Voorlopig kijk ik vooral naar sport, als ik daar de tijd voor heb tenminste. Of ik een favoriet sportmoment heb? Natuurlijk. Wat dacht je van Inge de Bruijn die na wéér een gouden plak met die prachtige wimpers uit het water verrijst!'

'Ben je door alles wat je hebt bereikt als mens gegroeid?'

'Ja, je wordt er sterker van. Sport vormt je. Vroeger was ik heel nerveus. Als je me aanraakte, had ik al verloren. Nu is mijn houding meer: kom maar op! Ik kan me nog goed herinneren dat die Amerikaanse, Amy van Dyken, in mijn baan spuugde vlak voor de halve finale van de 50 meter vrij in Sydney. Zo'n grote vieze rochel! In een fractie van een seconde moet je de knop omdraaien: niet op ingaan, fluitsignaal, het gewoon doen, je in jezelf keren, wereldrecord. Daar heb je geen woorden bij nodig.'

'Vanwaar die honger om je te bewijzen?'

'Vanaf mijn kindertijd zit dat er al in. Als ik naar school fietste en er reed verderop een man, dan moest en zou ik hem inhalen. Altijd iemand voorbijstreven, de snelste zijn, de beste, dat zit in me. Dat heb ik van mijn moeder.'

'Vond je jezelf knap als puber?'

'Nee, hoor! Ik kon heel onzeker zijn. Nog steeds. Ik kan een sterke persoonlijkheid zijn maar ik heb ook momenten dat ik mijn gevoel toch laat spreken – dan ben ik ineens klein. Als tiener was ik rustig, verlegen. Absoluut niet knap, of zo.'

'Zat je daarmee? Wilde je daarom uitblinken met zwemmen?'

'Nee, absoluut niet. Het was natuurlijk een tijd dat uiterlijk minder belangrijk was dan voor de huidige jeugd. Opmaken, leuke kleren kopen, jongens met gel in hun haar, je kent het wel, nou, dat deden we vroeger niet. Een kam door je haar en klaar!'

'Wat heb je met water?'

'Als ik het water induik, valt alles van me af. Heerlijk. Je kunt je agressie kwijt. Ik fleur op in het water. De spanning glijdt van me af. Ik spoel als ik zwem de zorgen van me af. Heerlijk! Die eerste duik vind ik nog steeds fantastisch. Het is gek voor mij om van mensen te horen dat ze niet van water houden.'

'Vanaf welk moment is het van spelen naar topsport gegaan?'

'Nou, dat heeft wel even geduurd. Ik wou bijna zeggen "toen ik op mijn zestiende prof werd", maar daarvoor was het eigenlijk ook al zo, want het was wél elke dag kwart voor vijf op, kwart over vijf met de trein. Dat lijkt me ook al topsport. Op mijn zestiende ben ik uit huis gegaan om prof te worden. Het was echt alleen maar school en trainen. Mijn moeder zei: op eigen benen staan.'

'Hoe belangrijk is je moeder voor je geweest?'

'Nou, Jakline is mijn rots in de branding, mijn beste vriendin. Mijn moeder is de stille kracht. Achter mij, in mij. Ze is altijd timide, op de achtergrond, maar dat vechten heb ik van haar.

11. Esther Vergeer, veruit de beste rolstoeltennisster van de wereld, in opperste concentratie tegen Sharon Walraven tijdens het NEC Wheel Chair Tennis-toernooi.

12. Inge de Bruijn, 100 meter vlinderslag, Athene 2004.

13. Inge de Bruijn, uitzinnig van vreugde na het winnen van goud op de 50 meter vrij tijdens de Olympische Spelen van Athene.

14. Khalid Boulahrouz uitkomend voor de Hamburger SV in de Bundesliga, 2005.

15. Groots moment in de Nederlandse voetbalgeschiedenis. Ruud Gullit heft de beker nadat Oranje het EK in 1988 heeft gewonnen.

16. Ruud Gullit aan het werk als trainer van Jong Oranje in 2003.

17. Lucia Rijker zeer geconcentreerd boksend tegen Lisa Ested. Rijker wint de partij in de vierde ronde met een knock-out.

18. Lucia Rijker poseert met regisseur Clint Eastwood tijdens de opnames van *Million Dollar Baby*, waarin zij Billie 'The Blue Bear' speelt.

19. Johan Cruijff in een spijkerhard duel tijdens Bulgarije-Nederland (1-4) in 1974.

20. Als coach van FC Barcelona weet Johan Cruijff zich bijzonder geliefd te maken bij de aanhang.

De band met Jakline is bijzonder. Ik weet nog dat ik een keer in Amerika 's nachts wakker werd en mijn gevoel me zei dat er iets met haar was. Ik belde, ze was heel ziek. Jakline zegt altijd: *"We are one soul"* – wij zijn één. *"If one of us dies, we die together"*. Want ik was de verrassing, hè. Vroeger had je geen echo's en Jakline lag boven op mij. Dus ze hoorden altijd maar één hartje kloppen. Jakline kwam en wat later werd er gezegd: "Mevrouw, er komt er nog een aan!" Jakline zegt steevast: "Inge is en blijft mijn kleine zusje, of ze kampioen is of niet. Ik heb haar beschermd en dat zal ik ook blijven doen. Dat deed ik in de baarmoeder al."'

'Met je vader is het niet goed gegaan.'

'We vieren de scheiding nog elk jaar! Sommige kinderen zijn er verdrietig om maar wij vieren het. Het was een bevrijding. Daar eren we mijn moeder voor. We eren elk jaar mijn moeder omdat zij ons heeft grootgebracht. Ik geloof echt dat zij de sterkste vrouw van de wereld is. Ze heeft ons prima opgevoed, we zijn allemaal goed terechtgekomen. Ook al is ze mager, ze is sterk. Echt zo'n persoontje op zich.
Ik was acht toen ze uit elkaar gingen. Oud genoeg om alles te zien. Nee, ik heb nooit meer de behoefte gehad mijn vader te zien. Mijn zus heeft hem nog een keer de kans gegeven en die heeft hij niet benut. Of ik er verdriet van heb gehad? Iedereen mist zijn vader natuurlijk. Een vader heb je nodig in je leven. Maar die van mij, nee, nooit gemist.'

'Is Bergen een vader voor jou geworden?'

'Wij hebben een speciale band, maar zijn niet close. Hij kwam nooit in het hotel en ik nauwelijks bij hem thuis. Als ik kwam trainen: *"What's up?"* Was ik klaar: *"Bye."* Hij was erg afstandelijk maar hij voelde me feilloos aan. Hij kon naar me kijken en wist dan precies hoe het zat. Hij ziet ook gelijk wanneer ik ziek ben. Maar ik heb nooit een vadergevoel voor hem gehad. Ik weet ook niet of ik daarvoor opensta. Mijn moeder heeft in mijn leven twee personen gespeeld maar je vindt het toch jammer dat je geen goede vader hebt.'

'Over dat trainen in Amerika. Wat was er zwaar aan?'

'De tijden die ik moest halen maar die ik niet kon waarmaken. Dan ga je je afvragen: wat is er mis met mij, hoe kan dit enzovoort. Want ik wilde het voor hem goed doen. Ik wilde voor hem door het vuur gaan; dat deed hij voor mij ook. En hij schold erop los. Echt hoor, hij kon flink tekeergaan maar ik besefte pas later dat hij dat alleen deed omdat hij op een bepaalde manier om je gaf. Om je beter te maken. Als hij je zou negeren, was het goed fout.

Als hij tekeerging, wilde je nog meer en nog meer en nog meer je best doen. Hij heeft ervoor gezorgd dat ik mijn grenzen ging verleggen. Dus je denkt op een gegeven moment: mijn lichaam kan het nu niet meer aan, ik zit tot hier, ik kan niet meer... En dan wilde hij dat je nog eens vier keer 100 extra deed in een tijd die ik niet kon halen! Soms gebeurde het dat ik het toch haalde, tja, dan had hij dus toch gelijk.
Na een paar weken trainen in Amerika, in '97, ben ik bij hem in training gegaan. Ik was er net een jaar uit geweest, had het helemaal gehad. De Olympische Spelen van Atlanta had ik afgezegd. Dat was de grootste fout van mijn leven, maar de beste die ik heb kunnen maken. Toen ik televisie aan het kijken was en ik die meiden zag en die hele sfeer, wist ik dat ik nog niet klaar was.
Via een Amerikaanse zwemmer heb ik Bergen ontmoet en ik moest een testweek doen. Ik lag op apegapen want ik had een jaar niks gedaan. Bergen heeft me toen een kaartje met vier tijden gegeven. Hij zei: dit kun jij. Er stonden vier tijden op: de 50 vrij, de 100 vrij, de 200 vrij en de 100 vlinder. Ik kijk op dat kaartje en zeg: "*You're crazy!*" Hij: "*You wait and see.*" Ik heb dat kaartje altijd bewaard en het waren uiteindelijk de tijden die ik in Sydney zwom. Allemaal. Echt ongelooflijk!'

'Bergen was hard, maar dat had jij nodig?'

'Elke keer als ik terugging, wist ik dat ik er beter van werd, hoe slopend alle arbeid ook was. Mijn gevoel was dubbel, waarbij natuurlijk het positieve overheerste. In Nederland werd er aan alle kanten aan me getrokken: interviews, mensen die belden, je moest zoveel doen. Hier was ik niet zo succesvol geweest. Dus als ik terugging, was ik blij dat ik lekker kon ademhalen en rust had. Tot het weer te rustig werd.
Ik kon daar gemakkelijker hard trainen. Bergen zei eens: "Jij hebt zo'n drive, zo'n doorzettingsvermogen, je bent zo'n vechter, jij kunt bij elke coach trainen." Toen zei ik: "Nee coach, ik heb jou nodig, voor jou ga ik door het vuur en niet voor anderen."'

'Ben jij het bewijs van wat er gebeurt als een supertalent hard werkt?'

'Ja, maar dat harde werken heb ik wel moeten leren. Vroeger kwam ik bij de training en dacht: oké, ik moet zeven kilometer maar ik doe er lekker maar drie! Tijdens de eerste krachttraining bij Bergen laat hij een foto zien van Jenny Thompson, een onwaarschijnlijk gespierde zwemster, en zegt: "*You're gonna look like her!*" Ik zeg: allemachtig, nee hoor, waarop hij antwoordde: dan is daar de deur. Je komt hier niet voor niets. Ik moest álles doen wat hij zei. In het begin dacht ik: jeetje, hij is wel erg hard. Later kwam ik erachter dat het met een steengoede bedoeling was.

Ik heb jonge meiden die net bij hem kwamen trainen ontiegelijk vaak moeten troosten. Ik zei dat hij van hen hield op zijn manier, dat hij wilde dat ze beter werden. De meiden hebben mij ook moeten troosten, ja. Als hij had gescholden tegen me. Of als ik tijden niet kon halen, opdrachten niet kon uitvoeren. Dan was ik op, op, op. Zegt *hij:"What are you doing!" "I'm trying, coach." "Well, try harder then! You're the worldrecordholder, right? Show me!"* En ik wilde zó goed mijn best doen voor hem. Maar op de eerste plaats gaf het trainen bij Bergen voldoening, was het lekker. Als ik erover nadenk, krijg ik zo weer zin om veel te zwemmen, hard te lopen en in touwen te klimmen. Het mooie was dat je de kracht voelde toenemen, de souplesse, alles kwam samen. Bij een van de laatste trainingen zei hij: *"Everybody get out of the swimmingpool."* Hij had ook gevoel voor humor, hoor: als Inge die en die tijd haalt, is de training voorbij! Iedereen schreeuwen: *"Go, go, go!"* Dan wil je het doen voor die meiden en die jongens. Hij is een clown, maar heel echt. Een man van weinig woorden en daar houd ik van. Hij is niet van "bla bla bla". Maar wat hij zegt heeft *sense*. Ik heb niks met: *"You look good, girl."* Ik heb meer op met weinig woorden.'

'Zat je er wel eens zo doorheen dat je naar huis wilde?'

'Ja. Dan belde ik mijn zus. Door het tijdsverschil vaak midden in de nacht. Zij kon me weer opvrolijken. Vriendinnen belde ik ook soms, maar mijn zus is doorslaggevend geweest voor mij. Elke week zat ik wel een paar keer jankend op mijn kamertje. Kijk, als topsporter word je voor de leeuwen gegooid. En Bergen maakte de trainingen nooit gemakkelijk. Nooit. Elke keer ging het voor je gevoel slecht, was je moe, had je spierpijn. Ik ging drie keer in de week naar een masseur, dat moest ik zelf betalen. Je denkt: Amerika, modern, groot, maar het was daar allemaal heel krakkemikkig. Dat zwembad zag er niet uit: een betonnen blok met wat water erin gegooid. Alles stond op instorten. Dat kon me niks schelen. Want kwam je bij een WK of zo, dan viel het zwembad altijd super mee. Dat is beter dan andersom.'

'Mijn concurrente spuugde zo'n grote, vieze rochel in mijn baan!'

'Hoe zwaar viel de eenzaamheid je?'

'Eenzaamheid is de spijker op de kop. Ik kom uit een groot, hecht gezin dus het was in mijn uppie een regelrechte ramp. Maar ik had het nodig om me te blijven focussen. Ik had ook een sticker en daar stond op: *It's me against the world, baby!* Ha, ha! Maar goed, als ik erop terugkijk, zou ik het zo weer doen.'

'Zaten er ook voordelen aan die eenzaamheid?'

'Zeker weten. Ik werd door niks of niemand afgeleid. Het was gewoon: hupsakee, doorwerken. Ook heb ik mezelf in die periode goed leren kennen. Ik had veel tijd om na te denken, over mezelf, over het leven, over mensen, over vrienden die uiteindelijk toch kennissen blijken te zijn, over van alles. Er zat in die eenzaamheid dus ook rijkdom. Maar op een gegeven moment had ik het wel gehad. Dat had ik ook afgesproken: na drie maanden ga ik terug. Moest ik gewoon even knuffelen, thuis zijn. Daarom is het voor mij een cadeau, elke keer dat ik land op Schiphol. Hoe meer en hoe langer je weg bent, des te meer je je thuis gaat waarderen. En ik woon helemaal niet groot. Maar ik heb een leuk huisje waar ik het prima naar mijn zin heb. Je hebt mensen die zeggen: hè, woon jij hier? Die verwachten een kasteel. Ik ben ook een mens. Eentje die in een poppenhuisje geboren is, zeg ik altijd. Waarom moet het opeens allemaal grootschalig?
Wat is rijk? Gezond en gelukkig zijn, daar ben ik wel achter. Maar kijk, je hebt status. Ik was een keer bij Albert Heijn toen een mevrouw naar me toe kwam. Ik vind het heerlijk om boodschappen te doen maar die vrouw zegt: "Doe jij je eigen boodschappen? Ik dacht dat jij een butler had!" Dat begrijp ik dus echt niet. Dat mensen me zo hoog plaatsen terwijl ik maar gewoon ben.'

'Beschrijf het gevoel van topvorm eens.'

'Ik mat om de drie weken het vetpercentage. En dan zei Bergen weer: "*You're fat.*" "Wáár dan?" Maar hij deed dat gericht, hij lette op details. Zat het vet op mijn bovenbenen, dan moest ik hard en lang hardlopen, achteruit touwtjespringen. Wat ik al niet deed: opdrukken, touwklimmen. Ik moest omhoog zonder mijn benen te gebruiken en dan het plafond aantikken. Ik was kapot, total loss. Maar je wordt er steeds beter in. Op een gegeven moment sta je zo strak! Dan voel je je fantastisch.
"*You're the only one who can do this*", zei hij wel eens. Dan was ik trots. Ik betrok hem er ook altijd bij. "*You did it!*" "*No, we did it!*" Dat vind ik zo erg bij voetballers: geef die trainer maar weer de schuld. Zoek het eens bij jezelf! Die trainer doet ook zijn best. Je doet het samen, er kan nooit één persoon de schuldige zijn.'

'Was je "ready" voor Sydney?'

'Zo "*ready*" als ik maar kon zijn. Ik had al acht wereldrecords gezwommen terwijl ik nog zwaar in training was. Ik verkeerde in de bloedvorm van mijn leven. Ik blééf maar records zwemmen, het hield niet op. Dat voelde magnifiek. Ik was ook niet bang voor Sydney, wel een beetje voor Athene. Ik wist dat er grotere concurrentie zou zijn en zelf was ik minder in topvorm dan in Sydney. Die vorm heb je maar één keer. Ik heb het weten te benaderen, maar het ook niet overtroffen.
Net als toen jij Wimbledon won, dat was ook *once in a lifetime*. Dat gevoel. In Athene won ik weliswaar ook één keer goud, maar de drie keer goud van Sydney betekent veel meer voor me. Ach, wat was ik blij, gelukkig, in de zevende hemel met mijn prestaties in Australië.'

'Topsport heeft jou zelfstandig gemaakt. Toch oog je soms kwetsbaar.'

'Dat ben ik ook! Blij toe. Ik ben gevoelig, maar ik kan ook hard zijn als ik het ergens niet mee eens ben. Toen de bondscoach voor de WK van 2003 zei: "Je kunt beter thuisblijven, anders verzuip je nog", dacht ik: ik weet niet wat jij doet, maar ik zie je op Schiphol. Ik bedoel: als ik weet dat ik het bij het rechte eind heb, kan ik resoluut en hard zijn. Maar inderdaad, ik toon mijn gevoel. Ben ik blij, dan kan iedereen dat zien. Als ik boos ben ook. Daar is niks mis mee.'

'Als je hard bent en achteraf blijkt dat je ernaast hebt gezeten, wat dan?'

'Dan geef ik het grif toe. Ik ben niet te beroerd om "het spijt me" te zeggen. Heb ik een fout gemaakt, dan zeg ik dat en bied mijn excuses aan.'

'Heb je wel eens met een sportpsycholoog gewerkt?'

'Het is inderdaad een keer voorgesteld. Maar ik vind het eng om afhankelijk te zijn van iemand. Je kunt alles uit jezelf halen. Kijk, vroeger was ik onzeker. Waarom? Ik had niet genoeg getraind. Bij coach Bergen deed ik alles. Ik had niks te vrezen. In de wedstrijden moest ik het gewoon afmaken. Je kunt natuurlijk een beetje bang zijn voor de rest, maar je hebt niks te verliezen. Ik heb tot in het oneindige mijn best gedaan, ik kan niet meer dan dat. Ik was klaar voor het moment suprême.'

'Hoe ben jij in de topsport omgegaan met het bewaren van je vrouwelijkheid?'

'Nou, in de training hoefde ik er niet altijd goed uit te zien, hoor. In wedstrijden heb ik altijd mascara op, dat is een beetje bijgeloof. Na het douchen doe ik het af, even lekker bijkomen. De een heeft lippenstift op, de ander mascara.'

'Als jij zo bezig was met dat vetpercentage ging je van cup C naar A.'

'Ja, maar ik heb dan ook in ultieme vorm topsport bedreven. Want van nature zijn mijn borsten best groot. Bergen zei ook tegen me: "*You have to get rid of those* (mijn borsten) *and we are going to work on these!*" (mijn spierballen). Ik: nee; hij: ja, topsporters zijn niet dik. Ik zat er als jonge vrouw wel mee want wie wil er niet goed uitzien? Maar ik heb die spieren nodig. En mensen in de sportwereld vonden ze mooi.'

'En jij?'

'Ik had voor een zwemster, dat is ook gemeten en onderzocht, het perfecte lichaam. Als sportster vond ik het wel mooi. Ik heb nog steeds die smalle taille. Ik was nog steeds een "colaflesje". Geen vierkant blok, zoals je vaak ziet. Daar was ik blij om. Maar zelf, als vrouw, denk je toch: shit, die spieren. Ook al vinden tig mensen het mooi, je loopt toch in je galajurk met al die spieren die te zien zijn. Maar je bent sportvrouw. Daar ben je voor genomineerd. Eigenlijk heb ik het wel mooi gevonden, maar op zijn tijd ook weer niet. Ik kan heel onzeker zijn over hoe ik eruitzie. Maar goed, zonder die spieren was ik "never nooit" olympisch kampioen geworden. Ik heb van Bergen ook geleerd mijn spiermassa te waarderen. Hij zei: met jouw lichaam maakt het niet uit wie er op die startblokken naast je staat. Jij hebt al gewonnen. Fysiek.'

'En als je nu in de spiegel kijkt?'

'Ik ben nu zeven kilo afgevallen, voel me perfect. Maar vrouwen hebben altijd wel wat te klagen. Ik wilde dunnere benen, die waren een en al spier. En ik wilde ook dunnere armen en misschien wel wat grotere borsten. Maar goed, als ik om me heen kijk, ben ik inderdaad best tevreden. Ik stond op een C&A-poster, loop modeshows, dus er zal wel iets goed zijn aan me, denk ik dan.'

'Die fotosessies die jij doet, is dat leuk?'

'Ja, heel leuk. Lekker een dagje tuttebellen. Heerlijk! Want ik ben helemaal niet zo iemand die zich uitgebreid opmaakt en op zo'n dag wordt er aan je gezeten. Ja, ik vind dat lekker. Ver van mijn eigen leven is dat. Zalig.'

'Ook leuk dat mannen jou mooi vinden?'

'Ik vind het op de eerste plaats zelf leuk om te doen. Plus dat ik er veel complimentjes over krijg, dat is alleen maar mooi meegenomen. Ik word ook gevraagd voor internationale bladen: Amerika, Australië, Engeland, Italië, dat vind ik een eer. Als zwemster!'

'Modeshow in Monaco en trainen bij Bergen. Twee uitersten.'

'Dat is een groot verschil, ja. De zwemwereld bevalt me het best. Loop ik in Amerika, ziet iedereen dat je Europeaan bent. Je hebt gewoon een Europese uitstraling. *Are you a model?* zeggen ze dan. *No, I am a swimmer.* Kijken ze je aan, joh! Ja, dan ben ik er trots op dat ik kan zeggen dat ik zwemster ben. Niemand hoeft bang te zijn dat ik verdwaal in de modellenwereld. Ze vragen me, ik doe het, het is een bijkomstigheid.'

'Olympisch goud of een wereldberoemd fotomodel?'

'Olympisch goud natuurlijk! Honderdduizend procent.'

'Een keuze: je was na Sydney de ware tegengekomen. Je had Athene thuis op de bank kunnen bekijken met een kleine op schoot.'

'Dan was ik nog voor Athene gegaan. Ik was nog niet klaar. Ik had kunnen stoppen, dat zei iedereen: stop, je hebt je toppunt bereikt. Maar Bergen zei: je bent als Lance Armstrong, als Michael Jordan, je kunt tot sintjuttemis doorgaan. Het had gekund, maar ik was gedumpt na Sydney, ik was echt even klaar. Toen ben ik de tunnel ingedoken en ben weer gaan zwemmen.'

'Veel verdriet van gehad, van dat dumpen?'

'Natuurlijk! Dan komt de gevoelsmens weer boven. Ik hoorde de gelukkigste vrouw op aarde te zijn maar eigenlijk was ik heel klein en intens verdrietig.
Dat het fout ging met Jacco [Verhaeren, red.] en ik moest vertrekken uit Eindhoven zie ik als mijn lot. Dat was een periode in mijn leven die ik heb afgesloten. Ik ben zelfs blij dat ik het allemaal heb meegemaakt. Ik zie alles als een leerproces. In het slechte zitten ook weer positieve dingen en die neem je mee. Zo wordt je bagage rijkelijk gevuld, zeg maar.
Maar let op, Jacco is een topper, hè! Ik ben hem dankbaar, echt. Hij gunt me het beste, hij is de topcoach van Nederland. Een van de besten in de wereld. Een topper, als mens en als trainer.'

'Zou je graag een man willen hebben?'

'Ja, soms mis ik dat wel. Zeker. Als ik mijn zus zie... Mensen zeggen dat ze met mij zou willen ruilen, maar ik wil soms ook wel met haar ruilen! Dat hoort ook bij de tol die ik betaal voor het zwemmen. Ik vind het moeilijk. Ik ben heel toegankelijk, ik sta open voor iedereen. Ik ben een gezelligheidsdier. Maar een nadeel is dat je bekend bent. Dat is toch... Shit, het stoot mensen af. Mijn moeder hoopt dat ik ergens een leuke man tegenkom. Maar ik heb een paar flinke dompers meegemaakt.'

'Speelt dit mede een rol bij het al dan niet verdergaan?'

'Dat beslis ik zelf. Ik ben nu veel aan het presenteren en doe ook veel voor KiKa. Allemaal dingen die ik graag doe en waaraan ik in Amerika nooit toekwam. Ik vind het nu goed zo.'

'Zou je nog verder kunnen?'

'Ik heb na Atlanta ook een jaar niks gedaan. Oké, ik word ouder, dat gaat een rol spelen, maar met dit lichaam kan ik nog veel. Of ik in 2008 in Peking nog goud kan winnen? Daar zeg ik niks over. Alleen: áls ik naar de Spelen ga, wil ik winnen. Anders ga ik niet.'

Ruud Gullit

Omgaan met je imago

De Elfstedentocht wordt gezien als een van de weinige 'pure' sportevenementen. Dat komt doordat iedereen er geld aan verdient, behalve de sporters zelf. Een worstenfabrikant deelt mutsen uit, televisiezenders doen urenlang verslag en reclameblokken worden tot de nok toe gevuld – maar de schaatsers zelf moeten vooral niet te commercieel gaan denken. Zij moeten het bovenal een *eer* vinden om voor twee kistjes mandarijntjes de barre koude te trotseren. Sport en geld: het blijft een moeilijke combinatie. Want sport is vaderlandsliefde, sport is emotie, sport – dat zijn de fans. Vooral in het voetbal worden de hoge salarissen van de topspelers maar ternauwernood getolereerd. Zolang er gewonnen wordt, vinden pers en publiek dat het elftal elke euro waard is. Maar zodra er wordt verloren veranderen de godenzonen al snel in 'volgevreten vedetten'.
Iemand die voor veel Nederlandse topsporters de weg heeft gebaand, is Ruud Gullit. Na Johan Cruijff was hij de eerste Nederlandse topvoetballer die voor een vermogen verhuisde van PSV naar AC Milan, waarmee zijn imago als 'geldwolf' was geboren. Maar zoals voor de meeste topsporters gold ook voor Gullit dat zijn geldingsdrang veel groter was dan zijn drang naar geld. Eigenlijk was hij in die tijd te groot voor Nederland. In Italië werd hij als een icoon vereerd: de jeugd liep massaal met zijn voetbalshirt en de beroemde Gullit-petjes, waaraan dreadlocks waren vastgemaakt. 'De drie van Milaan' (Frank Rijkaard, Marco van Basten en Ruud Gullit) hebben voor de vaderlandse voetballers de sluizen naar het buitenland opengezet. Ook Nederland sloot Ruud Gullit in de armen: mede door zijn maatschappelijke betrokkenheid werd hij een van de eerste atleten die groter was geworden dan zijn sport.
Maar toen werd hij trainer. En als trainer heb je de successen niet meer geheel in eigen hand: je bent niet alleen afhankelijk van de prestaties van je spelers in het veld, maar je kunt ook een speelbal worden van het gekonkel achter de schermen van de voetbalclub. Over al deze zaken kan Ruud Gullit inmiddels meepraten – en dat doet hij in dit interview dan ook volop. Want zoals Aad de Mos al zei: 'Er zijn twee dingen zeker in het leven: iedereen gaat dood en een trainer wordt altijd ontslagen.'

'Wanneer raakte je voor het eerst verliefd op de bal?'

'Ik kan het me niet echt herinneren. In de Jordaan, waar ik woonde, had je niet veel ruimte. Er was een pleintje bij een school waar we voetbalden. Dat was eigenlijk te klein, met een glijbaan, en onder die glijbaan was onze goal. Op een muurtje hadden we de andere goal geschilderd. Maar omdat het zo klein was, mochten we er niet vaak voetballen. De andere kinderen werden er natuurlijk kapotgeschoten. Het schijnt zo geweest te zijn dat ik meteen gek van de bal was. Maar eigenlijk van alles met een balletje. Als ik een bal zie, raak ik gefascineerd. Dag na dag ging ik na schooltijd meteen met de jongens voetballen op het plein. Het huiswerk kwam later wel, op de lagere school was het alleen maar voetballen. Het is mijn mazzel geweest dat ik vrij groot was voor mijn leeftijd. Toen ik acht, negen was, speelde ik vaak met oudere jongens, de zoon van de melkboer, de melkboer zelf, die gingen allemaal meedoen.
Het mooie was dat we alles zelf bepaalden. De kleinste ging "poten". Dan mocht ik kiezen, en koos dan iemand die kon verdedigen, een die kon aanvallen en een keeper, dus je was er constant mee bezig. Wat zijn de spelregels, wat gaan we doen? Dat zelf regelen mis ik bij de kinderen van nu. Die worden naar school, naar de drumband, naar van alles gebracht. En als ze trainen, bepaalt de trainer alles. Wij waren allemaal al een beetje leider, al ontstond er ook een bepaalde hiërarchie. Die kwam vanzelf tot stand, daar hoefde je je geen zorgen over te maken.
Het niveau was trouwens best hoog. Frank [Rijkaard] was erbij natuurlijk. En ome Jan deed mee. Wij waren ventjes van ongeveer dertien jaar, maar die "groters" voetbalden gewoon mee.'

'Had je een idool?'

'Vroeger was het Pele of Cruijff. De donkeren waren voor Pele, maar ik was toch voor Cruijff. Het sloeg natuurlijk helemaal nergens op, want we hadden die Pele zelden gezien.'

'Nu gebeuren de leukste dingen met de bal nog steeds op straat.'

'Jawel, maar dat is *panna*, een heel andere discipline. Bij panna gaat het om de truc. Het is knap wat ze kunnen, ik kan het absoluut niet. Maar het is niet effectief, het is goochelen, laten zien wat je kunt met een bal. Surinamers zijn trouwens altijd zo geweest. Ik werd helemaal gek, want als een Surinamer je door je benen speelde, stopte hij en begon je uit te lachen. Dan zei ik: doe niet zo stom, speel nou door, maar hij ging je uitlachen. En als ik dan een goal scoorde, interesseerde hem dat niet – als hij jou maar door de benen had gespeeld.

Maar bij ons op straat ging het om het winnen. Alleen dat telde. We voetbalden ook wel eens op het basketbalveld. Moesten we tegen de palen van de basket aan schieten. We maakten het onszelf steeds moeilijker. Om aan een bal te komen, legden we ons zakgeld bij elkaar. We kochten nooit een leren bal, dat had geen zin voor op straat. Veel geld hadden we niet en alles ging te pas en te onpas stuk. Broeken ook, mijn moeder werd gek van mij. Ik kreeg natuurlijk niet die echte schoenen waarmee je kon spelen. Wij gingen naar de Bata, daar kocht je schoenen met vier strepen erop en dan haalde ik er één streep af. Daar ging ik mee voetballen. Maar die schoenen deden het nooit lang, ze gingen meteen kapot.'

'Wat betekende sport in de puberteit voor je?'

'Het was een manier om mijn overvloed aan energie kwijt te kunnen. Nou, dat lukte. Ik moest alles zelf doen. Zo kwam ik in het Nederlandse jeugdteam, maar mijn vader en moeder brachten mij echt niet naar Zeist toe. Ik moest zelf zorgen voor vervoer. Daarvoor, toen ik bij DWS speelde, was ik ook al geselecteerd voor het Amsterdamse jeugdelftal. Maar het allerleukste vond ik op die leeftijd dat in de zomervakantie de sporthallen open waren voor activiteiten. Ik ging naar de oude RAI, daar had je van die houten vloeren waar de spijkers doorheen kwamen. Ik ging daar de hele zomervakantie elke dag voetballen. Ben ook een keer gaan boksen tot ik in de derde ronde een beuk kreeg, *dizzy* was. Ik probeerde altijd competitie te doen om me te kunnen vergelijken.'

'Je was al heel jong heel gek van voetbal?'

'Ja, ik vond het hartstikke leuk, alleen wist ik nog niet wat ik wilde. Met school bijvoorbeeld. Mijn vader was leraar en die zat er bovenop. Op een gegeven moment ging ik ook schoolvoetballen. Ik heb laatst nog iemand ontmoet die een schoolfoto van mij uit die tijd had. Ongelooflijk, daar zit ik met een beker. We waren tweede geworden, dat was mijn eerste bekertje. Ik kan me herinneren dat de finale werd gespeeld in Opmeer. Daar kwam iedereen, dus je wilde er goed uitzien, dat was belangrijk. Alle *chickies* kwamen kijken, dat wist je.'

'Jij was altijd fysiek goed. Van jezelf of heb je daaraan gewerkt?'

'Nee, nooit. Na mijn carrière dacht ik: ik moet iets gaan doen. Toen ben ik een beetje gaan krachttrainen. Dat heb ik één week volgehouden, dat lag me helemaal niet. Als je begint te trainen, begint alles meteen als een gek te groeien. Dat vond ik niks. Ik kon mijn ei er niet in kwijt. Ik had niks met die gewichten. Er zit geen spel in, er zit geen balletje bij...'

'En lopen, conditietraining?'

'Conditietraining vond ik niet leuk. Altijd afsnijden, hè. Bij Milan was het heel zwaar. Het eerste jaar liepen ze zo hard dat ik helemaal misselijk werd. Ik ben 4 kilo afgevallen, voelde me waardeloos. Toen ben ik naar de dokter gegaan. Ik zeg: ik voel me niet lekker, ik kan wel lopen maar niet zo snel. Je moet mij niet zo hard laten lopen! Kreeg ik een hartslagmeter om, "ging niet in het rood" en was in één dag hersteld. Maar als er voetbal was, met een balletje erbij, kon ik blijven lopen, dan vergat ik alles.
Er waren momenten dat ik me minder krachtig voelde. Dan ging ik jagen, alleen maar jagen, bal afpakken. Dat was mijn training, mijn manier om even gas te geven. Was ik helemaal dood, had ik het gehad, maar na twee dagen was ik hersteld. Dat deed ik dus zelf. Wat weer te maken had met het feit dat je als kind zelf alles moest regelen.'

'Je hebt 22 man en het zijn altijd de kleine visjes die klagen.'

'Van Johan Cruijff en Willem van Hanegem zeg je veel geleerd te hebben.'

'Vooral inzicht in het spel. Het is makkelijker als je op het veld iemand bij je hebt die je kan sturen, want dan begrijp je de dingen sneller. Je kunt als coach iemand wel uitleggen wat hij moet doen, maar het vervelende met voetbal is: het zijn bewegende beelden, iedereen beweegt, niks blijft hetzelfde, elke situatie vergt weer een ander inzicht, een andere oplossing. Dus als je dan met iemand op het veld staat die al zoveel ervaring heeft, die jou kan sturen, ga je het op een gegeven ogenblik begrijpen.'

'Geeft een goede techniek meer tijd om aan tactiek te doen?'

'Ik was wel heel groot maar technisch beperkt. Dat compenseerde ik met kracht. Ik had wel techniek in snelheid, dus op snelheid de bal aannemen en gaan. Op de vierkante meter was ik niet zo. In Nederland ging het me gemakkelijk af, ook met die beperkingen. Bij Milan kreeg ik voor het eerst de kans om daaraan te werken. Dat begon met "tennisvoetbal", dat stond bij Milan op het allerhoogste niveau. Daarvan krijg je onwijs veel techniek. Maar ik mocht in het begin niet meedoen en Van Basten en Rijkaard ook niet. Op een dag heb ik me erin gefrummeld. Ik ging gewoon staan. En het ging steeds beter, je werkte aan je techniek. Het was voorafgaand aan de training. Die begon om halfelf en om kwart voor tien waren wij aan het spelen. Je moest rennen om mee te kunnen doen.'

'Over jouw gevoel voor competitie. Wanneer ben jij gecharmeerd geraakt van de Italiaanse winnaarsmentaliteit?'

'In de Milan-tijd. Een Italiaan is anders ingesteld, is trots, wil absoluut niet afgaan. Wat hij heeft, moet goed overkomen. Er zitten elementen in die wij helemaal niet hebben. Wij zijn nuchter, "doe maar normaal", dat soort teksten. Bij een Italiaan gaat het om zijn eer. Alle zuidelijke landen hebben dat: Spanjaarden, Marokkanen, Turken. Als je een uniform hebt, dan heb je status. Zij weten dat ze in een mooie auto rijden, mooie pakken dragen enzovoort, als ze slagen.
Een Italiaan zal zijn hele hebben en houden met hand en tand verdedigen. Hij is ook artistiek, maar zijn trots is het allerbelangrijkste. Als je daar een mengeling in kunt vinden – en die hadden wij bij Milan met ons Nederlanders erbij – maakt het niet meer uit tegen wie je speelt. We moesten een keer tegen Madrid. Die Italianen wilden met alles wat ze hadden niet verliezen. Wij zeiden: "We gaan ze verslaan!" We hadden een mix daarin gevonden.'

'Je hebt je afgezet tegen de Hollandse school.'

'Ja, wij willen altijd alles mooi doen maar het gaat erom dat je dingen ook wel eens niet mooi kunt oplossen. Een bal mag ook wel eens de tribunes in geschopt worden. Soms lijkt het net of er geen tegenstander is. Ik zeg: ja, maar die is er wél en hij zal er alles aan doen om het jou zo moeilijk mogelijk te maken. Wat ga jij daar tegenover stellen? Ik vergelijk het altijd met Mohammed Ali. Hij is de allerbeste bokser die er ooit geweest is. Ik dacht dat het in Kinsjasa was dat hij tegen een sterkere Foreman bokste. Ali verdedigde, liet zijn tegenstander uitrazen en sloeg hem daarna neer. Volharden in dingen tegen beter weten in is een beetje dom. Je moet een middenweg vinden. Als het mooi kan, moet je het doen, maar als het niet kan of als de tegenstander beter is of slimmer, dan moet je wat anders proberen. We moeten onze eigen identiteit behouden, op de aanval ingesteld zijn, dat moet, dat hoort bij ons. Maar ik heb van Rinus Michels geleerd altijd respect te hebben voor de tegenstander. Kijken waar je hem kunt verslaan.'

'Is voetbal voor jou altijd een spel gebleven?'

'Voetbal is een asociale wereld. De een zijn dood is de ander zijn brood. Als je trouw bij een club blijft, zeggen ze: wat een clubliefde. Maar je bent nooit verder gekomen. Je hebt nooit geld verdiend. Sigarenman moet je worden. De bestuursleden vinden dat prachtig. Maar kies je voor jezelf, dan ben je ineens een geldwolf. Het is een asociale wereld, iedereen denkt aan zichzelf.'

'Ben jij altijd vol discipline met voetbal bezig geweest?'

'Ja, ik was fit. Op je eten letten, niet drinken, niet roken. Ik weet dat mensen dat beeld niet altijd hadden. Maar ik heb altijd alles zelf moeten doen. Ik was enig kind, heb het in mijn uppie moeten rooien. Dan moet de passie, de discipline, groot zijn. Alleen: ik heb mijn manier gevonden om de stress te filteren door me ook te richten op andere dingen. Dat hielp me om geen druk te voelen. Dat was geen truc maar een soort levenswijze. Als er een belangrijke wedstrijd was, sloot ik me niet op maar dan moest ik afleiding hebben. Dat kan op veel manieren: kaarten, golfen, je kunt van alles doen. Voor mij was dat oké. Het probleem lag bij de ander. Die dacht dat je altijd gefocust moest zijn. Ik was daar niet bij gebaat, dat ging alleen maar tegen me werken.
Zo sliep ik met Ancelotti op de kamer. Elf uur, halftwaalf lag ik op bed. Ik zei: "Ik ga slapen." Zegt hij: "Slapen? Dat kan helemaal niet! We moeten morgen de finale spelen!" Ik zei: "Maak je niet druk, man, wij zijn toch veel sterker." De volgende dag werd ik wakker, stond hij al voor me te stretchen. "Hoe kun jij nou de hele nacht zo slapen?" Had hij de hele nacht lopen ijsberen door de kamer, ha, ha, ha. Maar in de wedstrijd was ik zo gefocust. Ik ging ervan uit: goed elftal, we gaan winnen. De stress kon ik weghalen.
Het leukste moment was voor mij al in de kleedkamer. Als je al die koppies zag! Ik zat aan tafel met Marco en Frank zat erachter. Ik zat altijd te praten en te lachen, ha, ha. Sacchi keek je dan aan... maar uiteindelijk liet hij het maar gaan. Hij zag: dat is Ruuds manier van doen, daar zit geen kwaad in.
Ik had hele verhalen voor een wedstrijd, ik was druk. Marco had altijd honger, die zat alleen maar te bunkeren. "Hou je kanis nou 's een keer, man," zei Marco dan. Dan zag ik jongens naar me kijken en zo. Maar naderhand hoorde ik van de clubarts: "Jullie manier van doen was zo anders, en jij helemaal, daardoor werd de stress minder. We kregen zoveel zelfvertrouwen, het maakte jullie helemaal niet uit tegen wie we speelden. Jij zat maar een beetje te lachen. En dan begon de wedstrijd, in de tunnel, daar stonden jullie en jullie waren er klaar voor. Dat gaf dat elftal zoveel vertrouwen."
Ik zal nog een voorbeeld geven. Mijn vrienden kwamen, "de Bende van Nijvel". Moet je je voorstellen: Milanello, een mooi fort, hekken eromheen. Kreeg je een naamplaatje, mocht je binnen. Je hebt daar paden met heggen en dan zie je allemaal Italianen, mooi in het pak, die rustig staan te kijken wat er gebeurt. Komt de bende van Nijvel, tien man. De banken werden achter de goals gesjouwd, in het zonnetje, dus die mensen dachten al: wat is dat nou? Bal over de goal, hup, meteen een kegel terug. Gingen er twee de 100 meter lopen en één had een been dat vast-

zit, die loopt helemaal mank. Terwijl wij aan het trainen waren. Marco heeft zelfs die jongen van Heijn, die zoon, een keer mee laten trainen. In het begin was het een shock maar de coach, Sacchi, vond het fantastisch, die zag in dat het een perfecte mengeling was.'

'Wat vond je van de verering die topvoetballers in Italië ten deel valt?'

'In het begin sta je ervan te kijken. In een restaurant was het een belediging om te betalen. Dat vond ik wel leuk. Het was iets wat ik niet gewend was, maar ik relativeerde het natuurlijk wel. Aan sommige dingen zat wel weer wat vast natuurlijk, hè. Ik vroeg het eens aan een Italiaan. Die zei: "Wij schamen ons niet voor het feit dat wij iets mooi vinden. Wij kunnen kijken naar iemand, hem echt aankijken omdat we het fantastisch vinden wat hij gedaan heeft." "Dat vinden wij in Nederland onbeleefd," zei ik. Hij zegt: "Nee, wij schamen ons niet als we iets mooi vinden." Het is eigenlijk wel mooi gezegd. En ook eerlijk. Er is veel valse bescheidenheid in Nederland.'

'De keerzijde van roem is dat mensen niet altijd eerlijk tegen je zijn?'

'Je moet altijd kijken met welke omweg ze bij je willen komen. Wat ik geleerd heb, is dat jij zelf niet veranderd bent, maar dat mensen anders naar jou zijn gaan kijken door wat je hebt bereikt. Een jongen bij wie ik in de klas heb gezeten, kwam ik in de kroeg tegen. Hij zei: "Dat jij hier met mij wilt staan." Dan dacht ik: wat lul je nou toch slap. Dus mensen kijken anders naar je als je iets bereikt hebt.'

'Je gaat zo met je hoofd in de wolken lopen.'

'Nee, dat heb ik nooit gehad. Ik vond die verering in Italië soms wel leuk. Maar er waren ook een boel momenten dat ik er na zeven, acht jaar Milan genoeg van had. Toen ben ik naar Londen gegaan, klaar.'

'Mensen zien je op de televisie. Hebben die een goed beeld van jou?'

'Het gaat om degene die jou interviewt: wat wil die van je. Zit die goed in elkaar of slecht? In dat laatste geval ben je gelijk in de verdediging. En dan heb je al een andere uitstraling, een andere mimiek. Er zijn nog altijd mensen die denken dat ik stug ben. Dat ben ik niet, zeg ik dan. Mensen willen ook graag emoties bij je zien. Emoties van teleurstelling. Laatst zei iemand tegen me: "Er zit een heel smalle lijn tussen zelfvertrouwen hebben en arrogant zijn." Als je veel zelfvertrouwen hebt, is dat bedreigend voor iemand die dat niet heeft. En die persoon gaat dat uit-

De sportieve passie van... Ali B., rapper

Mijn moeder kon vroeger geen contributie voor een club te betalen, dus voetbalde ik urenlang op straat. Nu huur ik geregeld een sporthal af, nodig serieuze jongens uit en dan gaan we twee uur lang spelen. Het is mooi als je in een elftal verschillende nationaliteiten hebt. Dat het er niet om gaat waar je vandaan komt, maar wat je kán. Ik weet dat ik generaliseer, maar je ziet de nationaliteit terug in de manier van voetballen. Een Surinamer wil de bal aan de voet, hij wil ermee dansen. Nederlanders behouden meestal het overzicht en sturen de boel aan. Marokkanen zitten er tussenin, een beetje de gouden middenweg. Het mooie is als iedereen een beetje inlevert en één team vormt. Ik heb veel contact met Marokkaanse voetballers: Ali Elkhattabi, Anouar Diba, Ali Boussaboun. Maar ik kan vooral goed opschieten met Ryan Babel. Ik heb ook goede vrienden in de vechtsport, zoals Fikri Tijarti, wereldkampioen kickboksen. Johan Cruijff is een groot voorbeeld. Hij is altijd zichzelf gebleven. Dat is het hoogste doel: niet de successen, maar bij jezelf blijven.

leggen als arrogantie. Maar zelfvertrouwen moet je hebben om goed te zijn in je vak, dat kan niet anders. Als je dat niet hebt, kun je niet presteren. Anderen kunnen dat niet peilen, kunnen daar geen vinger op leggen. Ze worden onzeker door jou. Sommigen worden daar agressief van.'

'Je noemde de voetbalwereld asociaal. Het lijkt het normale leven wel.'

'De voetballerij is gewoon opportunistisch. Maar dat is natuurlijk elke sporttak. Toen jij Wimbledon won, heb ik me eraan geërgerd hoe de mensen naar Daphne gingen kijken. Daar zat zóveel jaloezie bij. Ze gingen háár meer analyseren dan jou. Daar werd ik echt gek van. Die meid houdt van je, is er voor je, en dan is het nog niet goed! Dan denk ik: het is vaak hoe anderen naar je kijken. Jij bent het niet, het zijn de anderen.'

'Ik leer mijn kinderen dat niet alles gaat zoals jij dat wilt.'

'Moet je als sporter leren om hard voor jezelf op te komen?'

'Door dit soort dingen. Als je gaat luisteren naar die mensen, ga je eraan kapot. Dat soort mensen moeten níet belangrijk zijn. Dat is *hun* frustratie en die moet niet bij jou komen, dat geeft negatieve energie. Daar heb ik wel mee leren leven. Door het te filteren: hup erin, en meteen eruit. Wegwezen. Die mensen vergeet je snel. Je weet die namen niet eens meer.'

'Hadden jullie bij het WK in '90 als spelers niet harder voor jezelf op moeten komen? Jullie wilden Cruijff.'

'Hebben we gedaan! Maar als de spelers roepen wat ze willen, gebeurt het nooit. Een individuele sporter kan voor zichzelf beslissen; wij hadden met een heel orgaan te maken. Er werd gewoon ineens iemand aangesteld. Die stond er ineens; wat moet je dan?'

'Het was een schande, jullie waren een potentiële wereldkampioen.'

'Wij als ploeg wisten dat we iemand nodig hadden die ons onder de duim kon houden. Wíj kenden onze tekortkomingen, er is alleen niet naar ons geluisterd. Dat nemen we nog steeds veel mensen kwalijk want je kunt het die groep niet verwijten. Wij wilden Cruijff! We hebben op hem gestemd, klaar. Ineens hoor je: we hebben Beenhakker aangesteld. Nét voor een WK.'

'Herken jij de uitdrukking: het is eenzaam aan de top?'

'Jawel, natuurlijk. Als je een blessure krijgt, je ineens niet meer kan. Dan ben je met een gevecht bezig tegen jezelf. Dan is de aandacht minder. Dan ga je zien aan wie je wat hebt en aan wie niet. Alles valt in één keer van je af. Daarom zeg ik: het is nooit de sporter zelf, het zijn altijd de mensen om je heen. Hoe de mensen naar je kijken, een beeld van je vormen dat helemaal niet bij je hoort.'

'Jouw beeld is dat je altijd je eigen gang bent gegaan. Heeft dat nooit tot eenzaamheid geleid?'

'Nee, want de beslissingen die ik heb genomen nam ik altijd in het belang van het elftal, nooit voor mezelf. Als het elftal zei: wij willen het zó doen, dan gaan we het zó doen. Alleen zijn er momenten dat je voor jezelf moet kiezen.'

'Zoals bij een WK weggaan?'

'Ja, dat kan. Als jij het oneens bent met bepaalde dingen en je niet prettig voelt, dan moet je niet blijven.'

'Herman Kuiphof schreef dat jij van niemand was.'

'Dat weet ik niet. Maar Van Hanegem is ook een keer niet meegegaan naar een WK, dus het is onzin.'

'Bij Chelsea was jij eerst speler, daarna direct coach. Had je dat beter niet kunnen doen?'

'Nee, mijn periode bij Chelsea was fantastisch. Mijn pech was dat ik werd gehaald door Matthew Harding, die samen met Bates voorzitter was. Maar hij ging vroeg dood door een helikopterongeluk. Ik kon het goed met Matthew vinden maar Bates had een bloedhekel aan hem, want die wilde alles voor zichzelf. Er was ook een *Matthew Harding stand* die Bates er na diens dood gelijk af liet halen, echt ongelooflijk. Dat zegt natuurlijk veel over iemand.
Bates was iemand die de hele tijd bezig was met het ontwikkelen van het Chelsea-dorp. Hotels en alles. Met de club hield hij zich niet meer bezig. Maar ik kreeg ongelooflijk veel succes. Alles was op mij gericht: Gullit dit, *sexy football* dat. Als je daar niet mee kunt leven, is dat lastig. Mijn succes werd mijn ondergang. Ik stond tweede, deed nog voor alle prijzen mee, alles liep op rolletjes – maar ik werd ontslagen. Voor mij was het allerergste dat ik het nooit heb zien aankomen. Het viel me ineens op mijn dak. Dan word je voor van alles uitgemaakt; dat deed me zeer, ja. Dat deed mij heel veel zeer want ik was elke dag keihard aan het werk. Hoe kun je dan een playboy zijn; het sloeg helemaal nergens op, ik had mijn vrouw bij me én mijn kindje!'

'Hoe werd dat thuis ontvangen?'

'Bij Estelle? Estelle is toch nog steeds bij me? Dat was een onzinverhaal, dat sloeg nergens op. Ik ging alleen naar Amsterdam als dat kón. Brian Robson bijvoorbeeld zat bij Middlesbrough en vloog telkens naar Manchester. Dus waarom ik niet, het was voor mij 55 minuten vliegen. Zaterdagavond ging ik dan naar Amsterdam, zondag was ik toch vrij. En elke dag was ik gewoon op de training. Dus het was een excuus, een stok om me te slaan.
Dan heb je altijd idioten die dat navolgen, vooral je tegenstanders. Maar het ging om mij: ik had té veel succes. Als je nu kijkt, achteraf, dan word ik bij Chelsea nog steeds vereerd. Dat doet me goed. Laatst was ik bij dat feest, het honderdjarig bestaan van Chelsea, dan sta je in de boeken, hoor je bij de geschiedenis. Bates was niet uitgenodigd.'

'Daar kwam je ontslag bij Newcastle overheen. In een dip gezeten?'

'Alleen na Chelsea zat ik erdoorheen. Newcastle was een verkeerde beslissing. Ik wilde revanche, maar dat is nooit een goede reden. Toch haalden we de finale van de FA Cup. Maar de motivatie was niet juist. Het ergste moment was Chelsea. Daarna heb ik in een vacuüm gezeten. Ik dacht: jezus, wat kunnen mensen slecht zijn. Het ging me niet om het ontslag, maar om de mensen met wie ik werkte. Dat de mensen die ik honderd procent vertrouwde, dat díe... dat kon en kan ik niet verkroppen. Ik denk dat het een jaar heeft geduurd. Het bleef maar door mijn hoofd spoken, ik kon het niet verwerken. Ze hebben alles gedaan om toenadering te zoeken, om het te lijmen, maar ik wil niets met ze te maken hebben, helemaal niets.'

'Ben je juist toen weer gaan voetballen, om fit te blijven?'

'Ja, ik ben meteen bij AFC gaan voetballen. Zelf voetballen blijft het leukste. Trainer zijn is iets heel anders. Je bent afhankelijk van wat er op het veld gebeurt. Maar of je succes hebt of geen succes, aan alles wat er achter je rug gebeurt, aan die mensen, daar verspil je meer energie aan dan aan de wedstrijden. Als vakman kan ik het hebben dat het goed of slecht gaat, maar als mens kun je echt beschadigd raken.'

'Je hebt daardoor wel tijd gehad voor andere dingen. Voor een tv-programma grote mensen interviewen bijvoorbeeld.'

'Superleuk vond ik dat. Dat kan ik nog steeds doen, dat is het fijne. Ik reis graag. Andere culturen bekijken, mensen ontmoeten. Ik heb grote mensen ontmoet, ja. Hoe dat was? De groten der aarde zijn altijd aardige mensen. Zijn allemaal normaal. Die kleine visjes die er net onder zitten, dat zijn de vervelendste gasten die lopen altijd te zeuren en te zeiken. Ik heb de allergrootsten der aarde meegemaakt. Ze zijn zó relaxed. Maar dat komt ook omdat we iets met elkaar hebben, we begrijpen elkaar. Je hoeft niet uit te leggen hoe bepaalde dingen zitten. Mijn ontmoeting met Mandela was natuurlijk een van de leukste momenten.
Ik heb een keer een vriend meegenomen naar een verjaardagsfeestje in een groot hotel in Engeland. Alle grote boksers uit Engeland waren daar. En die vriend van mij was helemaal gek van boksen. Er was ook een prinses, maar die was alleen maar bezig om zo dicht mogelijk bij Mohammed Ali te zitten. Op een gegeven moment zeg ik: kom op, we gaan naar hem toe, een foto maken, even ontmoeten. Geregeld via zijn agent. Gaan we praten met die vrouw van hem en op een gegeven moment hoorde ze dat ik voetbalde, vond ze geweldig. Toen hebben we nog wat met Mohammed Ali zelf gepraat. Een grote eer, een kort gesprekje. Maar wat gebeurt er – even later gaat Ali onder luid applaus weg. Hij komt langs ons, kijkt me aan en komt toch nog even naar ons toe. Nou, dat was mijn moment! Hij kende mij niet, wist helemaal niet wie ik was, ik had maar even met hem zitten praten. Komt hij ons toch gedag zeggen! Dat komt doordat je iets met elkaar hebt, je weet dat je allebei iets belangrijks gedaan hebt.'

'Men zegt dat je koketteert met Mandela.'

'Koketteren? Dat is typisch de jaloezie van die kleine vissen. Waarom moet ik met Mandela koketteren, om wat voor reden? Als ik in Zuid-Afrika ben, ga ik echt niet bellen om te vragen of Mandela... Ik bedoel: *zij* nodigen mij uit.'

'Waar heb je het met zo'n grootheid over?'

'Over van alles. Ik herinner me een leuk moment met Nelson Mandela. Ik zat met hem op een tribune en Miss South-Africa zat naast ons. Toen het klaar was en zij wegging, gaf hij haar twee smakken. Ik zei zo tegen hem: *"It's good to be the president,"* en hij begon te lachen. Kijk, dát is leuk. Dáár gaat het om.'

'Wat was de reden om terug te keren als coach?'

'Feyenoord! Alleen Feyenoord. Je hebt altijd dingen die je na aan het hart liggen. Van de clubs waar ik speelde, Haarlem, Feyenoord, PSV en Milan, had Feyenoord iets speciaals. Natuurlijk heb ik niet alleen met mijn hart gekozen. Ik heb ook bekeken of het een haalbare kaart was om daar iets goeds te doen. Anders begin je er niet aan. Feyenoord is een *sleeping giant*. Bij Chelsea, ook ooit een *sleeping giant,* is het me gelukt, al was dat inderdaad een stukje makkelijker. Ik kreeg de spelers die ik wilde en toen was het een jaar knallen. Geweldig. Daarom is het zo leuk om een deel van die geschiedenis te zijn. Als je er nu komt, zijn de mensen je nog dankbaar voor wat je hebt gedaan. Daar ben ik heel erg trots op.'

'Terug naar Feyenoord.'

'Is een *sleeping giant*! Ik weet wel wat er gebeurt, want ik heb bij grote clubs gezeten. Ik weet hoe het reilt en zeilt bij de absolute topclubs. Dus ik kon het wel een beetje vergelijken.'

'En?'

'Achteraf, allemaal achteraf. Het gaat om Feyenoord, niet om mij.'

'Je hebt gezegd: als trainer krijg je alleen maar grijs haar en hartklachten.'

'Toen ik pal na mijn vertrek bij Feyenoord bij Barend en Van Dorp zat, zei iedereen dat ik er in één keer weer stukken beter uitzag! Ze vonden me teleurgesteld, maar ook een soort van opgelucht. Dat was ook zo. Een goede vriend zei: "Op die bank bij Feyenoord was je jezelf. Happy als het liep en als het niet liep, zag iedereen dat ook. Dat je happy bent, wordt dan tegen je gebruikt." Hij vond dat ik een rol moest spelen. Je moet dus de hele tijd stoïcijns voor je uit blijven kijken, maar zo ben ik niet.'

'Was dat de grootste uitdaging, om als trainer jezelf te blijven?'

'Ja, ik wil altijd mezelf blijven. Sport is emotie en móet dat zijn. Maar ik moet eerlijk zeggen: bij Chelsea kon ik kalmer blijven dan bij Feyenoord. Dan had ik dingen in mijn hoofd en die gebeurden ook. Dus ik kon rustig op een bank zitten.'

'Jij gebruikt vaak het woord intuïtie. Maar trainen vraagt toch meer?'

'Dat klopt, je bent altijd bezig je voor te bereiden op de volgende wedstrijd. Maar trainer zijn is niet alleen dat. Het is veel meer het psychologische gedeelte, dat is het allerbelangrijkste. Want je hebt 22 spelers van wie er zeker 11 niet kunnen spelen. Díe moet je eruithalen en dat is het moeilijkste. Want als je één keer met ze praat, had je vier keer met ze moeten praten, heb je vier keer met ze gepraat, hadden het er acht moeten zijn. Is de meerderheid sterk, geen probleem. De problemen komen als de meerderheid wat minder sterk is want dan moeten ze dingen gaan doen die ze misschien niet kunnen. Gaan ze groepjes vormen. De één heeft schouderklopjes nodig, de ander moet je op zijn flikker geven. Je hebt 22 man en het zijn altijd de kleine visjes die klagen.'

'Kies je voor jezelf, dan ben je ineens een geldwolf.'

'Ben jij op je best als de kwaliteit in de groep goed is?'

'Misschien is dat de conclusie, ja. Toen de meerderheid bij Chelsea goed was, was het simpel om het kaf van het koren te scheiden. En dat kon op een leuke manier. Ik had een jongen, die heette John Spencer. Daar had ik mee gevoetbald, maar het jaar daarop kon hij niet spelen want Zola was er, en Vialli, Hughes. Liep ik langs, zong hij ineens: "*I don't love you anymore.*" Ik kwam niet meer bij. Hij was boos, maar de grote groep ging vooruit. Kon je het ook met humor doen.'

'Trainingen plannen, tegenstanders analyseren, wordt dat overdreven?'

'Nee, het is belangrijk.'

'Heb jij daar moeite mee?'

'Nee, want elk duel is weer anders. Het is juist leuk om weer naar een wedstrijd toe te leven. Kijk, we hadden bij Feyenoord destijds moeite met verdedigen. Daar zijn we in het begin veel mee bezig geweest. Als je merkt dat de stap die je wilt niet gemaakt wordt, ga je kijken wat je sterkste punt is. Want je zit constant op je zwakke punten te trainen. Leg je daar te veel nadruk op, dan wordt het écht een zwak punt. Daarom versterkte ik juist de aanval. Daardoor gingen we scoren, scoren, scoren. Zolang we meer goals scoorden dan de tegenstander ging het nog wel, alleen gaven we op cruciale momenten stomme goals weg. Dat heeft ons dat hele jaar door genekt.'

'Toch nog even over die tactiek. Jij had het over "vrijheid in gebondenheid".'

'Je moet jezelf kunnen uiten als speler. Daar zit een "maar" aan vast, want je speelt met tien andere jongens. Je moet samen een team vormen. Er zijn uitzonderingen die helemaal vrij zijn. Johan was een uitzondering, Maradonna. Ik niet. Ik speelde altijd in dienst van het elftal.'

'Mooie metafoor voor het leven, die vrijheid in gebondenheid?'

'Ja, want je hebt je verantwoordelijkheid, je hebt je kinderen, je hebt je gezin waarvoor je moet zorgen. Maar daarnaast moet je je wel kunnen uiten en de dingen kunnen doen die het leven juist zo leuk maken.'

'Als mensen eraan twijfelen of je geschikt bent als coach, raakt je dat?'

'Kijk, de kleine visjes gaan overal op letten, ook de kleinste dingen blazen ze op. Maar ik heb wel geleerd dat je daar niet naar moet kijken, die moet je gewoon laten lullen. Als je wint, heb je altijd gelijk. Als je verliest, heb je ongelijk. Dan heeft alles ineens een reden. Er zijn vijf potentiële clubs die kampioen kunnen worden, en dat lukt er maar één.'

'Was je na Feyenoord net zo beschadigd als na Chelsea?'

'Vind ik niet. Ik heb er alles aan gedaan. Natuurlijk is het vervelend, dat wel.'

'Het leven lacht je toe, Ruud. Bij Feyenoord lachte je niet meer terug.'

'Maar als er dingen achter je rug gebeuren... Die vriend van me had het goed gezien: als ik lachte, werd dat later tegen me gebruikt. Maar ik ben niet in de stress blijven zitten. Ik heb een beslissing genomen. Ik hou van mezelf, ben een gelukkig mens, dankbaar voor wat ik heb. En dat laat ik me door niemand afnemen, niemand.'

'Denk je veel na over dingen? Is Gullit meer dan "lachen, gieren, brullen"?'

'Je denkt over van alles na. Dat mijn leven zou bestaan uit "lachen, gieren, brullen" is onzin. Maar als je plezier hebt in je leven, kunnen mensen dat niet vertalen. Als je zelf miserabel in elkaar zit, ga je altijd nadelen zoeken bij de ander: ja, hij heeft makkelijk lachen, hij heeft het altijd naar zijn zin. Wat een lul. Zo denken mensen. Daarom zeg ik: het is niet jij, het is niet ik, het zijn anderen die naar je kijken met bepaalde ideeën.'

'Kun jij streng zijn voor jezelf?'

'Ja, zeer streng. Natuurlijk heb je momenten dat je denkt: had ik het niet beter zus of zo kunnen doen. Daarover ben je altijd aan het nadenken. Alleen is dat niet voor iemand anders. Dat is alleen voor mijn vrouw, alleen voor mijn kinderen.'

'Je moest van iedereen in de spiegel kijken, toen je bij Feyenoord zat.'

'Ik doe niets anders. Veel mensen willen dat ik in de spiegel kijk, maar als je dan zegt wat je verkeerd hebt gedaan, wordt het tegen je gebruikt. Daar doe ik niet aan mee.'

'Leef je met je hart of met je hoofd?'

'Ik denk dat ik toch meer met mijn hart leef. Ik heb wel een gave en daar ben ik heel blij mee: ik ben erg vergeetachtig. Ted Troost zei al dat ik mijn geheugen niet moest trainen. Op het moment dat er iets vreselijk ernstigs is gebeurd, ga ik daar emotioneel mee om maar ineens na twee dagen, zelfs na één dag, kan ik dat wegzetten. Soms komt het even terug, dat emotionele gevoel, maar als ik afleiding heb kan ik dat helemaal wegzetten. Het vervelende eraan is dat ik soms namen vergeet, dat vind ik vervelend. Ook voor Estelle. Zegt ze: "Weet je nog gisteren..." Soms denkt ze dat ik haar in de maling neem. Maar met wie was ik dan aan het praten, hoe zag die er dan uit? Dan moet ik er een gezicht bij plakken. Dat zijn vrolijke dingen. Het goede is namelijk dat ik door kan gaan met mijn leven. Het is wel een gave eigenlijk.'

'Je hebt veel gepresteerd en je bent jezelf gebleven. Waar ben je trotser op?'

'Ik ben zeker trots op wat ik heb gepresteerd. En of ik niet veranderd ben, kan ik zelf niet bepalen. Ja, ik ben volwassener geworden. Maar het gaat erom hoe de directe omgeving op jou reageert. Dat ik nog steeds dezelfde vrienden heb voor wie ik gewoon Ruud was en ben, daar gaat het om. Wat die van je vinden is veel belangrijker dan het winnen van prijzen. Dat ze nog steeds zeggen: "Hé, lul, ga eens wat te drinken halen." Dat vind ik leuk.'

'En een goede vader zijn voor je kindjes is 86 maal belangrijker dan weggaan bij Feyenoord?'

'Ik heb wel eens een anekdote verteld: de belangrijkste levensles die ik heb gehad. Mijn dochter ging afgelopen winter skiën en aan het eind was er een wedstrijd waarmee je een beker kon winnen. Zij werd vierde en was helemaal hysterisch – huilen, huilen. "Ik wil ook een beker winnen! Papa heeft allemaal bekers gewonnen. Papa wint altijd." Moet je nagaan, dat heb ik dus helemaal niet in de gaten gehad. Heeft zij zitten kijken naar al die bekers die we in de vitrine hebben staan, terwijl ik dat niet weet. Daar was ik van onder de indruk, ik vond het zielig voor haar. Vervolgens moest ik met Feyenoord voor de beker tegen PSV spelen. We verloren met penalty's. Dan zit je er dwars doorheen, ongeloof, alles. Kom ik thuis, laat, halfeen, en mijn dochter is nog wakker. Ik ga naar haar toe en zeg: "Nee schatje, papa heeft niet gewonnen. Zie je nou dat papa niet altijd alles wint!" Dat was een belangrijke levensles: dat je niet altijd alles naar je hand kunt zetten, dat niet altijd alles gaat zoals jij dat wilt.'

Lucia Rijker

In balans zijn

Sommige mensen kunnen je enorm verrassen met hun moed en hun inzicht. Lucia Rijker is zo iemand. Mijlenver verwijderd van de killer die zij speelde in de boksfilm *Million Dollar Baby* van Clint Eastwood, is Lucia een studie in kracht en kwetsbaarheid. Toen ik vertelde dat er ook een interview met Lucia Rijker in dit boek zou worden opgenomen, zei een vriend van mij: 'Wauw, dát is een vrouw! Die zou de meeste mannen zo tegen de vlakte kunnen slaan.' Het is bij Rijker inderdaad verleidelijk om je vooral te focussen op haar imposante verschijning en haar te bewonderen om haar kracht. Maar Lucia heeft wat mij betreft ook een heel andere wauwfactor. De openheid en de warmte waarmee zij over haar overleden moeder praat, hebben mij bijzonder ontroerd. Maar ook de demonen uit haar jeugd, de strijd die zij heeft moeten leveren buíten de ring, het vrouw-zijn in een machowereld – de openhartige Rijker schuwt geen enkel onderwerp. Ook de confrontatie met haar eigen leven niet: als overtuigd boeddhist heeft zij zichzelf en anderen leren accepteren. Zij ziet schoonheid in boksen, schoonheid in lijden, schoonheid in onvervulde verlangens. Hoewel wij hier te lande (te) weinig van haar zien, durf ik na dit interview te stellen dat Lucia Rijker een van de meest bijzondere profsporters van Nederland is: gepassioneerd en gelaten, explosief en vredelievend, succesvol en bescheiden, krachtig en vrouwelijk tegelijk. Lucia is volkomen in balans, al heeft zij deze gemoedstoestand niet bepaald cadeau gekregen. Zelfkennis is een van de belangrijkste pijlers onder sportief succes (misschien wel onder alle vormen van succes), maar tegelijkertijd ook een van de moeilijkste dingen om te bewerkstelligen. Het is vaak pijnlijk onder ogen te moeten zien hoe je zelf hebt bijgedragen aan een slechte voorbereiding, een verloren wedstrijd of een onnodige blessure. Rijker zegt dat je moet proberen van al je ervaringen 'iets van waarde' te creëren. Dat is makkelijker gezegd dan gedaan, want na een dramatische tegenslag is het niet eenvoudig om er het 'leermoment' van in te zien. Maar zoals Boeddha zelf al zei: het is ieders taak het licht in zijn eigen leven te ontsteken.

'Zullen we, omdat het voor jou zo'n bijzonder jaar was, eerst maar eens stilstaan bij 2005?'

'Ja, ik dacht dat dit het beste jaar van mijn leven zou worden. Dat werd het niet – het werd wél het meest intense jaar. *High highs* en *low lows*. Eerst was er mijn rol in *Million Dollar Baby* van Clint Eastwood, daarna dacht ik mijn carrière af te ronden met een knaller die ik acht, negen jaar geleden heb voorspeld. Ik ging iets neerzetten waarvan ik altijd gedroomd heb en waarin mensen niet meer geloofden of nooit in hebben geloofd. Geschiedenis schrijven met dat gevecht om één miljoen dollar tegen Christy Martin, een *retirement fund* binnenhalen. En daarna zou het volgende hoofdstuk komen, of het volgende boek eigenlijk: mijn biografie.
(stilte) Tja. En toen kreeg ik met het afscheuren van die achillespees elf dagen voor het gevecht wel een heel intense les, in de trant van: je bent er niet tot je er bent, je hebt het niet totdat je het hebt. Ik dacht dat ik er al was, ik dacht dat ik die overwinning al in mijn zak had. Ik dacht: ik heb het voor mekaar. Ik kan me nog herinneren dat ik mijn moeder belde en zei: "Mam, ik kan het niet geloven, het is een hele *happening*. Ik heb het altijd gezien, er altijd van gedroomd, het gaat gebeuren." (stilte) Tot het dus anders ging.'

'Je noemt je moeder. Haar overlijden kwam er in het najaar nog eens overheen.'

'Ja, dat is... pff... Het punt is: op een bepaalde manier heb ik altijd voor mijn moeder willen zorgen. En met het gevecht ging ik dat geld binnenhalen waardoor ik naar Nederland kon gaan en iets voor mijn moeder kon betekenen. Je kunt iets voor iemand betekenen door emotioneel aanwezig te zijn, door lief te zijn. Maar ik dacht: geld helpt, zeker als je moeder zo zwaar gehandicapt is. Buiten dat ik een droom had – nee, *heb,* want die is nog niet over – wilde ik ook mijn moeder iets te bieden hebben. Mijn moeder was gescheiden in mijn tienerjaren en in die tijd heb ik een beslissing genomen: dat ga ik wel even doen, mam. Ik ga het goedmaken, ik ga je gelukkig maken. Als kind wil je je ouders natuurlijk gewoon gelukkig zien en mijn moeder had best een zwaar leven. Maar toen de cirkel bijna rond was, gebeurde het dus niet. Ik kwam niet naar Nederland met een *belt* en een zak geld en een overwinning, maar in een rolstoel. (stilte)
Mijn moeder zat ook in een rolstoel en we hebben toen nog wel een aantal weken samen door het verzorgingstehuis geracet. Maar het was zo zwaar voor me om terug te komen in die rolstoel met die gipspoot. Pff... Toen ik haar zag, had ik zó het gevoel dat ik had gefaald. Dat ik haar had teleurgesteld, of zo. En toen ik weer terugging naar Amerika om het gips

eraf te laten halen, moest mijn moeder naar het ziekenhuis. Ik dacht: ik kom wat eerder terug om hier verder te revalideren, want dan kan ik haar verzorgen. Maar toen kwam ik te laat. Ik was echt doodziek...'

'Voor je moeder zul je niet gefaald hebben.'

'Nee, de laatste twee jaar in het verzorgingstehuis was mijn moeder trots op mij. Ik heb natuurlijk toch met die film *Million Dollar Baby* en daarna met het gevecht als *Million Dollar Lady* veel publiciteit gehad. Hoe zij dan in de spotlights stond daar in dat tehuis! Mijn moeder kon niet praten, ze was half verlamd, maar toch was ze het middelpunt. De mensen spraken dan over mij: "Ohhhh, is dat jouw dochter?" Ik hoop dat ik haar laatste twee jaren iets draaglijker heb gemaakt. En ik ben vorig jaar vier keer naar Nederland gekomen. Dat vond ik mooi, dat ik wat voor haar heb kunnen betekenen. Ik wilde altijd meer, meer, meer. Ik had gewoon thuis willen komen met dat gevecht in mijn zak. (stilte)
Ach, ik was er zo ziek van. Dat ze er niet meer was, was niet het ergste want ze had het ontzettend zwaar. Maar dat ík niet...'

'Terug naar die afgescheurde achillespees. Vergelijk de lichamelijke en geestelijke pijn eens.'

'De geestelijke klap, daar ging het om. De lichamelijke pijn voelde ik amper. Ik verkeerde in een andere geestesgesteldheid. Het is voor zo'n titelgevecht alsof je naar de frontlinies gaat in Irak, of een andere oorlog. Er is geen ruimte om te "voelen", er is alleen ruimte voor wat er gedaan moet worden. *Whatever it takes.*'

'Je bent over een naad gestruikeld?'

'Nee, dat was niet helemaal zo. Dat schreef mijn trainer, maar de mat was aan de buitenkant zacht, alsof je in zand trainde. In het midden zat een harde plek en ik bewoog explosief van het zachte naar het harde gedeelte. Met mijn linkerbeen stapte ik – *páf* – om af te zetten en toen was het *krak*. Ik was ook niet warm genoeg. Ik wilde die dag ook niet trainen want ik heb het aangevoeld. Maar er was geen ruimte voor communicatie met mijn trainer, Freddy Roach. Ik stond zwaar onder druk omdat het nu eenmaal een groot evenement was. Ik dacht dat ik rust nodig had om me te kunnen opladen. Hij vond juist dat ik er nóg harder aan moest trekken. Dat trekken zie ik als een boog: ik stond al vol met spanning, het was genoeg om te schieten. Maar van hem moest ik toch doorgaan. Ik zei nog: nee, laten we het niet doen, het gaat niet. Maar toen begon hij mentaal op mij in te praten terwijl ik al had besloten niet te sparren met mijn assistent-trainer.'

'Is Roach nog jouw coach, of heb je je conclusies getrokken?'

'Ik kan niet meer met hem werken omdat hij me niet meer begrijpt. Ik ben hem ontgroeid. In mijn voorbereiding heb ik een inschattingsfout gemaakt. Roach is een harde en ik dacht dat ik hem nodig had voor een stukje mentale voorbereiding, omdat hij mij kan duwen waar ik mezelf niet kan krijgen. En tijdens een gevecht kan hij me erdoorheen halen als ik het moeilijk heb. Ik was er niet van overtuigd dat de trainers met wie ik op dat moment werkte dat ook konden.'

'Je kunt wel een slachtoffer worden, maar je moet het niet blijven.'

'Moet een mens niet vooral zichzelf ergens doorheen halen?'

'Ja en nee. Als je vastzit in een ronde waarin je bijvoorbeeld een *knock down* hebt, waarin je fysiek en mentaal stukzit en je jezelf niet kunt herpakken, kan een trainer je afleiden. Als je genoeg respect voor en vertrouwen in je trainer hebt dan kan hij je zo afleiden dat je weer *present* wordt. Heb ik geen respect voor mijn trainer, dan doe ik het zelf, dan sluit ik mezelf helemaal af. Ik heb het ook altijd zelf gekund, maar ik vond dit gevecht zo groot, ik vond Christy Martin zo'n waardige tegenstander... het was een twijfel die ik had.
Ik revalideerde met fysiotherapeut Reinier van Dantzig en hij kon het mooi uitleggen: je hebt jezelf verloochend. Als ik denk dat ik niet moet trainen, moet ik niet trainen. Ik zei ook "nee". En toen kreeg ik nóg een waarschuwing: tijdens het sparren wilden mijn benen niet. Ze volgden mijn instructies niet. Toen ik dat zei, begon Roach wéér: "*What the fuck are you doing. You're mentally weak if you fucking have this attitude during the fight.*" Toen klapte ik opnieuw dicht en liep weg om verdere vernedering te voorkomen. Ik haalde diep adem en zei tegen mezelf: kom op Luus, laat zien wat je kunt en binnen dertig seconden was het gebeurd...'

'"Tegenslag dient ergens voor," heb je gezegd. Lukte het toen ook om dat zo te zien?'

'Absoluut! Als je dan op bed ligt met zo'n gipsen been gaat er echt heel veel door je heen. Eerst moet je het verlies verwerken, het geprojecteerde idee is weg. Je moet rouwen en ontladen en alles wat daarbij komt kijken. Dan ga je denken: waarom? Hoe had ik het anders kunnen doen? Gaat vijfhonderd keer die film voorbij: had ik maar zus en zo, had ik maar dit en dat. Kijk, ik leef in een mannenwereld waarin ik gedurende de hele voorbereiding als vrouw continu héél sterk mijn grenzen moest bewaken. Ik had te maken met grote mannenego's waarmee ik continu de confrontatie moest aangaan. Zo voelde ik dat ook, dat ik als vrouw de weg moest banen voor andere vrouwen. Daarom was het zwaar. Ik lag in de clinch met mijn manager-trainer, heb hem vervolgens ontslagen en ben met Freddy Roach verdergegaan. Lag ik opeens met mijn oude manager in een rechtszaak tijdens mijn voorbereiding! Moest ik wéér vechten voor wat ik wilde, voor wat ik belangrijk vond. Op het eind was ik zo uitgeput dat ik de kracht niet meer kon vinden om bij Freddy mijn grens te houden.'

'Je was als mens nog net niet ver genoeg?'

'Mijn grenzen waren nog niet sterk genoeg. Als ik had gezegd: "Freddy, ik doe het niet," dan had hij gezegd: "Zoek het maar uit." Ik wilde niet het risico lopen dat ik het alleen moest doen. Maar ik kán het alleen. Ik heb hier in Amsterdam ook gevechten alleen gedaan, mezelf getraind. Heb ik de laatste twee weken Romeo Kensmill gehuurd als trainer. Als gelijke. We bespraken de training, maakten opnamen en bespraken de beelden. Dan bepaalden we samen wat er nog moest gebeuren. Dát is wat ik nodig heb – ik heb geen baas nodig die zegt wat ik moet doen. Wij moeten *samen* kijken wat er moet gebeuren, het eens worden en dán aan het werk gaan. Roach bleek toch weer een conservatieve trainer. Toen ik een aantal jaren geleden met hem werkte, stond hij wél open voor mijn invloed. Maar omdat het nu een gevecht op niveau was, stond hij ook onder druk waardoor hij zijn angst op mij projecteerde. Ik dacht: nee, dit is niet goed, maar ik stond onder te veel druk en had de energie niet meer om goed met hem te communiceren.'

'Je bent boeddhist, heeft dat geholpen?'

'O ja, zeker. Na die blessure kon ik dus even niet *chanten*, omdat ik de confrontatie met mijn leven niet aankon. Want als je chant, kijk je naar een *Gohonson*, dat is een mandala die jouw leven vertegenwoordigt. Dan kijk je met open ogen in je leven en dat kon ik toen niet, dat was te zwaar. Maar er kwamen elke dag mensen bij mij chanten. En op een gegeven moment, na een week, ging ik het ook weer doen. Toen werd ik héél boos. Héél boos... Ik was zo teleurgesteld; dat moest eruit.'

'Wat is dat, chanten?'

'Er zijn verschillende manieren om te chanten. Net zoals ik een vechtsporter ben, maar er tal van vechtsporten zijn. Het komt erop neer dat ik door *nham-myo-renge-kyo* te reciteren (chanten) me overgeef aan de mystieke wet van oorzaak en gevolg. Chanten is dagelijks in je leven kijken. Dat was die week te pijnlijk. En toen ik wél ging kijken, zag ik te veel dingen om op te noemen. Daar ben ik nog steeds mee bezig. Ik moest ook meteen een ervaring delen op een boeddhistische *meeting*. Dat was heftig. Ik dacht te komen met een geweldige ervaring: kijk eens jongens, wat ik heb neergezet! Ik heb een droom neergezet die ik ooit heb opgeschreven. Door negen jaar lang intens te groeien als mens.'

'Even tussendoor: heb je die droom echt opgeschreven?'

'Ja, ik heb letterlijk opgeschreven: *"I want to be as skilled as James Toney [een bokser, red.]. I want a fight, a main event fight, on a pay-per-view show event against Christy Martin, for more than 500.000 dollar."'*

'Voor een boeddhist is het leven lijden.'

'Ja, maar dat maakte die blessure voor mij uiteindelijk ook draaglijk. In het boeddhisme heb je de "acht winden": voorspoed, verval, schande, eer, lof, kritiek, lijden en genot – en daar hoort deze ook bij.'

'Dit was de tegenwind?'

'Nou ja, het zijn allemaal tegenwinden. Succes is ook een wind die je kan breken. Daar zijn heel veel mensen, veel artiesten, het bewijs van. Die gaan na het behalen van succes aan de drugs, gaan scheiden, leven eigenlijk alleen maar voor zichzelf en slaan los. Geld en roem kunnen je dus ook breken, maar in de ogen van de wereld heet het: je bent er! Maar eigenlijk ben je er *niet*. Dit is voor mij een heel mooie, maar ook heel zware les. Dat ik inzie dat het leven niet bestaat uit winnen in de ring, dat het leven niet draait om geld en roem. Leven is het leven leren begrijpen en deze ervaring heeft me daarbij geholpen. Ik zat niet sterk in het geloof, niet in mijn "boeddha-natuur". Ik zat in mijn boosheid, in mijn hebzucht. Als ik vertrouwen had gehad, had ik gezegd: "Freddy – nee," wat zijn beslissing dan ook was geweest. Had ik daar vervolgens alléén in die ring gestaan, zónder trainer, nou – dan had ik daar maar gestaan. Punt. Ik had niet genoeg vertrouwen. En die blessure die alles opblies, was het gevolg. Toen ook nog de dood van mijn moeder daaroverheen kwam, dacht ik: goh... wat moet dat nou zijn?'

'En?'

'Dat ik er erg rijk van ben geworden. Veel rijker dan met het winnen van het gevecht. Het gaat om geestelijke rijkdom. Ik heb altijd gezegd dat ik voor de ervaring kies bóven het geld. Kijk, door het chanten komt je karma naar boven. Stel dat je in een glas met water roert, dan staat de lepel voor je omgeving, het water symboliseert jouw leven en het vuil dat naar boven komt is jouw karma. Als je vervolgens de lepel de schuld geeft, neem je geen verantwoordelijkheid. Want die lepel, in mijn geval dus de blessure, is alleen maar een *trigger* om jouw "vuil" naar boven te halen. Met datgene wat je overkomt, moet je waarde creëren.
Dat was het proces waar ik doorheen moest. En elke keer als ik het moeilijk had, dacht ik aan mijn moeder. Die heeft het véél zwaarder gehad, maar altijd met een lach op haar gezicht. Zij heeft twee jaar ontzettend geleden, ze zat in een uitzichtloze situatie, maar ze maakte er dag na dag het beste van. Mijn moeder was mijn grote voorbeeld. Maar dat gold niet alleen voor mij. Iedereen uit het verzorgingstehuis was op haar begrafenis.'

'Bloedende mond, kapotte tong, kapotte neus, zenuwpijnen.'

'Hoe past het boksen in het "groeien als mens"?'

'Boksen is mijn weg, mijn middel, mijn voertuig om als mens verder te komen. Je moet het leven omdraaien: hoe hoger je de lat legt, hoe meer je jezelf uitdaagt om te groeien als mens. Het middel, dus welk voertuig je kiest, maakt daarbij niet uit, dat is voor iedereen anders. Binnen het Nichirin Daishonin-boeddhisme is er geen oordeel over de weg die je neemt. Op *jouw* pad kom je *jouw* waarheid tegen. En jouw talent. Mijn talent is atleet zijn. Ik heb ook andere talenten, maar het bokstalent is het meest ontwikkeld. Door daarin het beste uit mezelf te halen groei ik als mens en krijg ik mijn wijsheid. En kom ik steeds dichter bij mijn boeddha-natuur.'

'Helpt boksen jou ook om angst te overwinnen? Je kunt klappen krijgen.'

'Voor iedereen is het anders. Sommige mensen hebben hoogtevrees, andere zijn bang voor een confrontatie, bij weer andere staat tijdens een interview het zweet in hun handen. Mijn angst is het gevecht met een grote, sterke tegenstander. Of met een grote tegenstander én een grote promotor. Daar moet ik mezelf dan overheen zetten, over die angst, die faalangst. Want wat *is* angst? Voor mij is het gehechtheid aan de uitkomst. Want als je niet gehecht bent aan de uitkomst, dan blijf je *in het moment* waardoor je optimaal presteert. Dan stróómt het. Dan ken je alleen nog maar oorzaak en gevolg. Je best doen en op het moment van de prestatie loslaten – weg met de uitkomst. Dan gaat het stromen. En dan maakt het eigenlijk niet meer uit wat er gebeurt. *May the best man win* is een mooie uitspraak in het boksen. Natuurlijk wil je winnen, maar waarom eigenlijk? Gehechtheid, *feedback,* alle wereldse verlangens komen daarbij kijken.'

'Zijn dat goede verlangens?'

'Dat zijn goede verlangens. In het boeddhisme is verlangen een mogelijkheid tot verlichting. Want doordat je verlangt, móet je groeien en krijg je die confrontatie met jezelf. Maar het verlangen dat ik had om te winnen, om het geluk te zoeken buiten mezelf – in de trant van: als ik wat neerzet dan *heb* ik dit en *ben* ik dat – dat was fout. Het gaat om de weg, niet om het eindstation. Iedereen heeft een andere missie in het leven. Je kunt het niet met iemand anders vergelijken.
Je kunt sport oppervlakkig noemen want sport, wat is dat nou eigenlijk? Ego's die gestreeld worden, in mijn geval self-fulfilling prophecy, egoïsme, entertainment, amusement. Doet er allemaal niet toe. Als mens betekent het: contact maken met je geest. Daar is het allemaal om begonnen.'

'Heb je ook angst moeten overwinnen om een ander mens te slaan?'

'Het wordt steeds lastiger omdat ik als mens steeds meer groei. Omdat ik steeds meer "schoonmaak" in mijn leven. Toen ik jonger was, had ik veel boosheid en maakte het mij allemaal niet uit. Ik wilde alleen maar winnen, winnen, winnen. Toen ik boeddhist werd, ging bij mij voor het eerst het licht aan van oorzaak en gevolg. Dat boksen voor mij een vehikel is, ook om andere mensen te inspireren het beste bij zichzelf naar boven te halen, wat ze ook doen. Winnen is nog steeds belangrijk, maar het overwinnen van mijn eigen negatieve gedachtes en het creëren van eigenwaarde zijn nu het belangrijkste. Ik hou veel toespraken voor jonge meiden, waarbij ik uitleg dat het niet alleen om de sport gaat maar dat het ook een mogelijkheid tot groei is. Een manier om een boodschap uit te dragen.'

'Wat voel je als je een wenkbrauw kapotslaat? Agressie?'

'Het is *fight or flight.* Ieder mens reageert anders. Op het moment dat je je bedreigd voelt, onderneem je actie: je loopt weg, je klapt dicht of je valt aan. Ik ben een vechtsporter, bij mij is het: *fight*. Maar ik moet die agressie steeds meer opwekken. Voor een gevecht onderga ik bijna een persoonsverandering. Ik sluit me af van de mensen, ik word dierlijker, wil alleen zijn. Ik heb het wel eens omschreven als het gedrag van een monnik: heel dicht bij mezelf. Maar hoe langer de pauzes tussen de wedstrijden zijn, hoe moeilijker het wordt. Want een gemiddeld mens leeft totaal anders dan een topsporter. Topsporter zijn is een bizar leven. Het boeddhisme helpt me daarbij.'

'Ben je trots op die agressie die in jou zit tijdens het gevecht?'

'Het is natuurlijk een heel dierlijk aspect van mij. Ik ben altijd blij geweest dat ik dat heb kunnen kanaliseren in de sport. Ontladen. Sport in het algemeen is een belangrijk instrument voor mensen om zich te ontladen, of dat nu vechtsport is of niet. Tegenwoordig is het modern om naar een sportschool te gaan en tegen een zak te slaan om je te ontladen. Veel mensen associëren slaan met agressie. Dat hoeft niet. Ik kan trainen alsof ik aan het dansen ben; dan ben ik één met het moment. Als ik geen agressie heb, dan ben ik eigenlijk op mijn best.'

'Mohammed Ali bokste op die manier.'

'Inderdaad, het was puur een schaakspel voor hem. Voor mij is het geen schaakspel, meer een spirituele ervaring. Soms praat de trainer tijdens een gevecht op me in en dan hoor ik hem praten, maar intussen krijg ik andere informatie binnen die ik dan liever volg. Hij zegt: "Onder druk zetten!" maar ik weet: niet doen, ze komt vanzelf. Gewoon je eigen spel blijven spelen. Dat krijg ik dan door. Daarna wordt het een film in slow motion. Daar komt ze: *bam, bam, bam,* knock-out, zonder inspanning. Dat is een spirituele ervaring voor mij. Het is zó bizar: ik "zie" het gevecht van tevoren, dan laat ik het los en gaat het allemaal vanzelf. Heel bijzonder. Maar alleen als je in de voorbereiding er alles aan hebt gedaan kun je loslaten. Ik heb ook wel gehad dat "Mevrouw Angst" langskwam: heb je wel genoeg dit, heb je wel genoeg dat, nu is het te laat. Maar als zij in de kleedkamer komt, zeg ik: "Luister, ik heb mijn uiterste best gedaan, wegwezen. We praten ná het gevecht." En na het gevecht is ze weg.'

'Rechtvaardigt jouw verlangen om als mens te groeien dat je een ander pijn doet?'

'Kiezen voor deze sport brengt pijn met zich mee, geraakt worden, blessures oplopen. Dat is de keuze die mijn tegenstander heeft gemaakt: *she signed up for it*. Dan is het voor mij oké. Maar als ik op straat iemand zou slaan die daar niet op voorbereid is, dan is dat niet goed.'

'Is het leven een gevecht?'

'Ja, met mezelf. Niet met andere mensen.'

'Er is één brood. Erom vechten of delen?'

'Dan delen we. Als kind heb ik me daar al bij neergelegd. Ik vond en vind het normaal dat jij en ik ieder de helft nemen.'

'Boksen mag voor jou een middel tot persoonlijke groei zijn, zo is het misschien niet bedoeld. Boksen is die ander op zijn falie slaan.'

'Nee, ik denk wél dat het zo bedoeld is. Het is *the noble art of self-defense*. Toch boksen er niet veel zoals ik. Dat is jammer, meer niet. Er worden jaarlijks heel wat mensen met een mes om het leven gebracht. Maar er worden jaarlijks ook heel wat mensen genezen door een mes, door chirurgen. Het blijft een mes, maar hoe ga je ermee om? Waarvoor is een mes gemaakt? Je kunt boksen uit pure agressie, om poen te verdienen en die ander te vernietigen. En je kunt boksen om te groeien. Je kunt als journalist met je pen iemand kapot schrijven, maar je kunt er ook waarde mee creëren.'

'Kan een gebeurtenis ook een straf zijn voor iets wat je niet had moeten doen?'

'Als het straf is, dan is het ook groei en is het ook nodig om naar jezelf te kijken. Om die straf te begrijpen. Als kind begreep ik het nut van het schrijven van strafregels niet. Maar het ging ook niet om die strafregels, het moest jou tot inzicht brengen. In het begin heb ik die gescheurde achillespees ook bekeken als straf. *Why me?* De slachtofferrol. Maar als boeddhist kies jij voor verantwoordelijkheid: *ik* heb dat gecreëerd. *Ik* heb de omstandigheden gecreëerd waarin het kon gebeuren.'

'Waarom wilde je deel uitmaken van de filmwereld?'

'Ik vond het altijd leuk om te acteren, dat talent heb ik. Ik deed het als kind al: zingen, dansen, me verkleden, creatief bezig zijn. Als ik dan de vraag moet beantwoorden naar mijn ideale rol, dan zou ik willen zeggen: iets van waarde creëren waar vooral jonge mensen iets mee kunnen. Zomaar met een rolletje in een film zitten, vind ik leeg.'

'Je begaf je wel in een wereld waar men bezig is met "hoe kom ik in beeld", niet met persoonlijke groei.'

'Niet allemaal. Het is de bovenlaag. Bij veel mensen is de drive fake. Die willen gezien worden. De ongelikte beer, geld maken, macht willen hebben. Het is niet erg om die drive te hebben, als je er maar waarde mee creëert. Dan kom je vanzelf wel achter de leegte, waarom je het wilt. Want het is leeg als je zoveel geld hebt. Dat zie ik heel veel in Amerika: grote huizen, alleenstaande mensen die van relatie naar relatie gaan. Ze gaan mensen kopen, gaan denken dat ze hun geld *zijn*, denken dat ze hun titels *zijn* – de eenzaamheid daarvan, de leegte, zie ik heus wel. En zij zien het op een gegeven moment ook. Denk ik, hoop ik – misschien niet in dit leven.'

'Ik vond het opvallend dat Hilary Swank, de hoofdrolspeelster in Million Dollar Baby, *jou bij haar Oscar-uitreiking niet bedankte. Terwijl jij haar trainde in haar rol als bokser!'*

'Dat ligt íets gecompliceerder. Ze stond onder druk. Je krijgt een lijst met de mensen die je moet bedanken en je hebt maar beperkt de tijd. Maar Clint Eastwood heeft mij op Entertainment Channel uitgebreid bedankt. Dat was lief. En Hilary heeft mij persoonlijk bedankt. Daar gaat het toch om? Als ik ga wachten tot ik op televisie word genoemd ben ik ook zo'n egostreler.'

'Bam, bam, bam, knock-out. Dat is een spirituele ervaring voor mij.'

'Wat heeft het spelen in Million Dollar Baby *jou gebracht?'*

'Nou, ik heb een bijdrage geleverd. Doordat ik altijd zo hard getraind heb, ken ik mijn sport, ken ik mezelf. De film heeft een vrouw in de hoofdrol, en dat is al bijzonder. Dat die vrouw dan ook nog bokst, is uniek. Hilary Swank, Clint Eastwood en Morgan Freeman deden erin mee en dan mag ik bijdragen met mijn kennis én als actrice! Geweldig. Ik had de functie van technisch adviseur. Op de dagen dat ik werkte, was de ring van mij. Zei Clint: "Laat maar zien wat je hebt."'

'Maar deed de film recht aan het boksen?'

'Jawel! Ik heb hem vijf keer gezien. En de eerste paar keer heb ik kritisch gekeken omdat ik meewerkte aan het technische advies. Een aantal dagen was ik daar echter niet bij en er zitten dan ook dingen in waarvan ik zeg: had me nou even gebeld. Maar na de vijfde keer zie ik zoveel verschillende boodschappen in die film. Ik zie een man zoals Morgan Freeman, géén persoonlijke bezittingen, leeft in de sportschool waar hij iedereen met wijsheid, warmte en liefde begeleidt. Hoe hij Danger, uitzichtloos en geen talent, hoop geeft. Hoe Clint Eastwood als trainer voor mij de onvoorwaardelijke liefde vertegenwoordigt. Begeleidt acht jaar lang een leerling. Vlak voordat hij het grote geld kan verdienen, gaat die weg, naar een andere trainer. Het enige wat hij zegt is: "*The guy can teach you nothing...*" draait zich om, loopt naar binnen en gaat zitten. De volgende ochtend zit hij weer op z'n knieën om Maggie Fitzgerald de basistechnieken van het boksen te leren. Zonder dat hij terughoudend is! Hoe vaak in het leven worden wij beschadigd in ons hart en zeggen: bekijk het maar, ik doe het niet meer. Hij gaat wéér op z'n knieën omdat hij passie heeft. En omdat hij niet wil dat Maggie, die daar voor de volle honderd procent staat, niet honderd procent van hém terugkrijgt... Waardoor hij later weer die honderd procent van háár terugkrijgt. Want op het moment dat die manager komt en zegt: "Ik kan het beter voor jou doen," blijft ze loyaal aan hém. Dat vind ik mooi. Al is het niet de werkelijkheid.'

'Je zei dat je in die filmwereld ook mensen ontmoette van wie je wat opsteekt.'

'Kijk naar Clint! Ik steek van iedereen wat op. Van mensen in de filmwereld, van iemand op een boeddhistische meeting, van Mike Tyson.'

'Heb je van Mike Tyson dan ook iets opgestoken?'

'Ja! Het is een hoogbegaafde man die ontzettend beschadigd is. Kijk, als talent word je al heel jong in de watten gelegd waardoor je niet leert normale relaties op te bouwen. Het gaat allemaal om jou en als je maar presteert, is iedereen aardig tegen je. Nou, dan krijg je een vertekend beeld van de werkelijkheid. Op een gegeven moment, zodra je niet meer presteert, verandert dat. Maar jij bent gewend dat het om *jou* gaat. Mike is niet meegegroeid; hij heeft zichzelf als slachtoffer neergezet. Hij zei tegen me: "Ze hebben me uitgebuit." Maar als je wordt uitgebuit, ben *jij* de stommeling. Hij had waarde kunnen creëren, maar bleef ervoor kiezen destructief te zijn. Maar wat je ook gedaan hebt in je leven, je blijft een goede natuur hebben die je naar voren kunt brengen.'

'Heb je zo kunnen praten met hem?'

'Ja, maar hij kapt het af als het té confronterend wordt, want heel subtiel zeg ik: je doet het zelf. Ik ben ook heel veel misbruikt in mijn leven, er is veel tegen me gelogen omdat ik naïef was. Dat heeft hij ook meegemaakt. Daar kun je van leren, of je kunt boos worden. Dan ben *jij* degene die daar het meest last van heeft. Ik heb hem dus van dichtbij meegemaakt en hij heeft een heel donkere kant. Die wil ik absoluut niet ontkennen. En zoals met die lepel in het glas: bij de één moet je roeren voordat er vuil bovenkomt, maar bij hem hoef je er maar overheen te strijken. Die man is ontzettend beschadigd. Een zwaar karma...'

De sportieve passie van... Barry Hay, zanger van The Golden Earring

'Mensen onderschatten hoe zwaar het is, zingen en performen. Je staat toch ruim twee uur te pompen. Sinds ik weer ben gaan sporten, ben ik fitter dan ooit. Ik zit ook beter in mijn liedjes, heb veel meer kracht. Mijn sportieve held is André Agassi. Ik hou gewoon van die man. Het leuke van dat soort gasten vind ik dat ze *Ausdauer* hebben. Dat is net als met de band waarin ik speel: dat zijn ook gasten van de lange adem, net als Agassi. Van lang haar naar kaal en nog steeds dezelfde verbetenheid. Ik kijk ook erg graag naar boksen. Dat is een onderschatte sport. Mensen doen het af als ordinair, maar het is onwijs moeilijk. Ik heb zelf gebokst – het is beestachtig zwaar. En dan moet je ook nog even incasseren, je wordt namelijk echt voor je bek gedreund. Dat ordinaire spreekt mij ook wel aan: die types die eromheen hangen, dat vind ik wel wat Fellini-achtigs hebben.'

'Mocht hij jou ook? Heb je nog contact?'

'Ja, Mike mocht mij wel. Maar ik heb op een gegeven moment het contact afgekapt. Ik had wel het gevoel dat ik hem iets kon bijbrengen, maar het kostte me te veel energie. Ik had zelf nog zoveel nodig en dacht: Luus, ga met jezelf aan het werk. En ik kan hem wel iets aanreiken, maar dan moet hij daar zelf mee aan de gang. Als een alcoholist van de drank af wil, moet hij zelf tot dat inzicht komen. Dan pas kan hij hulp aanvaarden.'

'Als Billie "The Blue Bear" was je "meaner than the meanest Tyson"*.'*

'In een film kan dat. Weet je, het gevecht was *scripted*. Dus daar kun je als technisch adviseur niets mee doen. Ik zei: die elleboogstoot kan niet. "Ja, maar het staat wel indrukwekkend," zei men dan. Dat ik haar die tik moest geven terwijl ze op de grond lag, was strijdig met mijn bokshart maar niet met dat van Billie. In het echt gebeurt zoiets niet. Maar er zijn wel boksers die een arm proberen te breken. Je stopt hem ertussen en doet net alsof je op het lichaam wilt slaan, maar dan sla je erlangs op die arm. Zelf wilde ik als kickbokser als de scheidsrechter er niet tussen stond nog wel verder gaan, maar als bokser ben ik niet gemeen.'

'Heb je Donald Trump al eens gebeld?'

'Ja. Ik liep op de rode loper van de Elton John Oscar After-Party, en dat vond ik eigenlijk wel heel leuk. Daar ga je dan, het was heel moeilijk voor me. Liep ik daar in mijn eentje tussen honderden fotografen. En ik ben helemaal geen model, zo ben ik niet. Ik ga liever achterlangs naar binnen. Maar goed, ik had een *designer dress* aan, haalde nog één keer diep adem en daar ging ik. En de beste comfortpose is voor mij de bokspose, hè. Dat is uniek, want er is geen enkele actrice die zo staat. Maar het gaf me ook kracht, met die jurk en die hoge hakken; had ik toch even een krachtmoment. Terwijl ik aankwam, vertrok net Donald Trump met zijn vrouw. Eén week eerder was ik commentator geweest bij ESPN. Was een goed programma, het had hem geraakt. Hij: "Ik heb je gezien, bel me." Nog even een fotootje gemaakt, hij ook stoer staan, vond hij helemaal het einde. Na twee uur belde hij zelf. Hij wilde kijken of hij iets voor me kon doen. Misschien met dat nieuwe programma van hem. Normale man, hoor, grappig, gezellig.'

'Boksen heeft een slecht imago. Doet dat zeer? En is het terecht?'

'Zeker doet mij dat zeer. En terecht? Kijk, er zit hebzucht in ieder mens, ongeacht wat we doen. Als er veel geld, macht en roem bij komen kijken, komt de hebzucht bij de mens naar boven. Het is afhankelijk van je opvoeding hoe je daarmee omgaat. In andere werelden gebeurt het subtieler. In Hollywood bijvoorbeeld heb ik mensen gezien die hun eigen moeder nog verkopen, maar op een heel nette manier. Het gaat om dezelfde hebzucht, maar hoe uit je die als je uit een lager milieu komt?'

'Maar toch, zo'n Nordin Ben Salah wordt zomaar doodgeschoten. Hij zat blijkbaar toch in het verkeerde milieu.'

'En Gianni Versace en Kennedy en Martin Luther King? Zaten die ook allemaal in een verkeerd milieu? De bokswereld is gewoon anders, je krijgt meteen een klap voor je kop. Maar ik heb ook een wereld gezien waar ze naar je lachen en er intussen voor zorgen dat je business kapotgaat.'

'Dat neemt niet weg dat jij jezelf altijd hebt moeten behoeden voor louche figuren.'

'Die trek ik aan in de wereld waarin ik zit. Ik heb ze op afstand kunnen houden omdat ik mijn ziel niet wilde verkopen. Het is het me niet waard mezelf op te geven voor geld.'

'Als je dat wél had gedaan, had je dan eerder een "Million Dollar Lady" gehad?'

'Het werkt nooit. Je wordt altijd uitgebuit. Kijk naar Tyson, naar Ali. Ali heeft een contract gehad waarin hij langer moest vechten dan zijn lichaam dat eigenlijk toeliet. Had ik met een promotor als Don King in zee moeten gaan? Die heeft meer carrières kapotgemaakt dan hij gemaakt heeft. Als je niet bereid bent te zeggen: doe maar met me wat je wilt, maak me maar wereldberoemd, ik zal als een trekpop naar je pijpen dansen, dan kun je het schudden. Dan krijg je geen gevecht. Allemaal machtsspelletjes. Of je krijgt ineens twee weken van tevoren te horen dat je een wedstrijd hebt. Moet je doen, teken je een contract dat je 24 uur beschikbaar bent voor publiciteit, waar dan ook. Moet je op je hotelkamer trainen en doe je meer publiciteit dan dat je traint. Interesseert zo'n Don King niks. Dat kan toch niet goed zijn.'

'Jouw beloning is dat je nog in de spiegel kunt kijken.'

'Ja. En ik moet uiteindelijk met mezelf leven.'

'Denk je dat het gevecht er nog komt?'

'Ik moet opnieuw een mogelijkheid creëren voor een kalibergevecht. Het moment van *Million Dollar Baby* was goed om te promoten. De promotor, Bob Arum, is niet begaafd genoeg om zelf zo'n moment te creëren. Een Clint Eastwood ziet iets, gelooft erin en maakt een film die vier Oscars wint terwijl de wereld niet rijp was voor een boksende vrouwelijke hoofdrolspeelster! Hij is een visionair. Maar Arum wilde alleen maar snel geld verdienen. "Wow, *Million Dollar Baby*, dit is het momentum, ik vul mijn zakken," dat dacht hij. En dat heeft hij ook gedaan want hij had een verzekering van anderhalf miljoen op het gevecht.'

'En jij niet?'

'Nee. Het heeft mij m'n laatste centen gekost. Daar kwam nog bij dat Christy Martin acht weken later een gevecht aanging en een verschrikkelijk pak slaag kreeg, dus die ligt uit de markt. *OK, what's next*, dacht ik. Er is nóg een mogelijkheid: ik wilde eerst Laila Ali voor *Million Dollar Lady*, maar die wilde niet. Althans haar man, tevens haar manager, wilde meer geld. Nu is ze van hem gescheiden dus er is nog een mogelijkheid om het gevecht tegen haar te creëren.'

'Droom je er nog van?'

'Qua blessure moet het kunnen. Na de operatie was het *one hundred percent recovery guaranteed.* Maar ik weet niet of ik het nog wil, er nog van droom. De deur staat nog wel open, op een kier. De toekomst zal het voor me uitmaken. Het is moeilijk je gevoel te peilen als je verwond bent. Eerst moet je trainen, weer fit zijn, dan pas kun je checken of je in je hart nog klaar bent voor zo'n gevecht. Kan ik het nog een keer? Kan ik nog een keer zo diep gaan? Het is niet alleen het fysieke, maar ook het mentale; die hele business eromheen... dat knokken voor *what's mine*. En dan bedoel ik in elke arena, niet alleen in de ring. Wéér keihard die business neerzetten. Plus tot aan de grens presteren als atleet. Kan ik dat nog één keer opbrengen...?'

'Hoeveel sleet zit er op je lichaam, Lucia?'

'Veel sleet, veel. Het was 23 jaar afzien. Ik mag er nog redelijk onbeschadigd uitzien, maar ik heb genoeg klappen gehad. Niet zozeer tijdens gevechten als wel tijdens trainingen. Ik heb afgezien. De ene hersenschudding na de andere, gewoon doorgaan, arm uit de kom en denken: ik moet verder. Veel kneuzingen, bloedende mond, kapotte tong, kapotte neus. Mijn nek, nekwervels, zenuwenpijnen, zenuwklem, zenuw gekneusd... Maar goed, dat hoort bij de sport. Had ik maar moeten gaan tafeltennissen. Natuurlijk is elke topsport slopend, maar bij boksen komen daar nog eens de verwondingen bij. Au, leverstootje, verder.'

'Waarom ben je eigenlijk gaan kickboksen?'

'Het had van alles kunnen zijn, ik was multigetalenteerd. Toen ik voor het eerst naar de sportschool ging, vond ik het veel te zwaar. Kon bijna overgeven, was kapot. Zo'n zware training, maar ik ben toch weer gegaan. Ik wilde álles goed doen. Ik was nationaal kampioene schermen. En met karate werd ik tegengehouden omdat ik te jong was voor de blauwe band. Toen ben ik naar het kickboksen gegaan en vond het geweldig. Het waren handschoenen zoals Mohammed Ali die droeg, met witte raakvlakken erop. En je mocht contact maken, je hoefde niet te stoppen. Nou, dat vond ik geweldig.'

'Wilde je je bewijzen, aandacht krijgen, iets compenseren?'

'Ik denk niet dat ik bewust voor topsport koos. Ik was de jongste en goed in sport. Je hebt kinderen die slim zijn en daar prat op gaan. Een ander kind gaat er prat op mooi te zijn en ik putte mijn kracht uit sport. Over hoe ik eruitzag, zat ik niet in. Mooi? Dat is persoonlijk. Als ik kijk naar mijn kinderfoto's zie ik een lief, open meisje. Maar ik was wel een *tomboy girl*, een boze meid, jongensachtig. Kleding van mijn broer, kort haar, brommer, later een motor. Maar bewuste keuzen waren het niet. Als je het me vroeg, ging ik onder een auto. Ik kon behangen, alle sporten, op school alle vakken. Mijn broer noemde mij het manusje-van-alles.
Mijn kracht kwam van de sport. Als ik maar goed was, dan was ik oké. Verder maakte het mij niet uit. Ik had een vriendin die zich ging optutten als we naar de sportschool gingen. Ik zei: waarom nou? Je bent toch goed zoals je bent? Ik begreep het toen niet, maar nu begrijp ik het wel: dat was háár kracht.'

'Disco's, uitgaan, opmaken?'

'Dat wel. Hielpen mijn zussen een beetje. Ik heb moeten leren in de sport. Heel verlegen was ik. Als je me interviewde, zei ik: "Uhh, hum, weet ik niet." Ik moest me leren kleden voor interviews, voor televisie, daar moest ik echt aan wennen. Opmaken, daar had ik heel wat weerstand tegen in het begin. Ik heb moeten leren begrijpen dat het een onderdeel van mijn werk is. Dat de vrouw in mij juist de kracht in mij is. Dat heb ik de laatste elf jaar moeten ondervinden. De vrouw in mij moet eruit, die moet ik óók aandacht geven. In de sport hoeft dat niet. Altijd trainen met mannen, nou, dan kwam die vrouw er niet uit. Dan had je ze allemaal achter je aan...'

'Zo erg was dat toch niet?'

'Jawel! Er was geen ruimte voor vrouwen naar mijn gevoel. Als vrouw kreeg ik een bepaalde aandacht die ik niet wilde. Het ging om sport, om trainen. Die "andere aandacht" wilde ik op het schoolplein, niet in de sportschool.'

'Vind je het intussen leuk om vrouw te zijn?'

'Ja, het zit in mijn kwetsbaarheid. Vrouw-zijn is voor mij niet zozeer hoge hakken, borsten, lippenstift, heupen schudden. Het zit vanbinnen. Hoe draag je je lichaam? Je kunt een mooi lichaam zien, van een mannequin, dat echter niet *straalt*. Dat is leeg, er zit niets. Je kunt ook een voller lichaam zien waarvan de vrouwelijkheid afstraalt. Dat voel je. Mijn moeder was altijd een mooie vrouw, verzorgde zich goed. Toen ze het verzorgingstehuis binnenkwam, had ze een halfgeschoren hoofd, geen make-up op, nagels niet geknipt, geen nagellak en ze droeg een vies T-shirt waar ze overheen kwijlde. Toch werden er twee mannen meteen verliefd op haar. Die vrouw straalde zó! Dat is de aard. En dat vond ik mooi...'

'Altijd vrede gehad met het gespierde lijf?'

'Ik had als kind een sportief lichaam waar ik best moeite mee had. Ik was sterker dan de meeste vrouwen, steviger. Heel lang voelde ik dat ik niet in het beeld van een *supermodel* paste; daar heb ik moeite mee gehad. Iedere tiener wil in het beeld van supermodel passen. Die druk heb ik ook gevoeld, maar ik was goed in mijn sport dus ik kon ermee wegkomen. Maar sommige vrouwen krijgen daar problemen mee. Ik ben daar nu achter. Ik heb er heel veel aan moeten doen om mezelf te leren accepteren als atlete, als vrouw, zoals ik eruitzie.'

'Je ziet er toch goed uit.'

'Jawel, maar het heeft niets te maken met hoe je eruitziet, het heeft te maken met je zelfbeeld. Als atlete had ik grote sterke armen en keken mensen met een blik van: ohh. Dus droeg ik lange mouwen want dat wilde ik niet laten zien. Dat zijn dingen die niet goed zijn. Een ander trekt een lang T-shirt aan om haar kont te bedekken, ik bedekte mijn armen. Je zelfbeeld klopt niet, je accepteert jezelf niet omdat je niet zou passen in het beeld dat ons maatschappelijk wordt opgelegd. Nu heb ik vrede met mezelf. Ik denk dat ik daardoor ook sterker geworden ben.'

'Waarom ben je op een bepaald moment naar LA gegaan?'

'Ik wilde op vakantie, voor het eerst in jaren. En toen ik eenmaal op vakantie was, kreeg ik de smaak te pakken.'

'Je wilt niet veel over zeggen over die periode?'

'Nou, ik had het gevoel dat ik in mijn kickbokscarrière vastzat. Ik was vier keer wereldkampioen geworden maar had veel problemen met mijn trainer. Ik was niet meer gelukkig op de sportschool en ging er met zware tegenzin naartoe om te werken, want ik gaf daar ook les. En als ik ergens niet meer in geïnteresseerd ben, dan is het moeilijk om me nog te motiveren. De omstandigheden werden voor mij ondraaglijk.'

'Door jouw toenmalige kickbokstrainer?'

'Ja, die is slecht met me omgegaan. Ik had veel moeite met die man, er zijn dingen gebeurd die niet door de beugel konden. Vrij snel nadat ik was begonnen met chanten werd ik op een ochtend wakker en begon dingen in te zien die niet oké waren.'

'Maar je hebt hem nooit aangeklaagd.'

'Nee, daar was ik niet aan toe, daar was ik niet sterk genoeg voor op dat moment. Ik stond onder een enorme invloed en daar moest ik eerst onderuit. Eerst moest ik jaren aan mezelf werken om mijn identiteit terug te krijgen. Eerder kon ik daar niet over praten. Ik praat er in mijn boek ook heel voorzichtig over.'

'Er zit veel spanning op je gezicht als je hierover spreekt.'

'Ja, ja. Er zit voor mij ook tien jaar lang verwonding in. Kijk, de relatie trainer-pupil is kwetsbaar. Je kunt leerlingen behoorlijk beschadigen als je het verkeerd doet. Dat heb ik weten om te draaien doordat ik boeddhist ben geworden maar het blijft altijd een gevoelige plek voor me.'

'Dat beschadigen zat hem in geestelijke terreur?'

'De geestelijke dominantie was het schadelijkst, maar ik wil het daar niet in detail over hebben. Dat ligt erg gevoelig. Ik was veertien toen ik die sportschool binnenkwam en mijn ouders waren aan het scheiden. Ik had behoefte aan een vaderfiguur, een soort leraar die mij op de rails zou zetten. Daarbij heeft hij zijn grenzen overschreden. Ik was heel jong en hij was zestien, zeventien jaar ouder. Dat kan niet. In Amerika ga je daarvoor de gevangenis in als je met je handen aan een minderjarige leerling zit. Hier kom je misschien in de krant, door een rechtszaak krijg je misschien een schorsing, maar daarmee houdt het op. Maar de schade blijft. Het enige wat ik wil, is ouders waarschuwen door er op een voorzichtige manier over te praten.'

'En andere meisjes waarschuwen?'

'Ja, maar meisjes kun je niet waarschuwen. De ouders moeten weten hoe belangrijk die relatie is. Hoe de verantwoordelijkheid bij de trainer-coach ligt, vooral bij een man-vrouwrelatie. Een trainer schat niet in hoe hij een leerling kan beschadigen. Als het kind op zoek is naar een vaderfiguur die haar richting geeft, die haar een gevoel van eigenwaarde geeft door haar te complimenteren en te zeggen: "Jij bent oké," dan wil zij van die trainer niks slechts horen. Dan kan ik wel tegen dat meisje gaan praten: "Meisje, pas op, hij wil misschien iets anders" – het kind zal het niet zien. "Ja, maar hij is zo lief; ja, maar hij bedoelt het zo goed." Logisch, want hij geeft jou de aandacht die je nodig hebt. Maar hij is wel jouw leraar, hij moet zijn grens weten. Waarschuwen is mijn missie. Je kunt verbitterd raken door wat je meemaakt, maar als boeddhist draai ik het om, wil ik er waarde mee creëren.'

'Je spreekt er zonder haat over.'

'Haat heb ik gehad, heel lang. Door mijn haat ben ik het boeddhisme gaan beoefenen. Haat heeft mij alleen maar beïnvloed op een negatieve manier. Haat heeft geen zin, is destructief. Maar je moet wel eerlijk zijn tegen jezelf. Ik ben door een therapeutisch proces gegaan en heb mijn kracht teruggenomen.'

'Door te chanten, of ook door psychotherapie?'

'Eigenlijk door mezelf. Door veel dingen te lezen. Waarom deed ik bepaalde dingen? Waarom liep ik vast in mijn leven? Als je gaat chanten ga je vastlopen. Je wilt groeien, dus moet je terug: waarom dit en dat, daarmee aan het werk. Toen mijn vader kwam te overlijden heb ik een tijd wat therapie gedaan. Kwam ik wéér dingen tegen uit het verleden waar ik me doorheen heb moeten werken. Maar ik heb het gedaan en daardoor ken ik geen haat; dat heb ik gehad.'

'Je trainde hard, tot het krijgen van epileptische aanvallen aan toe.'

'Dat was in de periode dat ik me aan het losweken was van mijn trainer. Toen kreeg ik psychosomatische epileptische aanvallen om mijn grenzen te leren stellen. Op die manier kwamen mijn boosheid en weerstand naar boven. Heel mooi eigenlijk. Er was geen andere mogelijkheid voor mij. Als mensen ziek worden, is dat de enige manier voor hen om te leren luisteren naar wat het lichaam nodig heeft. Zo kijk ik naar het leven. Wat je ook krijgt – hoe komt dat? Je kunt niks doen, medicijnen nemen en verdergaan met je levensstijl. Of je durft je af te vragen wat je verkeerd doet.'

'Hoe was je eraan toe toen je elfeneenhalf jaar geleden in Amerika aankwam?'

'De eerste acht maanden waren geweldig! Ik had een vrijheid die ik als atleet nooit gekend had. Ik zat altijd heel kort aan de band dus in één keer was het... als een weggelopen... Ja, zo voelde ik het echt! Zó kort zat ik, ik had tegen anderen letterlijk gezegd: "Als er een gat in de heg zit, ben ik weg." Lachen joh, ze is niet goed bij d'r hoofd. Zij zaten ook vast, dat vonden ze prima, maar voor mij was dat niet oké. En dus ging ik weg, op avontuur. Toen begon *mijn* leven pas. Eerst acht maanden van "oohooh-ooh", als een tiener, daarna was het: wacht eventjes, wat wil ik eigenlijk? Wat ga ik met mijn leven doen? Ik heb veel steun aan het boeddhisme gehad. Ik moest het uitzoeken en heb dat gedaan.'

'Hoe hard ben je voor jezelf geweest in Amerika? Hoe vaak dacht je: bekijk het, ik ga lekker terug?'

'Nee, niet "lekker terug" maar jeetje, *kon* ik maar terug. Want ik kon niet terug van mezelf. Alleen maar als ik wat had neergezet. Zo hard was ik voor mezelf. Jij gaat niet met hangende pootjes terug, *Luus*. Punt. Kan niet. *Poison is a medicine* is een gezegde in het boeddhisme. Ik moest mijn verwondingen omdraaien. Het is heel gemakkelijk om slachtoffer te worden van je eigen omstandigheden. Ik moest in mijn gevoel gaan; dat is het slachtoffer worden, maar het niet blijven. Maar het voelen was wél een lijdensweg. Van schaamte, van zelfverwijten, van waarom, van au, van haat, van noem het maar op. Daar kun je in blijven en teruggaan, maar dan was ik verliezer geworden. Dan had ik de strijd opgegeven.'

'Nu zou je terug kunnen.'

'Ik zou nu zeker terug kunnen gaan, ik sluit het ook niet uit. Maar ik heb altijd gezegd: ik wil alles gedaan, gezien en geprobeerd hebben in mijn leven als atleet. Als je een berg beklimt en je bent op de top geweest, dan heb je alles gezien en kun je bepalen waar jij op die berg gaat wonen. Als je halverwege stopt, zul je je altijd blijven afvragen hoe het uitzicht op de top is. Misschien moet ik weer helemaal naar beneden om daar iemand te helpen die berg op te gaan. Mijn ervaring doorgeven. Maar daar ben ik nog niet helemaal uit.'

'Je wilt een almaar rijpere, wijzere Lucia worden. Is dat jouw grootste passie?'

'Buiten kijf. Maar, let wel: ik heb ook een grote passie voor boksen. Zet twee boksexperts neer en dan gaan we even praten hoor, dan ga ik vertellen over de *art* van de sport. Soms komt bokspubliek, ook in Los Angeles, vooral voor het geweld. Maar ik geniet intens van een bokser die er niet staat om te slopen, die *the art of movement* begrijpt met zijn hele ziel. Prachtig vind ik dat. Zo af en toe staat er nog zo'n bokser op, maar het zijn er weinig.'

'Je hebt gezegd: "Na drieëntwintig jaar in de vechtsport moet ik weer balans zien te vinden in mijn leven." Maar je oogt al in balans.'

'Ja, de laatste drie jaar ben ik meer in balans dan ooit. Dus het gaat goed. Want ik was echt een extreme figuur. Ook qua eten was ik extreem. Nu eet ik normaal, ook junkfood, alles normaal. Ik had een eetstoornis. Nee, geen anorexia. Ik at emotioneel, vooral in Amerika, door de eenzaamheid. Ik was uit balans dus raakte ik qua voedsel ook uit balans, mede doordat ik op een streng dieet moest. Nu is alles weer normaal. Ik sta niet meer twee keer per dag op de weegschaal, kom niet meer aan en val ook niet meer af.'

'Nog één uitspraak: "Misschien kan ik me eindelijk op mezelf gaan concentreren."'

'Daar bedoel ik mee dat ik nog te veel bezig was iets te zoeken buiten mezelf. Het lijkt alsof je je op jezelf concentreert, maar dat doe je in feite niet. Je concentreert je op je verkeerde "zelf". Dat bedoelde ik daarmee.'

'En je op een ander concentreren? Een eigen kind bijvoorbeeld?'

'Ja, dat kind kan er op verschillende manieren komen. Dat kan ik baren, dat zou een prachtige ervaring zijn. Het kan ook zijn dat ik leraar word van andere kinderen. Er zijn veel moeders die het zo druk hebben dat een leraar kan helpen en steun kan geven. Dat is toch wel mijn missie, waar ik voor geboren ben.'

Khalid Boulahrouz

Zelfdiscipline

Hoewel ik tijdens mijn tenniscarrière jarenlang in de mondiale toptien heb gestaan, kreeg ik het maar niet voor elkaar om in Davis Cup-verband mijn beste tennis te laten zien. Na de tamelijk desastreus verlopen ontmoeting tegen Zweden in 1992 op het Malieveld in Den Haag was ik behoorlijk terneergeslagen over mijn slechte spel. En opeens was daar die vraag van een journalist aan bondscoach Stanley Franker: presteerde die Krajicek soms zo slecht omdat hij geen echte Nederlander was? Tot dat moment had ik mij nóóit gerealiseerd dat er wel eens mensen zouden kunnen zijn die mij geen 'echte' Nederlander vonden. Mijn ouders waren inderdaad politieke vluchtelingen uit Tsjecho-Slowakije die hier asiel hadden aangevraagd. En hoewel ik in Nederland ben geboren, werd mijn vluchtelingenstatus pas in mijn vierde levensjaar omgezet in de Nederlandse nationaliteit. Toch heb ik me altijd op en top Nederlander gevoeld. Toen ik jong was, bestond het woord 'allochtoon' niet eens. Wij werden ook geen 'buitenlanders' genoemd en ook niet als zodanig bekeken.

Het zal niemand zijn ontgaan dat de aandacht voor je afkomst intussen buitenproportioneel groot is. Een voetballer als Khalid Boulahrouz wordt steevast 'een Nederlander van Marokkaanse afkomst' genoemd, ook al is hij geboren en getogen in Nederland en speelt hij voor het Nederlands elftal. 'Ik voel me gewoon een Marokkaan, maar ik vind het een eer om voor Oranje te mogen uitkomen,' zegt Boulahrouz daar zelf over. Hoewel hij het niet altijd even leuk vindt om als boegbeeld van de integratie door het leven te gaan, hoopt hij toch dat Marokkaanse jongens die nu nog op straat spelen, door hem gaan inzien dat ook zíj een kans hebben in het voetbal. Intussen heeft de KNVB de stichting Meer dan Voetbal opgericht, die ervoor moet zorgen dat allochtone jongeren aansluiting vinden bij de Nederlandse maatschappij door lid te worden van, bijvoorbeeld, een voetbalclub. Sport motiveert, verbroedert en behoedt. Sport kweekt teamgeest, doorzettingsvermogen en bovenal discipline. Volgens Khalid Boulahrouz was juist die discipline in zijn leven ver te zoeken. Zijn grootste overwinning noemt hij dan ook de overwinning op zichzelf: zijn transformatie van branieschopper tot serieuze profvoetballer. Want discipline, dat moet je gewoon dóen.

'Hoe had je er zonder voetbal nu voorgestaan, denk je?'

'Dan had ik me volledig geconcentreerd op school. Opleiding afmaken, vervolgstudie doen en dan een goede baan zoeken. Zo zou het ongeveer zijn gegaan. Want ik was in principe goed op school. Alleen: als je een kans ziet om met voetbal iets te bereiken, dan probeer je dat. Al weet je natuurlijk nooit van tevoren dat je zo ver komt. Ik heb school dus maar gelaten voor wat ze was.'

'Was voetballen de makkelijkste weg? Vond je school zwaarder?'

'Nou, school was vooral geestelijk zwaarder. Voetbal is geestelijk ook pittig, maar het was vooral de combinatie school én voetbal die niet ging. Spijt heb ik nog geen seconde gehad van mijn keuze. Over het algemeen ben ik gelukkig en tevreden met wat ik nu toe heb gepresteerd. Al heb je ook fasen in je carrière dat je denkt: god, waar moet dat heen, hoe moet ik verder? En soms verlies je, hè. Als ik een wedstrijd verlies of als een training niet goed gaat, dan zit ik gewoon niet lekker in mijn vel. Zo steek ik in elkaar. Voor mij betekent voetbal zó veel!'

'De sport bepaalt mede hoe jij je voelt?'

'Bij mij zeker. Vroeger was het altijd: hé, ga je mee buiten een potje voetballen? Een en al plezier natuurlijk. Maar op een gegeven moment ga je hoger voetballen, speel je bij RKC, ga je van het tweede elftal naar het eerste. Dan verandert het van geen druk naar een beetje druk. Je moet laten zien wie je bent, dat je goed bent. Maar deze druk kun je nog lang niet vergelijken met het moeten winnen voor heel Nederland. Langzaam maar zeker wordt winnen álles. En dan word je van verliezen niet vrolijk, nee.'

'Jij bent Marokkaan. In een elftal spelen autochtoon en allochtoon samen.'

'Dat klopt. Bij Hamburger SV, mijn club in Duitsland, hebben we ook alle nationaliteiten, van Azië tot Afrika. Dat gaat prima en niet alleen beroepsmatig. We gaan ook regelmatig met zijn allen eten en zo. Sport bevordert integratie, klaar. Dat is een belangrijk voordeel van sport. Daar moeten we nog meer mee gaan doen in de toekomst. Veel jonge Marokkaanse jongens die voorheen alleen maar op straat speelden, zien nu: hé, ik maak óók kans in het voetbal. Die jongens gaan zich aanmelden bij een club waar ze in contact komen met andere jongens. Dat is maar één klein voorbeeld, één lichtpuntje van de sport. Zo kun je er nog veel meer opnoemen.

Je kunt trouwens nog genoeg andere dingen bedenken om mensen dichter bij elkaar te brengen. Ik heb dat nog niet gedaan omdat ik jong ben en aan het begin van mijn carrière sta. Zeker in deze moeilijke tijd, met Marokkaanse mensen in Nederland, met de moslims en de islam, moet je sterk in je schoenen staan om zoiets te beginnen. Je moet met iets héél goeds komen op het juiste moment. Ik wil dat wel gaan doen. Maar nu voel ik me nog niet echt geroepen.'

'Hoe was het voor jou om als Marokkaanse jongen in de voetbalwereld je weg te vinden?'

'Ik dacht eigenlijk helemaal niet: ik ben een Marokkaanse jongen die de voetballerij ingaat. Het enige wat ik wilde, was profvoetballer worden; ik dacht eigenlijk alleen maar aan mijn kwaliteiten. En ik heb ook nooit gevoeld of gedacht dat ik werd tegengewerkt omdat ik een Marokkaan ben. Natuurlijk botsen mensen soms, maar dat kunnen net zo goed twee Hollanders zijn. In de voetballerij gaat het alleen om je kwaliteiten. Of je blank of zwart bent maakt daarbij niet uit.'

De sportieve passie van...
Erica Terpstra, voorzitter van NOC*NSF

'Sport *is* passie. Ik was erbij toen Richard Krajicek Wimbledon won, dat zal ik mijn leven nooit meer vergeten. En natuurlijk het goud voor Anton Geesink in Tokio, waar ik zwom. Heerlijke, onvergetelijke momenten. Ik kom als voorzitter van NOC*NSF alleen maar bevlogen mensen tegen, nooit types die zeggen: ach, morgen weer een dag. Dat is zo inspirerend – dat maakt elke dag tot een gouden dag. Ik ben door de sport gevormd; door de deelname aan de Olympische Spelen ben ik me voor het eerst wereldburger gaan voelen. Ik had in het olympisch dorp in Rome een Russische kogelstoter als buurvrouw. Zij verstond mij niet, ik haar niet, maar we hebben enorm met elkaar meegeleefd. Sindsdien heb ik nooit meer in blokken gedacht. Sport heeft de samenleving zoveel te bieden. De sociale binding, het rekening houden met de ander, verantwoordelijk zijn voor elkaar, respect, *fair play*. En wat te denken van integratie, momenteel zo'n hot item in onze samenleving. Sport is per definitie kleurenblind.'

'Bevordert het samen sporten van allochtonen en autochtonen het gevoel allebei Nederlander te zijn? Voel jij je Nederlander bijvoorbeeld?'

'Ik ben gewoon Marokkaan. En zo voel ik me ook. Alleen: ik woon al mijn hele leven in Nederland. Ben ik buiten, dan heb ik Nederlandse vrienden. Ik heb met Nederlandse mensen te maken, daarin ben ik weer

gewoon Nederlander. Ik bedoel: je voelt je eigenlijk niet anders.
Ja, natuurlijk vind ik het een eer om voor Oranje te spelen. Anders kan ik er beter meteen mee stoppen. Als ik dat shirt aantrek, voel ik me fantastisch. Maar ik ben gewoon wie ik ben. Ik ben Boulahrouz, ik ben Marokkaan, ik ben voetballer.'

'Maar als je dat shirt aanhebt, ben je ook Nederlander...'

'Ja, dan ben je weer Nederlander, logisch! Ik heb óók de Nederlandse nationaliteit. Ik begrijp niet waarom daar tegenwoordig zo'n discussiepunt van wordt gemaakt.'

'Wat heeft voetbal jou geleerd over discipline?'

'Heel veel. Het heeft me geleerd geordend te leven. Gedisciplineerd. Dat je alle dingen op een rijtje hebt. Daar valt eigenlijk alles onder: je eetgewoonten, leefgewoonten, je omgang met mensen, het respect voor andermans mening. Vroeger was ik op mezelf gefocust. Egoïstisch wil ik niet zeggen, maar ik leefde helemaal in mijn eigen wereldje. Ik dacht altijd: ik ben de beste, ik ben stoer, ik ben cool, ik kan de hele wereld aan. Maar ja, op een gegeven moment kom je in een zwaardere wereld terecht, op een zwaarder *level*. Dan moet je je echt gaan aanpassen. Dan moet je jezelf gaan ontwikkelen, anders haal je het niet. En in die zin ben ik ook veel rustiger geworden. Ik luister nu graag naar adviezen, maar ze moeten wel zinnig zijn natuurlijk.'

'Jouw vader werkte hard. Is hij een voorbeeld?'

'Zeker! Als ik zie hoe hard hij heeft gewerkt, van 's ochtends vroeg tot 's avonds laat. Door dat te doen heeft hij eigenlijk zichzelf in de steek gelaten. Hij had alles voor de familie over. Ik was toen nog jong, ik stond niet echt stil bij wat hij presteerde. Als je voor negen kinderen moet zorgen en je werkt lange, lange dagen en je krijgt op een dag een auto-ongeluk omdat je in de auto in slaap valt... Op dat moment besefte ik dat nog niet maar later ga je inzien hoe moeilijk het voor hem was om negen kinderen te verzorgen in zijn eentje. Als je voor elf mensen brood op de plank moet krijgen, dan is dat niet gemakkelijk! Ik denk elke dag aan hem, ook wanneer ik werk. Ik denk dan: pap, ik doe dit ook voor jou. Ondanks het feit dat je er niet meer bent, wil ik klaarstaan voor de rest van de familie. Wat jij hebt gedaan, moet ik ook doen.'

'Toen hij overleed, was jij een tijdje de weg kwijt was. Hoe zat dat?'

'"De weg kwijt" is overdreven maar ik was qua persoon en geestelijk niet meer dezelfde Khalid die ik daarvoor was. Ik wilde met niemand praten, ik dacht dat ik alles zelf kon oplossen. Daarvóór deed ik me altijd heel stoer voor, ik was altijd aan het dollen, een beetje de macho aan het uithangen. Niet in de zin van vechten, maar ik had altijd een grote mond en maakte veel grapjes. En als je je dan kwetsbaar gaat opstellen door verdrietig te praten over je overleden vader, heb je toch het gevoel dat je een beetje je status kwijtraakt. Dat je minder mannelijk bent. Juist in die fase was ik vijftien, zestien jaar. Echt een puber.'

'Het gaat met veel Marokkaanse jongens fout als ze puber zijn. Was dat met jou ook gebeurd zonder voetbal?'

'Nee. Ik had wat dat betreft een strenge vader die ervoor zorgde dat ik op het rechte pad bleef. En ik had ook wel zelfdiscipline hoor, om niet die kant op te gaan. Ik was brutaal, maar tot bepaalde grenzen. Ik ging soms wel een klein beetje over de grens, maar ik deed geen gekke of criminele dingen.'

'Is voetbal altijd een houvast geweest, een droom?'

'Kijk, als je klein bent, zit het in je achterhoofd. Het was niet op de voorgrond. Ik was altijd bezig met voetballen, plezier maken! Alles intuïtief. En toen kreeg ik de kans om het voetbal in te gaan. Tja, vanaf dat moment werd het mijn grote houvast, meer had ik niet. Nou ja, ik had mijn familie, maar mijn vader had ik al niet meer. Wél Martin Jol.'

'Sinds ik voetbal, ben ik in een andere wereld beland.'

'Je hebt Martin Jol je tweede vader genoemd.'

'Ja, klopt. Hij had zo'n kortgeschoren baardje en dat had mijn vader ook altijd. De manier waarop hij me soms op mijn plaats zette, me met beide benen op de grond hield, zo deed mijn vader het ook. Streng, maar met liefde. Het was goed bedoeld.'

'Wat voel jij voor Martin Jol?'

'Ik heb gewoon een zwak voor hem. Ik zal je een voorbeeldje geven. Ik liep stage bij RKC, maar was ziek. Ik had al een week, twee weken lang niet gegeten. Ik was dan ook een paar kilo afgevallen. Nou ja, dan heb je totaal geen puf, geen *power*, helemaal niks. Dus ik ging daar als een pop heen: leuk van de buitenkant maar leeg vanbinnen, weet je wel. In principe zou ik niet aangenomen worden, maar Martin zei: "Laat hem toch maar terugkomen, ik zie wat in hem!" Nou, als je me zag voetballen – ik weet niet wát hij in me zag! Toen ik terugging, was ik nog lang niet op krachten; in elk geval geen honderd procent. Ik zat op vijftig procent, of zo. Maar Martin zei na de tweede wedstrijd: "Oké, *Boula*, kom maar lekker in het tweede voetballen en laat maar wat zien!"
Ik kreeg een contractje en ben verhuisd naar Waalwijk. Heerlijk. Ik had geen vrienden om me heen, dus ik werd niet afgeleid. Ik kon ook niet uitgaan want ik had niet eens geld om op en neer te reizen. Alles viel als een puzzel in elkaar. Op dat moment zette ik de knop om: ik werd volwassen, ging inzien wat ik nodig had voor het leven. En niet alleen voor het leven, maar ook voor het voetbal. Wat ik daarvoor allemaal moest doen. Martin Jol heeft mij die kans gegeven.'

'En anders...?'

'Achteraf zeggen mensen dat ik die kans van Martin net op tijd kreeg. Dat ik nu bij de amateurs zou spelen als ik niet bij RKC was beland. Maar dat geloof ik niet.'

'Dat zal zo zijn. Maar Jol heeft wel wat goeds tegen je gezegd: "Mijn moeder is fitter!"'

'Als er nog ergere dingen waren, had hij die ook wel kunnen zeggen: de dikste wijkagent is nog fitter, of: mijn oma loopt sneller dan jij! Hij probeerde me gewoon aan alle kanten te prikkelen. Maar dat was ook weer goed bedoeld, weet je. Hij zei gewoon keihard: "Je kunt niet lopen." Eerst ging ik als reactie daarop harder trainen, maar vooral omdat het moest. Maar toen ging ik me opeens sterker voelen! En ik dacht: ja, het werkt écht. Zie je nou! Ik werd steeds fitter en dat vond ik lekker. Maar ja, dan moest ik wel blijven doorgaan met trainen. Zo bouwde ik het op, ik wilde telkens sterker worden. Zo ging ik vanuit mezelf trainen.'

'Ben je er trots op hoe je je ontwikkeld hebt?'

'Absoluut. Ik bedoel: als je ziet hoe ik was in mijn jeugd... Ik ben nu een totaal ander mens geworden! Mensen die mij vroeger voor het laatst hebben gezien, en dan praat ik over zeven, acht jaar geleden, die kennen me als een irritante, vreselijk drukke jongen. Maar nu is dat beter. Sinds ik voetbal, ben ik gewoon in een andere wereld beland. Ik móet rust nemen, anders kom ik niet tot prestaties. Mijn grootste overwinning is het overwinnen van mezelf. Als je dat kunt, heb je al een groot deel klaarliggen. Dan moet de rest nog gaan ontwikkelen en heb je het hele plaatje bij elkaar.'

'Is het handhaven van de discipline moeilijk? Ben je bang de weg weer kwijt te raken?'

'Nee, daar ben ik absoluut niet bang voor. Ik weet wat ik wil presteren. Daar heb ik zó lang van gedroomd en naartoe gewerkt. Bovendien vind ik dat ik nog geen kloot heb bereikt. Ik heb alleen nog maar voor het Nederlands elftal gespeeld. Ik wil nog veel hoger komen en prijzen winnen. Daarom moet ik mijn discipline nog beter maken dan die al is.'

'Heb je Jol niet meer nodig?'

'Natuurlijk wel. Martin Jol kan mij altijd weer dingen bijleren. Ik zou maanden met hem kunnen praten over voetbal. En wat de discipline betreft: natuurlijk word ik hier en daar begeleid. Je gaat op enig moment mensen om je heen zoeken: een fysiotherapeut, een manager. Zo vorm je een team waarmee je de goede kant op kunt gaan. Mensen die een goede invloed op je hebben, om het zo maar te zeggen. Ik doe de meeste dingen gewoon uit mezelf. Dat gaat automatisch. Ik weet wat ik moet doen om hoog te blijven; in dat opzicht heb ik geen Martin Jol meer nodig. Maar wél mensen die me verzorgen.'

'Marokkanen hebben een sterke familie-eer. Is het ook fijn voor je moeder, broers en zussen dat jij het goed doet?'

'Ik ben er gelukkig mee, voor mezelf en ook voor de familie. Heel erg gelukkig. Ik vind het fijn dat mijn familie kan meegenieten van mijn successen. Door het voetbal heb ik nauwelijks tijd voor familiebijeenkomsten. Maar als mijn moeder naar mijn fysiotherapeut gaat, is dat al heel wat. Ik bedoel: in dit wereldje is zij helemaal onbekend. Ik ben de eerste die aan sport doet in ons gezin. Mijn ene broer deed taekwondo en mijn andere broertjes voetbalden, maar dat was allemaal niet bijzonder. Mijn broer was dan nog wel derde van Nederland in taekwondo maar toen hij zestien was, hield het op. Dus als mijn moeder hoort: "Ik heb je zoon gezien op tv," geniet ze daarvan. Als ze mij zoiets vertelt, zie ik haar glimlachen van blijdschap.'

'Je werkt hard. Je bent strak. Tevreden dat je er goed uitziet?'

'Ik wil niet graag dik zijn. Ik voel het direct wanneer ik te dik ben. Twee, drie kilo voel ik al. Dat zie ik ook. En ik wil er wel goed uitzien, ja. Ieder zijn voorkeur. Sport helpt mij om strak te zijn.'

'Ben je gelovig?'

'Ja, ik ben moslim. Ik probeer zoveel mogelijk volgens de islam te leven. De islam is heel breed. De hele Koran uit je kop leren doe je niet in drie maanden, of zo! Of ik weet wat erin staat? Er staan zoveel dingen in. Je hebt straattaal, maar wat in de Koran staat, is geleerde taal. Dat moet je ook maar kunnen begrijpen. Dat is veel.
Als het uitkomt, en als ik de tijd heb, ga ik naar de moskee. Alleen heb ik nu weinig tijd en in Hamburg heb ik ook nog geen moskee gevonden. Nu ben ik eerlijk gezegd ook best wel lui, ha ha! Maar, let wel: ik volg de Koran zo goed mogelijk. Vijf keer per dag bidden op bepaalde tijden. Je hebt een kalender waarop staat op welke dag en hoe laat je moet bidden. Ja, ook als ik met het Nederlands elftal op trainingskamp ben, probeer ik toch te bidden. Het duurt niet lang. Je moet het "hoofdstuk" opzeggen. Daarna kniel je, dan buig je achterover, half, bijna tot de grond. Dan kom je weer overeind, dan moet je weer wat zeggen, daarna buig je weer op je knieën tot de grond. Dan kom je weer overeind, ga je weer naar de grond en kom je weer omhoog. Dat leer je allemaal. Elk gebed heeft zo zijn vaste aantal keren.'

'Gezag kunnen accepteren is ook een kwaliteit.'

'Wat zegt de Koran over het lichaam en het verzorgen daarvan?'

'Oei... ik moet je eerlijk zeggen dat ik niet goed kan vertellen wat er precies in de Koran staat. Je lichaam moet rein zijn, dat wel. Je moet je wassen voordat je gaat bidden. Geestelijk moet je ook gereinigd zijn. Je moet je goed gedragen tegenover andere mensen, je moet respect tonen.'

'Heeft sport jou geleerd gezag te accepteren?'

'In de tijd dat ik in de puberteit kwam zeker. Op school was er ook gezag. Maar als er een discussie was, wist ik het altijd beter. Echt ongelooflijk. Als er van die tienminutengesprekken waren, zeiden ze altijd: "Uw zoon weet het steeds beter, we worden er helemaal gek van!" Maar bij voetbal kreeg ik kritiek.'

'Dan is er een trainer die corrigeert. Een scheidsrechter die je een kaart geeft enzovoort.'

'Helemaal waar. Dan moet je toch het gezag accepteren. Doe je dat niet, dan red je het niet. Dan faal je. Gezag accepteren is ook een kwaliteit. Ik bedoel: je moet je toch maar koest houden als je met een hamer op je kop krijgt. Als je een emotioneel type bent zoals ik, dan moet je haast wel een keer ontploffen. Het is voor mij moeilijk. Er was laatst een scheidsrechter die iets fout deed, want ik wist zeker dat ik goed en eerlijk had gespeeld. Dus ik gooide de bal op de grond en kreeg daarvoor een gele kaart. Maar voor het grootste gedeelte heb ik mezelf wel onder controle.'

'Voetbal is als de samenleving: er zijn regels, gezag en je moet samenwerken, of je nou moslim, christen of heiden bent.'

'Daar heb je gelijk in. In de voetballerij doen we aan teambuilding, hè. Misschien is het een gek idee, maar ik dacht eraan een landelijke campagne te starten. Een soort landelijke teambuilding waar we met z'n allen aan werken en die voor iedereen goed is. Dat is natuurlijk heel moeilijk, maar daar moet je gewoon even goed de tijd voor nemen.'

'Ben jij temperamentvol? Kun je in sport je agressie kwijt?'

'Ja, ik ben erg temperamentvol, ook in de voetballerij. Maar daarbuiten, zoals ik nu leef in het drukke Hamburg, ben ik veel rustiger geworden. Vroeger was mijn agressie wel sneller weg, nu blijft het wat langer hangen. Zoiets zit gewoon in je.'

'Dus had je het in Duitsland direct over "het nekkie doorbijten van de spits".'

'Kijk, ik was daar net en ze vroegen me meteen: wat is jouw manier van spelen? Ik kon dat natuurlijk niet gemakkelijk even snel uitleggen. Ik zei: "Nou, mijn wapen is simpel, ik vreet die spits gewoon op." Volgende dag in de krant: "Kannibaal".'

'Over agressie gesproken: er zijn veel problemen met de Marokkaanse jongens. Doet dat jou zeer?'

'Natuurlijk! Ik ben ook een Marokkaan. Als mensen mij niet kennen word ik gezien als een van hen: een van die criminele Marokkaanse jongeren. Dat doet mij dan persoonlijk ook zeer. Dit zijn jongens die de weg kwijt zijn. Het duurt gewoon een tijdje voordat ze wakker worden uit hun slaap. Ze zitten nu in een tunnel, maar ze komen er wel weer uit, hoor. Over een tijdje.'

'Maar jij hebt het al gedaan, jij bent veranderd.'

'Ja, ik heb het gedaan, maar ik zat ook niet in zo'n tunnel, hè.'

'Wat zou je tegen die ventjes willen zeggen?'

'De meesten van die gastjes denken: we hebben geen school, geen opleiding en geen geld. Ik heb hier niks meer te doen en ik kan ook niks want ik heb geen opleiding. Ik zou zeggen: jongens, stop ermee. Jullie kunnen echt nog wel wat bereiken! Veeg alles van tafel, doe het vieze bestek in de afwasmachine en haal nieuw en schoon bestek, nieuwe borden, nieuwe glazen, gewoon een nieuw begin. Ik denk dat ze zichzelf echt onderschatten.'

'Kan sport daarin een rol spelen?'

'Ja, maar dan moet je er vroeg bij zijn. Voor Marokkaanse jongeren is de eer bijzonder belangrijk. Eer en trots. Ze willen iets voorstellen. Dat kan in het voetballen misschien als ze er vroeg bij zijn. Aan de andere kant zou sport ook goed kunnen zijn voor de afleiding. Je kunt er tenslotte ook je agressie in kwijt. En je komt met elkaar aanraking, allochtoon en autochtoon. Je leert ontdekken dat je elkaar eigenlijk wel mag. Dat vind ik inderdaad het mooie van sport.
Trouwens, topsport leert je ook nog een hoop dingen waar mensen misschien niet zo snel aan denken. Het gaat niet alleen om het sporten op zich. Er komt veel meer bij kijken om prof te zijn. Je hebt bijvoorbeeld te maken met de fans, met mensen die op de tribune naast elkaar staan te huilen omdat jij gewonnen of verloren hebt. Dan is er de business. Je hebt van doen met sponsors die elkaar ontmoeten. Je moet leren om met verschillende rassen om te gaan. Er zitten aan sport zoveel dingen vast waarvan je wat opsteekt.'

'Voel jij je een rolmodel voor Marokkaanse jongens?'

'Ik doe gewoon wat ik voel dat ik moet doen. Vraag het die jongens zelf, dan zou je een beter antwoord krijgen. Ik hoor soms wel: "Hé, daar komt Boulahrouz!" Maar ik hoor nooit dat iemand Boulahrouz wil zijn, dat niet.'

'Jij hebt gezegd dat de oude Khalid niet meer bestaat.'

'De oude Khalid bestaat in zoverre niet meer dat ik nu gezag kan accepteren. Ik kan mezelf beheersen, controleren. Ik heb meer discipline en ben minder brutaal. Je kunt ook goed met mij communiceren: als je tegen me aanpraat, praat ik terug, ook al ken ik je misschien niet eens. Ik ben spontaan. Wat dat betreft ben ik na mijn vaders dood opener geworden; ik hoef niet meer de macho te zijn. Maar ik blijf natuurlijk wel wie ik ben, ik maak graag dolletjes. Je moet gewoon plezier hebben in je leven!'

'Wat zijn voor jou de hoogste waarden?'

'Het belangrijkste is dat je gezond en gelukkig kunt leven, met je familie, je vrienden. Dat is het allerbelangrijkste. Ben je niet gezond, dan kun je niet gelukkig leven. Wanneer je lang ongelukkig bent, werkt dat misschien door en kun je zeggen dat je depressief bent. Dus dat zijn voor mij de twee belangrijkste dingen: geluk en gezondheid. Plus plezier hebben.'

'Je zegt niet: het hoogste bereiken als voetballer.'

'Ik begin bij het belangrijkste: de levensdingen. Op de tweede plaats komt het voetballen. Nou, eigenlijk hoort ook bij de eerste plaats dat je gedisciplineerd kunt leven. Dat je gezond kunt leven, dat je alles kunt geven aan voetbal. Dan pas ken je jezelf goed.
Je moet de kwaliteiten die je hebt, leren ontdekken. Je weet niets bij je geboorte: of je profvoetballer gaat worden, of je daar talent voor hebt. Je weet niet eens of je een jongen of een meisje bent. Ik bedoel maar te zeggen dat je pas na een tijd gaat merken wie je bent en wat je kunt. Het kan lang duren voordat je daar achter komt – en soms is het zelfs al te laat.'

'Op welke plaats komt voor jou de religie?'

'Dat komt op hetzelfde neer. Ik heb alles net samengevat: gelukkig, gezond en samen met de familie. Gelukkig leven, daar komt bij mij ook religie aan te pas. Leef je volgens de religie dan voel je je opgelucht. Je voelt je vrijer. Als ik niet heb gebeden, lijkt het net of ik met twee zakken aardappels over mijn schouders loop.'

'Jij gebruikt vaak het woord plezier. Toevallig noemt Cruijff dat in dit boek de belangrijkste voorwaarde voor succes, dat je met plezier sport.'

'Zo is het toch? Ik geniet er gewoon van. Bij trainingen maken we dolletjes, maar bij wedstrijden geniet ik ook van het spelen. Als er 55.000 toeschouwers naar je kijken, is dat toch prachtig? Ik vind dat lekker. Als ik een wedstrijd heb, zit ik meestal de nacht ervoor in een hotel. Dan slaap ik lekker uit tot elf uur. Na het eten moet ik weer rusten of slapen, maar dat kan ik niet. De spanningen gieren dan door mijn lijf, zo lekker vind ik het, een wedstrijd. Wat ook voor mij geldt: hoe beter de tegenstander, hoe leuker. Ik hou van uitdagingen.'

'De een haat stress, jij kickt erop.'

'Weet je wie me dat heeft geleerd? Martin Jol. Hij zei: genieten, genieten, genieten! Anders is er niks aan in de voetballerij. Daar ben ik over gaan nadenken: oké, wat wil ik? Wil ik later ook nog steeds in de sport zijn? Dat is de vraag. Maar ik weet wél zeker dat ik mijn kinderen iets wil meegeven. Dat ik een soort trots op hen overdraag. Misschien hebben ze wel helemaal geen kwaliteiten, of hebben ze juist het talent om snel dik te worden – maar in elk geval hebben ze mij als voorbeeld, als vader.'

'Ligt in het verlengde van dat plezier hebben dat je altijd zelfvertrouwen uitstraalt?'

'Ja, ik ben nooit bang. Ik werk hard en ontwikkel mijn kwaliteiten. Ik wil mijn zwakke punten verbeteren en de goede punten bijhouden, bijslijpen. Daarom ben ik niet bang om te falen.'

'Zit in de Khalid die niet bang is een klein hartje?'

'Ha, ha. Dat zal ik je eerlijk zeggen. Natuurlijk heb ik ook een klein hartje. Ik ben emotioneel. Maar dat mag toch! Iedereen mag dat. Nu ik in Duitsland speel, zie ik mijn moeder minder. Ze is gewend dat ik elke week langskom maar dat kan niet meer. Als ik haar na lange tijd weer zie, krijg ik tranen in mijn ogen. Dat raakt me.'

'Sport bevordert de integratie, klaar.'

'Kun jij ook janken na een verloren wedstrijd?'

'Eind vorig seizoen speelde ik een duel waarin ik werkelijk alles gaf. Ik speelde top. Ik verdedigde, viel aan, ik ging naar voren met de bal en ik was na afloop totaal gebroken. Dan komen er automatisch emoties los, ja. Je hebt zó je best gedaan om te winnen en dat lukt dan niet. Eigenlijk was op dat moment alles uit mijn lichaam: zweet, *alles*. Er konden alleen nog maar tranen uitkomen.'

'Hoe is het met voetbal en de liefde?'

'Ik had een relatie waaraan ik een eind heb gemaakt, want het ging niet samen met voetbal. Ze was een schat van een meid, ze had het helemaal. Half Nederlands, half Surinaams. Ze deed alles voor me, echt een schat. Maar na het kappen van die relatie kon ik me toch beter concentreren op de sport. Ik heb een vrouw nog veel méér te bieden dan liefde, maar op dat moment had ik er geen tijd voor.'

'Jij hebt gedroomd over het WK!'

'Over de halve finale, ha, ha. Tegen Duitsland! En ik scoor in de laatste minuut, *bam*, de 2-1. Juichen als een gek natuurlijk. En dan, als iedereen aan het napraten is, doe ik mijn shirt uit en zit daar een shirt van mijn Duitse club onder.'

'Dan de finale. Jij scoort weer de winnende goal, shirt uit, zit er nog een oranje hemd onder! Zou dat geen mooie symboliek zijn?'

'Kan altijd. Ik begrijp wat je wilt zeggen. Ja, ik vind ook wel dat je bij het WK iets speciaals moet doen. Maar ik denk dat slechts een enkeling dat zou begrijpen. De rest zal denken: wat een gek! Waarom nóg een oranje shirt? Als ik een Marokkaans shirt eronder doe, zouden meer mensen het snappen. Maar dat zal bij veel anderen dan weer niet goed vallen.'

Johan Cruijff

Eigengereid zijn

Er zijn intussen elf topsporters aan het woord gekomen en aan de hand van hun verhalen heb ik geprobeerd te ontrafelen wat het nu precies is, die passie voor de sport. Allerlei aspecten zijn in dit boek de revue gepasseerd: van doorzettingsvermogen en discipline tot loslaten en eenzaamheid. Het is waar dat je al deze karaktereigenschappen zou moeten bezitten om een succesvol topsporter te kunnen worden, maar er is ook nog zoiets als de X-factor. Soms staat er een bijzondere atleet op die alle zogenaamde 'wetten' niet zozeer aan zijn laars lapt, als wel overstijgt. Iemand met een uitzonderlijk talent die zijn sport naar een hoger niveau tilt en die niet de afgunst maar slechts de bewondering van zijn collega's wekt. Daarbij denk ik bijvoorbeeld aan Tiger Woods, Michael Jordan of Roger Federer, maar ook aan onze eigen Johan Cruijff. *I did it my way* van Frank Sinatra moet welhaast voor Johan Cruijff zijn geschreven, want dit eigenzinnige fenomeen heeft nooit aan de leiband van iemand anders gelopen. Toch was Cruijff geen *Einzelgänger* maar juist een leider die een voetbalelftal zowel binnen als buiten het veld op ongeëvenaarde wijze wist aan te sturen. Natuurlijk was Johan Cruijff soms gekmakend eigengereid; voetbalbonzen en clubeigenaren zullen hem ongetwijfeld meer dan eens hebben vervloekt. Beroemd zijn de televisiebeelden waarin Cruijff tijdens een wedstrijd van de tribune komt en pontificaal naast Leo Beenhakker gaat zitten, die op dat moment de trainer van Ajax was. Druk gebarend begint hij Beenhakker vervolgens duidelijk te maken hoe het spel volgens hem gespeeld zou moeten worden. En het wonderlijke is: Leo Beenhakker wordt niet eens boos. Ieder ander zou door de bewaking bij kop en kont worden vastgepakt en uit het stadion worden geknikkerd, maar Johan is nu eenmaal Johan – hij maakt zijn eigen regels. Hoewel er veel interessante aspecten zijn aan het fenomeen Johan Cruijff (zijn voetbalcarrière, zijn successen als coach, zijn verrijking van de Nederlandse taal), ben ik het meest enthousiast over zijn inspanningen voor de Johan Cruyff Foundation en de Cruyff Academics, waarmee hij hopelijk zijn bijzondere inzichten gaat doorgeven aan een nieuwe generatie talentvolle én eigengereide jonge topsporters.

'Hoe bewust verzorgde jij je lichaam in de eerste fase van je loopbaan?'

'In die periode weinig. Maar dat was ook een heel andere tijd dan nu. Tot pakweg 1965, ik was zeventien, achttien jaar, vond men dat ik sterk moest worden. Dus ik moest flink eten, melk en biefstuk, zo ging dat toen. Ik weet nog wel dat ik al jaren bij Ajax in het eerste speelde en dan bestond de maaltijd uit biefstuk en puree. Tot eind jaren zestig was dat zo. De eerste keer dat ik met een sportmaaltijd te maken kreeg, was tijdens een wedstrijd tegen Engeland in diezelfde periode. Meer dan drie uur voor de wedstrijd. Toen had ik me een honger! Moest je naar buiten om een broodje kroket te halen.'

'Voor jou was voetbal "spel" en per ongeluk werd je er fit van.'

'Ja, ik heb voetbal gewoon als plezierig ervaren. Pas in de periode dat Michels kwam, werd het fysieke meer bijgehouden met duurloop en dat soort dingen. Daar heb ik altijd een verschrikkelijke hekel aan gehad. Misschien weet je onbewust van jezelf of je het nodig hebt of niet. Voor mij is het allerbelangrijkste van trainen dat je kunt lachen, plezier hebt. Want als je voetbalt, wil je bezig zijn met die bal. Dit effect geven, dat effect. Zegt er eentje: "Ga eens tien rondjes om dat gebouw lopen." Dat shockeert. Dan moet ik pikken, moet ik kijken of ik ergens tussendoor kan. Ik moet afgeleid worden, anders haal ik het niet. Dat is altijd mijn instelling geweest. Tegen iedere conditietrainer met wie ik heb gewerkt zei ik: ik weet dat ze conditie moeten hebben maar ik wil niet dat ze met de pest in hun lijf aan de training beginnen, dan heb ik niks aan ze. Het moet leuk zijn. Dan doe je het maar korter, of juist intensiever, of sla een dag over, doe wat geks, want je hoeft niet per se om dat gebouw te lopen. Je kunt er allerlei gekke dingen in brengen.'

'Bepaald sterk was je niet.'

'Daarom heb ik ook van mijn veertiende tot pakweg mijn achttiende gewichttraining gedaan. Er moest spierkracht bij komen. Ik kan me nog wel herinneren dat ik in het eerste elftal speelde en dat ik in de eerste wedstrijd nog geen corner voor kon krijgen. Geen dollen, dat haalde ik niet. Een rollende bal kon ik wel hard schieten maar een bal die stillag niet. Dus toen kreeg ik krachttraining, dat betekende een zware jongen op je rug en probeer maar de overkant van dat veld te halen. En af en toe een paar gewichten optrekken.'

'Dat je bezig was topfit te zijn, bleek wel. Je bleef roken.'

'Misschien wel. Maar toentertijd bestond al die informatie niet. Natuurlijk wist ik wel dat roken niet goed was. Maar je hebt allemaal excuses om te roken: stress, zoveel dingen. Ik denk wel dat ik mezelf tekortgedaan heb in de zin dat ik meer zou hebben kunnen lopen, of dat ik langer zou hebben kunnen voetballen. Maar ik had over het algemeen geluk met mijn constitutie.
Wat dat roken betreft: als je de leiding hebt over jonge spelers zeg ik: ik zou het niet doen. Maar het is niet zo dat je als een politieagent erachteraan loopt. Je waarschuwt iemand, je helpt. De ervaring die je hebt opgedaan probeer je te vertalen naar al die problemen die ze tegenkomen. Want als het goed gaat, denkt iedereen dat het rozengeur en maneschijn is. Maar dan beginnen de problemen eigenlijk pas. Want als iemand goed is, is het zonde als het daarna niet goed gaat. Dat is het ergste wat je kan gebeuren.'

'Genoeg over het lijf, over naar het geestelijke aspect van sporten.'

'Dat is een heel ander verhaal. Dat is plezier hebben in wat je doet, anders moet je het niet doen.'

'Sport scherpt kwaliteiten aan. Jij hebt gezegd dat je het team belangrijker vindt dan de solist. We kunnen het niet alleen.'

'Nee, maar dat heb ik van jongs af aan gehad. Toen ik klein was en bij de A-junioren speelde, was het al zo dat als iemand een penalty beter nam dan ik, hij hem moest nemen. Had iemand een betere corner, dan moest die hem nemen. En als er een beter kon koppen bij een corner moest je die zo neerzetten dat hij die goal kon maken. Nooit van mijn leven heb ik de obsessie gehad dat ik dat dan zou willen doen, of zo. Dat is geen sociale gedachte, misschien is het juist een superegoïstische gedachte. Je kunt het zelf alleen maar goed doen als je team wint. Je bent afhankelijk van iemands goede en slechte kwaliteiten. Dus als iemand heel goed is met penalty's en het staat 0-0, heb ik liever dat hij hem erin schiet en dat we winnen.'

'Je kunt dat vergelijken met de maatschappij. Iedereen wil zijn eigen god op aarde zijn.'

'Dat kan niet. Dan doe je jezelf alleen maar pijn. Je doet jezelf tekort. Want je weet waar je wel en waar je niet goed in bent. Als je dat weet, kun je ook niet op je bek gaan, falen. Je kunt alleen maar goed zijn als je je ei-

De sportieve passie van... Raoul Heertje, cabaretier

'Sport is net als kunst: het raakt me zonder dat ik weet waarom. Er is niets mooier dan onderuitgezakt zitten op de bank, Japanse nootjes en wodka binnen handbereik, en dan schreeuwen naar de tv dat er harder gelopen en sneller gescoord moet worden. Nou, eigenlijk is er één ding mooier en dat is er bij zijn: de geboorte van een overwinning ruiken en voelen in een volgepakt stadion. Rond mijn 38e verjaardag kwam ik na een competitiewedstrijd met mijn voetbalteam tot een treurige conclusie: ik zou de absolute top nooit gaan halen. Na enig nadenken wist ik dat ook de minder absolute top of zelfs de allerlaagste top niet tot mijn mogelijkheden behoorde. Nee, dan Johan Cruijff: hij is in alles mijn held. Mijn mooiste sportmoment was de Wedstrijd van de Eeuw met alle helden en aspirant-helden van verleden, heden en toekomst. Na die wedstrijd had de Arena met water gevuld moeten worden en hadden spelers en publiek de rest van hun leven rustig kunnen dobberen. Het voetbal had daarna afgeschaft moeten worden, want mooier zal het nooit meer worden.'

gen beperkingen kent. Je probeert altijd situaties te vermijden waarin je voor schut gaat, dat je weet: hier ben ik de pineut. Dus dan ga je zo spelen dat je niet in die positie komt. Je bent niet goed vanwege de kwaliteiten die je hebt, maar door te voorkomen dat je in je negatieve kwaliteiten komt. Als je dát doet, weet je dus perfect voor jezelf wat je niet kunt. Iedereen heeft negatieve kwaliteiten, wat je ook doet.'

'Dat past in het beeld dat sport niet alleen dikkere spieren of grotere longen kweekt.'

'Precies. Een topsporter moet per definitie intelligent zijn. Als je tennist en er komt een bal op je af: wat is de snelheid, welk effect zit er aan de bal, hoe moet je lopen, hoe moet je slaan, gegeven nog weer wat de sterke kanten van je tegenstander zijn. Een computer zou er tien minuten voor nodig hebben om dat uit te rekenen en een tennisser moet dat in één seconde doen. Of je nou tennist, voetbalt, of je komt op een motor met 300 km per uur op een hoek af, je moet toch een rekenmachine bovenin hebben zitten.'

'Er is veel te doen in Nederland over verloedering, over normen en waarden. Kan sport die bijbrengen?'

'Ja, maar wij zijn in principe een asportief land. Iedereen zegt wel "wij sporten", maar uit onderzoek blijkt dat maar acht of negen procent echt sport. Terwijl in de ondersteuning van de jeugd sport op elk gebied, elk onderdeel, kan helpen. Je kunt om een heleboel redenen bij het midden weggaan. Omdat je weinig zelfvertrouwen hebt, wegens je uiterlijk, dat kan om twintigduizend dingen zijn. De sport kan je terugbrengen op een heel ander gebied. Als jij plezier hebt in sport, ontwikkel je jezelf, ook geestelijk.'

'Zou de overheid daar meer aan moeten doen?'

'Ja, maar het probleem was altijd dat de academische wereld een hekel heeft aan de sportwereld. Het is geen kwestie van slecht met elkaar opschieten, nee, ze hebben echt een hekel aan elkaar. Misschien door die algemene ontwikkeling, misschien door die fysieke ontwikkeling, je weet niet waarom. Er is nooit gedacht dat sport zo'n verschrikkelijk goede invloed op het leven heeft, eigenlijk veel meer dan studie. En dan bedoel ik niet dat je niet moet studeren. Maar niet iedereen kan goed studeren terwijl iedereen wél zijn lichaam goed kan bijhouden. Iedereen naar eigen normen natuurlijk. Daar is nooit wat mee gedaan. Wie op de goede posities zit, in de regering, noem maar op, zit daar omdat hij gestudeerd heeft, niet omdat hij goed heeft gesport. Vandaar dat ik altijd zeg: jongens, die sport moet proberen zichzelf te organiseren, te leiden, te beheersen. Dat de sport zich soms laat ringeloren komt doordat de voorzitter vaak geen sporter is. Nu zijn er intussen steeds meer mensen die gestudeerd hebben en een positie hebben, die geïnteresseerd zijn in sport. Die willen sporters ook beter leren kennen. Dan krijg je begrip voor elkaar, kom je een klein beetje meer naar het midden toe. Nu lijkt het erop dat we redelijk in het midden zitten. Iedereen ziet het belang van de sport nu in. Dat kan ook komen door de media, dat men inziet dat sporters niet zo dom zijn als ze altijd dachten, want ik heb mijn leven lang nooit iets anders gehoord.'

'In sport kun je ook agressie kwijt. Na twee uur tegen een bal trappen ga je geen rotzooi trappen.'

'Nee, maar dat heeft te maken met het sociale aspect. Dat merken wij met die veldjes die we met de Cruyff Foundation aanleggen. Kijk, vroeger had je het dorp met de kerk, het voetbalveld of de speelplaats, dat was in de buurt. Maar de kern van elk dorp, elke stad is natuurlijk heel duur geworden. Een open plaats voor een voetbalveld is veel te duur. De grote ruimten gaan naar de rand van het dorp of de stad, zijn moeilijker te bereiken. Dan gaan die kinderen minder sporten. Wij moeten dus proberen de gasten die in de stad wonen te laten sporten. Daar gaat het om. Als je kinderen na school laat sporten praat je gelijk over veel verschillende dingen: minder agressie, integratie, minder diabetes. Want je hebt tegenwoordig ook veel te dikke kinderen. Wat doen ze nou echt?! Als het lelijk weer is of iets een beetje ver weg is, worden ze met de auto gebracht. Sporten in de buurt kan niet want waar ligt nog een veldje? En thuis gaan ze achter de computer. Wij proberen ze aan het sporten te krijgen. Weer lopen, zweten. Doe jezelf dat plezier.'

'Je hebt altijd gesteld dat de beste speler de leider moet zijn.'

'Ja, maar dan heb ik het niet over speciale voetbalkwaliteiten. Je moet op dat onderdeel de kar trekken, de beste zijn. Want jij moet als leider wel het probleem oplossen voor alle anderen. Daarvoor moet je een bepaalde macht hebben, een bepaalde uitstraling buiten je verstand. Je moet tegenover die bestuursleden gewicht in de schaal leggen om ze te laten doen wat jij wilt.'

'Worden de politiek en de top van het bedrijfsleven in Nederland nog wel door de besten geleid?'

'Het mooie aan sport is dat je elke week een eindexamen hebt. Na drie maanden heb je al dertien examens gehad. Dat hebben bedrijven niet. Je ziet dus dat wij jarenlang geen ondernemers meer opgeleid hebben maar managers. Niet verliezen, geen fouten maken, dan kan mij niks gebeuren. Daar betalen we nu de rekening voor. Als je ziet hoeveel Nederlandse bedrijven nu worden geleid door buitenlanders, dat is schrikbarend. Dan denk je: wat hebben wij nou gedaan met dat zootje, waar zijn ze gebleven? En politiek is natuurlijk een spel dat een leven op zich leidt, dat bijna buiten de realiteit staat. Kijk naar Italië. Die Berlusconi is een enorme zakenman geweest maar hij tilt het dus nooit van de grond, dus dat zal wel iets te maken hebben met bureaucratie.
Ik zie het zelf ook, hè. We hebben die school (Cruyff Academics) en dan heb je vaak te maken met allerlei instellingen, universiteiten uit een ander land, noem maar op. Dat zijn lichamen die je echt niet in beweging krijgt. Wij nemen beslissingen in een kwartier maar zij doen daar twee jaar over. Echt waar. Als wij met zijn vieren aan tafel ergens over nagedacht hebben vragen we ons af welke kant we op moeten. Al doende leert men. Op het moment dat je denkt: dit heeft geen enkele zin, ga je toch lekker de andere kant op? Dat gaat zo verschrikkelijk snel. Dat is niet te doen met die organisaties.'

'Hoe kijk jij aan tegen gezag?'

'Gezag hoef je niet op te leggen, dat straal je wel uit. Ik denk dat gezag je via de sport automatisch wordt bijgebracht. Als bij tennis die man op die stoel zegt dat een bal uit is, is hij uit, punt. Maar ik heb wel als jong ventje altijd mijn mening verkondigd. Bij Ajax was dat niet moeilijk, hoor. Daar loop ik al rond vanaf dat ik zes, zeven jaar was. Dus ik kende de club, het gras, de kleedkamer en alles beter dan wie ook. De terreinknecht was mijn tweede vader. Er was bij mij geen enkele schroom. Ik kende al die gasten. Bijvoorbeeld Piet Keizer, die kwam in het eerste toen hij zestien was en ik twaalf. Wat was er nou leuker dan als pikkie van twaalf zijn brommer pikken en een beetje rondrijden. Er was niet iets als een gezagsverhouding.'

'Jij hebt gezag van bestuurders nooit klakkeloos geaccepteerd?'

'Nee, nee, dat zeker niet. Kijk, gezag kan je dingen opleggen. Maar het moet aan de andere kant ook gewoon logisch en normaal zijn. Met de trainer had ik dat wat minder. Met Michels niet. Ik heb twaalf jaar Michels gehad, pff, dat waren gewoon gevechten elke keer. Maar ik heb hem altijd, tot aan zijn overlijden, met "u" aangesproken. Ik kan me nog wel herinneren dat we in een rare situatie zaten. Toen mijn tweede vader overleed, deed Michels zoveel voor me. Als ik ziek of geblesseerd was, bracht hij me naar de dokter, alles. Maar wat ik dus eigenlijk van hem geleerd heb al die jaren, is dat je gezag ook met humor kunt uitdrukken. Je kunt met humor veel meer van iemand gedaan krijgen dan als je zegt: ik ben de baas, je moet dit en dat doen. Ik was soms tegen, niet om het tegen willen zijn maar omdat ik vond dat hij geen gelijk had. Als Michels te ver ging en ik ging een discussie aan en hij won die discussie, dan ben je véél verder. Ik zie gezag niet als negatief, ik zie het vaak als opvoedend.'

'Sport heeft jou geleerd voor jezelf op te komen. Clubbestuurders wilden jou nog laten tekenen voor drie kisten sinaasappels. Jij was de eerste die zei: "Sorry, maar dat doe ik niet."'

'Ik ben natuurlijk toch een paar jaar zonder vader opgegroeid. Ik zag wat voor moeilijkheden mijn moeder had. Dat vormt je op een bepaalde manier. En als je dan ziet en hoort van dichtbij wat er allemaal gebeurt, ga je je verdedigen. Veel sterker dan als iemand voor je opkomt. Mijn moeder werkte bij Ajax, kleedkamers schoonmaken, hoe kon zij nou wat zeggen tegen de voorzitter, die haar baas was. Dat ging toen nog niet! Dat liep niet zo.'

'Het was ook een beetje de tijdgeest, die van de opstandige jaren zestig.'

'Ook dat. Wij hebben die grote verandering op de een of andere manier veroorzaakt. Dat we extreme vormen van gezag hebben bestreden was prima, maar ik denk dat we doorgeslagen zijn naar de andere kant. In mijn werk had ik zelf bijna altijd met gezag te maken. Dat zijn moeilijke situaties. Als trainer sta je niet op het veld, maar je moet er wel voor zorgen dat degene die op het veld staat goed speelt en hem zonodig terechtwijzen. Want als je achttien, negentien jaar bent, kom je in een irreële wereld terecht wat betreft geld en alles en je zult toch normaal moeten blijven. Want de eerste keer dat je je niet normaal meer gedraagt, als je bijvoorbeeld te veel drinkt of uitgaat of zo, komt weer dat verhaal van dat wekelijkse examen. Doe je het fout, dan sta je zo weer achter in de rij. Als trainer ben je ervoor om dat te voorkomen. Je probeert alle jongens zo goed mogelijk te begeleiden. Hoe beter zij presteren, des te beter het met mij gaat. Dus nogmaals: ik weet niet of je helpt uit sociale of uit egoïstische motieven. Dat doet er ook niet zoveel toe. Als je ziet wat een goeie gasten sommige jongens met wie je hebt gewerkt zijn geworden, is dat hartstikke leuk. Je hebt geholpen bij hun vorming, maar ze hebben zelf ook een beetje die mentaliteit natuurlijk.
Dat is fantastisch om te zien. Als we het over Van Basten gaan hebben, heb je het pas over gezag. De vechtpartijen die ik met hem gehad heb... nou, nou, nou. Als ik ook maar íets zei, hop, dan waren we weer in discussie. Kon je het maar op twee manieren begrijpen, begreep hij het verkeerd. Van Basten is een verschrikkelijk goede denker, hè. En hij was bijdehand, hij stookte de anderen wel op, hij deed zijn bek wel open! Dat is leuk, dat zijn leuke dingen. In diezelfde groep zaten Rijkaard, Koeman, ga zo maar door. Bij Barcelona heb ik dat ook met een man of zeven, acht. Nog steeds belt Stoitchkov op, elke veertien dagen, door de jaren heen. Dat was geen makkelijke, een van de lastigsten. Die kwam nog uit het Oostblok. Moest ik eerst zeggen wat hij moest verdienen want de club wilde hem voor niks hebben. Doe dat nou niet, zei ik, je moet dit en dit vragen. Want ik wist dat hij binnen een maand zou weten wat de rest verdiende en dan had je ruzie. Is eigenlijk ook egoïsme. Als hij vindt dat je hem goed behandeld hebt, doet hij net even beter zijn best dan met de pest in zijn lijf. We hebben allerlei mooie tijden en ook vechtpartijen gehad, maar ik heb met al die jongens nog contact.'

'Is jouw denkvermogen aangescherpt doordat je door het voetbal op een bepaald niveau bent gaan denken?'

'Ik denk het wel. In welke sport je ook zit, je moet er verschrikkelijk over nadenken. Niet écht nadenken, maar intuïtief. Het kost vaak meer moeite om onder woorden te brengen wat je eigenlijk al weet, al gezien hebt. Je weet alleen nog niet waarom. Dus daarom heb je ook veel intuïtieve voetballers. En je hebt voetballers die intuïtief spelen maar daarnaast zijn gaan nadenken. Dat is een extraatje. Ik denk dat het er bij mij altijd in gezeten heeft. Dat gaat automatisch. Het is iets wat je hebt meegekregen.'

'In een team functioneren, leider zijn, met gezag omgaan, voor jezelf opkomen, analytisch denken – topsport vormt mensen.'

'Ja, maar je ziet ook dat sporters die iets gepresteerd hebben en die de mogelijkheid krijgen om daarna rustig iets te gaan doen, allemaal goed terechtkomen. Dat zijn goeie gasten over het algemeen. Maar je hebt ook een grote groep met benen die niet sterk genoeg zijn om de weelde te dragen, of die een beetje gek gemaakt worden door de omstandigheden. Plus een groep, vooral aan de amateurskant, die een beetje in de vergetelheid is geraakt. Op het moment dat de sport afgelopen is en je hebt een gezin, zul je toch moeten eten. Ik bedoel: je hebt geen keus! Vandaar dat we met die school begonnen zijn. Want je ziet dat er zo verschrikkelijk veel kwaliteit doorkomt, dat houd je niet voor mogelijk. Het allerbelangrijkste is 'kwaliteit zonder ego'. Ego in negatieve zin dan, hè. Bij Barcelona bijvoorbeeld zitten gasten in een speciale klas, alleen maar kampioenen. Een van die gasten is de voorzitter van de basketbalclub, die zit daar elke week op school. Als je dát kunt opbrengen... Dat is de hele basis. We hebben daar zestien jongens in die klas. Die moeten zestien maanden studeren, dan hebben ze het allerhoogste diploma, hoger dan dat van de Masters. Perfect. De beste handballer aller tijden, waterpoloërs, schaatsers, basketballers – het hele zootje zit erop. Als je ziet hoeveel kwaliteiten daar zijn, sjonge jonge. Die gasten hebben mogelijkheden, man, ongelofelijk.'

'Een uitspraak van jou: "Discipline en karakter vind ik in zoverre belangrijk als ze op het veld wat opleveren."'

'Het woord discipline is al heel moeilijk. Iedereen geeft er zijn eigen uitleg aan. Discipline is helemaal niet dat je moet luisteren naar wat ik zeg, dat je vroeg naar bed moet. Dat heeft er niets mee te maken. Als het goed gaat in een wedstrijd heb je helemaal geen discipline en tactiek nodig, dat loopt wel. Het gaat pas meespelen als je denkt: hé, de tegenstander is goed, ik moet zorgen voor dit, voor dat, dán pas kom je bij de discipline terecht: de dingen doen die nodig zijn op dat moment. Als het goed gaat doe je je taak automatisch, daarom gaat het ook goed. Maar op het moment dat het niet goed gaat, heeft iedereen de tendens iets te laten zien, tóch te willen opvallen op de een of andere manier. Dat moet je juist niet doen, je moet juist niet opvallen! Je moet alleen doen wat nodig is en laat die ander maar opvallen want de volgende keer ben jij weer aan de beurt.'

'Maar buiten het veld? Had Maradona bijvoorbeeld niet meer discipline aan de dag moeten leggen?'

'Ja, maar goed, als je geen enkele opleiding hebt gehad, volledig verpest bent op alle gebied, veel te veel geld hebt... Vandaag de dag nog: hij doet niets, hij kan niets en dan is-ie alweer trainer van dit of dat. Je kunt iemand wat te eten geven maar je kunt hem beter leren vissen zodat hij dat zelf kan doen. Dat geldt voor hem ook. Hij is altijd opgevangen. En of dat nou door die militaire toestand geweest is, dat ze hem als een excuus hebben gebruikt om de boel maar een beetje stil te houden, of door iets anders! Ik ben het er dus volkomen mee eens dat iemand ook buiten het veld discipline moet hebben. Iemand die geen topsporter is, neem studenten, die mogen tussen hun achttiende en vierentwintigste allemaal gekke dingen doen. Daar word je volwassen van. Die mogen alles doen! En wij hebben én het geld én de mogelijkheden, wij hebben alles. Maar wij mogen het toevallig niet doen, want als je in die periode wat doet, ben je geslacht, hè, dan is het over. Met andere woorden: iedereen heeft het recht in z'n jeugd gekke dingen te doen, maar alleen omdat die sport zo belangrijk is, júist op die leeftijd, mag je die gekke dingen niet doen. En op het moment dat je het wel doet, ben je al bijna afgeschreven. Ben je weg. Bij voetbal gaat het nog wel, want je wordt gewaarschuwd door de trainer of door een oudere speler in je team die zelf al een gezin heeft en die zegt: niet uitgaan, hè, niks flikken, we moeten wel winnen, ik heb ook een gezin. Zo word je beetje bij beetje gevormd. Bij individuele sporten gebeurt dat niet. Dat is vele malen moeilijker. Dat vind ik het mooie, dat de individuele sporter eigenlijk de baas is van zijn eigen trainer. Dat is zo verschrikkelijk leuk als je dat ontleedt, als je dat kunt. Neem tennis: jij bent baas over je fysiotherapeut, jij betaalt hem. Maar als je niet naar hem luistert, krijg je op je sodemieter! Je moet dus niet achterlijk zijn als topsporter. Dat is natuurlijk de meest bizarre situatie die je je maar kunt voorstellen. Als je op dat hoge niveau zit dat je de baas bent maar dat je op je flikker krijgt van je ondergeschikte, dat is zo mooi, man. Dat accepteren, maar ook af en toe de beslissing nemen om iemand weg te sturen als dat moet, dan ben je heel ver in je sport.'

'Jij kwam als eerste sporter op voor je rechten. Je hebt de weg bereid voor sporters na jou.'

'Daar heb ik geen moment bij stilgestaan. Je doet iets, je bent ergens mee bezig en dan komt er een obstakel of wat dan ook, dat los je dan op. Kijk, het bestuur is natuurlijk nooit eerlijk tegenover de speler geweest. Met andere woorden: op een gegeven moment gaat die speler over dat bestuur heen. Daar krijg je dan de kracht voor. Ik heb natuurlijk vaak het woord gevoerd en die knuppel erin gegooid. Het Ajax van mijn tijd was mentaal vrij sterk en ik was degene die er indook. Niet geregisseerd, helemaal niet. Maar je kwam zulke rare dingen tegen. Moest er een contract verlengd worden. Kwam je daar binnen, zat daar een bestuur met allemaal mensen met aanzien en jij bent zestien of zeventien jaar. Wat moet je dan, je sneeuwt onder. Dus op een gegeven moment kwam ik mijn schoonvader (Cor Coster) tegen en die zei: ik ga wel even met je mee. "Wie is dat?," vroegen ze. Ik zeg: "Die komt me helpen." "Maar die mag er helemaal niet in, die mag niet bij die vergadering zijn." "Nou, dan gaan jullie maar lekker onder mekaar vergaderen, want dan ga ik ook weg."
Rond 1974 kregen spelers privécontracten. Was ook zo'n cruciaal moment. Want de KNVB had zijn eigen sponsors en die ging je verplichten hun spullen te dragen. Nou, wij waren met zijn vieren, Piet Keizer en ik van Ajax en Van Hanegem en Israël van Feyenoord. Piet en ik domineerden Ajax en zij Feyenoord, dus je had driekwart van de selectie onder je hoede, die had je mee. Wij zeiden: als jullie reclame maken met je sponsor is dat goed, dan doe je dat maar met jullie shirtje, niet met ons. Wij doen het met een ander shirtje. Die hele periode is baanbrekend geweest, hoor. Dat was vaak hard. Geschorst worden voor je club als je voor het Nederlands elftal speelde, dat soort dingen. Speelden we met Oranje vriendschappelijk. Ik vraag: zijn we verzekerd? Nee, zei die man van de KNVB, jullie hebben dat niet, nee. Ik werk bij de bond, ik heb het wel. Te gek om los te lopen natuurlijk. We hebben veel dingen veranderd maar er waren dan ook een boel misstanden.'

'Als ik zo naar je kijk, zie ik een man die nog steeds met dezelfde passie praat over voetbal en alles wat ermee te maken heeft.'

'Ja, maar het is ook leuk. Ik bedoel: wat is er nou leuker dan met sport bezig zijn, iets wat elk moment verandert, in ontwikkeling is. Nu is er weer de ontwikkeling dat mensen invloed kopen, het spel gebruiken om dingen eromheen te organiseren. Vaak gaat dat ten koste van het spel, de sport zelf, en dat is een van de grote uitdagingen. Door alle dingen die je hebt meegemaakt weet je, over welke club of sport je het ook hebt, dat eigenlijk niemand écht interesse in de sport heeft. Ik bedoel: niemand van de mensen die de leiding hebben. Die hebben wel business management gestudeerd, maar die hebben de ballen verstand van sport. De grootste interesse komt van de sporters zelf. Die cirkel zijn we nu aan het doorbreken met die school. Waarom is er nooit een sporter die leidinggeeft? Omdat ze nooit hebben gestudeerd. Als je dat oplost, krijg je goede bestuursleden die de sport verdedigen in plaats van gebruiken.'

'Dus Beckenbauer vind jij goed?'

'Die doet enorm veel werk voor ons. Als ik vroeger wat had met een of andere directeur van een bedrijf, werd die man gelijk aangekeken door de rest. Als je tegenwoordig als directeur spelers kent is het: hé, ken je die? Kun je niet eens vragen of hij langskomt? Dat is het goede aan Beckenbauer. Die heeft alle stadia van het voetbal doorlopen: gespeeld, clubtrainer geweest, bondscoach, voorzitter. Er zit ook wel een beetje eigenbelang bij, maar in principe heeft hij die hele weg verbreed voor iedereen.'

'Waar geniet jij van als je naar voetbal kijkt?'

'Van alle mogelijkheden die je hebt om iets met een bal te doen. Ten tweede van het ritme waarin iets gebeurt. Als je nadenkt, ben je al te laat. Je moet iets van tevoren zien. Dus het ritme waarin iets gebeurt, de snelheid waarmee een goede speler iets uitvoert, zó snel. Neem weer tennis: komt er een bal met effect met 100 km per uur op je af. Je moet je lichaam instellen, alles inschatten en in een fractie iets doen. Ik weet niet of die tennisser dommer of slimmer is dan iemand die vijf minuten kan nadenken. De toekomst zal het leren.
Als het gaat om techniek kijk ik altijd naar wat ik functionele techniek noem. In zijn tijd had Van Basten die. Romario, Laudrup ook. En Faas Wilkes in zijn tijd. Zo'n fijne techniek, daar geniet ik van. Geen brute techniek, juist dat verfijnde vind ik mooi. Kaka heeft dat. Zo'n fluwelen techniek heeft die jongen, zó iets simpels. Maar het belangrijkste vind ik dat je weet waar de ruimte ligt. Als je het weet, moet je het ook zien. Nou ja, misschien zie je het eerst en weet je het dan, dat is een betere volgorde. En daar dan op een perfecte manier gebruik van maken. Dat vind ik het leukste.'

'Hoe jong wist jij al dat je goed was?'

'Je hebt er geen erg in dat je goed bent. Was je goed in een elftalletje, dan ging je na een paar maanden weer naar een hoger elftal. Was het weer vechten om mee te mogen doen, om maar niet af te vallen. Telkens weer achter aan de rij. Dat is het belangrijkste in de opleiding, dat je iemand niet te vroeg brengt. Ook niet te laat, het ligt vrij gevoelig. Het gaat om het juiste moment. Dat zie je bij alle sporten: je kunt nóg zo snel gaan, niemand leert lopen zonder eerst te kruipen. Je hebt altijd die bepaalde momenten nodig om beter te worden. Je kunt alleen maar beter worden als je tegen een muur op loopt. Je komt iets tegen, dat lukt niet, dan móet je die stap verder. Je gaat nadenken, dit doe je, dat doe je, trainers helpen je, zo leer je lopen. Bij teamsport is het moeilijker voor een trainer om dat proces te sturen. Daar heb je goede trainers voor nodig, want die zien vijf of tien man tegelijk lopen.'

'In teamsport is de trainer belangrijker dan bij individuele sporters?'

'Ik denk het wel. Je hebt met veel mensen te maken. Ten tweede moet hij goed zien: maak ik gebruik van jou, of maak jij gebruik van mij. Leeft een speler bij de gratie van de andere spelers, of niet. Dat is de basis. Help je de rest, of maak je gebruik van de rest. Dat is moeilijk. En daar moet je ook vaak hard in zijn. Want als iemand gebruikmaakt van het elftal en te weinig geeft, gaat ondanks zijn kwaliteiten de kwaliteit van het elftal naar beneden.'

'Ben je de Lieve Heer dankbaar geweest voor al je talent? Vond je dat je daar wat mee moest doen?'

'Nee hoor, je speelt gewoon en op de een of andere manier zie je het. Ik denk niet dat iemand anders mij dat ooit verteld heeft. Ik had dat inzicht gewoon en dan ging ik die ander helpen, met hem praten: zie je dan goddomme niet dat die linksbuiten vrij staat? Ik zei het toch. Dus je hebt het eerst gezegd en daarna ga je erop door, ga je kankeren en zien de mensen: hé, hij scheldt iemand uit. Die weten dus niet waarover het gaat. Maar als ik nu na zoveel jaren zo met die spelers praat, heeft nooit iemand het als een belediging beschouwd. Want het ging op een natuurlijke manier. Dat vind ik dus een van de leukste dingen. Je moet techniek hebben in fysiek opzicht, maar ook bepaalde vormen van inzicht, anders kun je niet op dit niveau mee.'

'Berustte jouw carrière op toeval of op planning?'

'Ik heb nooit op wat voor manier dan ook aan planning gedaan. Maar op een gegeven moment komt er iets op je weg wat je interesseert of waar je toevallig mee bezig bent en dan ga je daarmee door. Maar dat is geen toeval, daar geloof ik niet in. Dingen gebeuren op het juiste moment, niet per ongeluk. Dingen vallen samen in je leven. Ik zeg niet: jongens, nu ga ik eens een maandje zitten nadenken. Dat is me nog nooit gebeurd. Het zijn altijd drie, vier dingen die samenvallen, waardoor je belangstelling wordt gewekt, waardoor je je ergens in verdiept. En dan gaat het lopen. Zo'n Foundation bijvoorbeeld – je denkt toch niet dat ik óóit wakker heb gelegen van de vraag hoe ik dat moest doen? Van de ene stap komt de andere. Lukt het, dan lukt het. Als het niet lukt, dan lukt het niet. Soms kom je ook iemand tegen van wie je denkt: pff, hij heeft precies de oplossing voor me. Dan ben je weer op weg, zijn er mensen die erbij komen. Die komen vanzelf langs. Het is zó gek, op het moment dat je iemand nodig hebt, komt-ie langs, altijd. Er zal boven wel een regisseur zitten die de mensen op de juiste momenten naar je toe stuurt.'

'Je bent altijd positief ingesteld. Die chirurg die jou geholpen heeft met die bypasses zei dat je daarom zo snel herstelde.'

'Dat klopt. Je moet dingen accepteren zoals ze zijn. Als ze zeggen: je moet geopereerd worden anders is het gebeurd, ga je liggen en laat je je opereren. Je hebt toch geen keus. Je kunt moeilijk zeggen: ik doe het niet. Daar word ik niet depressief van, of zo.'

'Voetbal was belangrijk, maar het gezin ging voor.'

'Je hebt altijd een rustpunt nodig, hè. Als je het tempo van de rest aanneemt, ben je natuurlijk helemaal gek. Je moet je ergens kunnen "verschuilen". Ik weet niet hoe ik het zou moeten noemen; als de deur dicht is, is het over. Ik kon me thuis altijd ontspannen, ook na de rotste dag. Ik kwam eigenlijk nooit chagrijnig thuis. Over dingen praten? Kon wel, maar de echte details zijn toch niet op te lossen. Nee, op het moment dat ik binnenstapte, was het over. Winnen of verliezen, het was over. Je moet wel. Scoorde ik bij Barcelona, dan kwamen de kinderen thuis met chocolaatjes die ze hadden gekregen. Had je twee kansen gemist, dan was het: klootzak van een vader en geen chocolaatjes. Maar ik probeerde de kinderen duidelijk te maken: als ik win, kom ik je van school ophalen maar als ik verlies ook. Er zit geen verschil tussen, ik ben je vader en voor de rest niets. Als wij onder elkaar thuis zijn, dan ben je gewoon de vader van je kinderen. Het heeft er niets mee te maken of je voetbalt, tennist of de was buiten hangt.'

'Kinderen en kleinkinderen raken je in het hart.'

'Ja, daar ben je mee bezig. Je probeert dat te doen waar je voor bent. Als je kleinkinderen hebt, hoef je die niet op te voeden. Daar heb je die ouders weer voor. Maar als er iets is, moet je wel het rustpunt kunnen zijn. Dat ze bij je kunnen komen, klagen over weet ik veel wat.'

'Klein hartje, Johan?'

'Ik denk dat iedereen dat heeft, in principe wel. Je moet altijd openstaan voor de ander, dat verwacht je van die ander ook. Anders haal je het ook niet. Je kunt het een jaar halen, twee jaar, maar dan is het gebeurd.'

'Kon voetbal jou ontroeren?'

'Nou ja, ik heb altijd emotioneel gespeeld. Maar ik kreeg niet de tranen in mijn ogen, of zo.'

'En bij je afscheid van Barcelona, toen de spelers een cirkel om je heen maakten?'

'Jawel, toen was ik ook weer ouder. Oké, hier gebeurt iets. Je bent zoveel jaar met elkaar geweest en als dan zo'n heel stadion opstaat, een ovatie geeft, met álle betrokken mensen erbij... en daar was ik er één van. Ik was wel het middelpunt, maar het was een wedstrijd van ons allemaal... en ik denk dat iedereen ontroerd is geweest, welke speler dan ook.'

'En de Wedstrijd van de Eeuw?'

'Dat was hetzelfde. Wat is er mooier voor mensen dan dat je een Faas Wilkes zo het veld op ziet komen. Het was ongelooflijk. De emoties die loskomen, jongens die je weer gezien hebt. Robbie de Wit met die hersenbloeding, dat je ziet dat hij op dat moment weer helemaal opbloeit. En met hoeveel waren we? Met een man of veertig. Zóveel miljoenen mensen beziggehouden met z'n veertigen. Hartstikke mooi.'

'In En Un Momento Dado *noemt een oudere man jou "de verlosser".'*

'Ja, zulke mensen hebben dus ergens tegen gevochten. Terecht, onterecht, niet zo belangrijk. Een van de belangrijkste dingen in het leven is dus als je jouw taal niet kunt spreken en dat gebeurde bij die Catalanen. Díe emotie kun je je voorstellen. Dat is iets exceptioneels. Je bent dankbaar dat je wat hebt mogen betekenen voor die mensen. Al heb je daar in het begin helemaal geen erg in. Je bent lekker aan het voetballen en voor de rest... Totdat je in die gemeenschap dichterbij komt, mensen je dingen gaan uitleggen. Dat je daar affiniteit voor hebt, hun problemen ziet. Je hebt soms ook beetje geluk nodig. Dan wordt het een wisselwerking wat opgesloten kan liggen in één woordje. Dat heb ik ook een paar keer gehad. Toen die Franco overleed, kwam er een Catalaanse president terug die als balling in Frankrijk had geleefd, Taradellas. Vroegen ze: ken je Taradellas? Nou heb je in het Spaans één woord met twee betekenissen. *Pueblo* is "de mensen", maar ook "een dorp". Ik zeg: ja, dat is een dorp verderop. Maar die gasten vertaalden dat als "de president is de man van het volk". Ik zeg: stom van mij. Stom, stom? Dit is het mooiste wat je kon zeggen.'

'Hoe is het om Johan Cruijff te zijn, iemand die de hele wereld kent?'

'Daar moet je niet aan denken, anders zou je waarschijnlijk op een heleboel manieren in de war raken. Je weet dat het zo is, dus aan de ene kant maak je er gebruik van, maar aan de andere kant onttrek je je er ook weer aan.'

'Maar je moet het altijd waarmaken, altijd wat goeds zeggen.'

'Zo zie ik dat helemaal niet. Je zegt niets of je zegt wat je denkt. Vinden ze het leuk, dan vinden ze het leuk.'

'Nooit eenzaam geweest aan de top? Nooit het voetbal vervloekt?'

'Vervloekt niet, maar je weet: als een vracht mensen kritiek op je wil hebben, is een stok om te slaan snel gevonden. Nou, ze doen maar. Eenzaam ben ik nooit geweest. Je weet dat je af en toe het mikpunt bent want het is makkelijk om tegen iemand aan te schoppen. Maar goed, dat weet je, dat kun je voorkomen door niet te veel te lezen. En je helemáál niet druk te maken over dingen die mensen schrijven. Hoeveel van de mensen die schrijven over sport of over voetbal hebben er nou echt verstand van? Heel weinig, dus waarom zou ik me daar druk over maken.'

'Vind je het erg om ouder te worden?'

'Nee hoor.'

'Maar je hebt hier (Olympisch Stadion) ooit eens als jonge god over het veld gelopen.'

'Jawel, maar jeetje, ik heb het dus tot het einde volgehouden, tot de laatste snik kun je wel zeggen.'

'Doe je nog wat aan je lichaam?'

'Niet veel. Maar gelukkig is het niet echt nodig. Ten eerste heb ik het voordeel dat ik na die hartoperatie vaak gecontroleerd word. Dus eigenlijk loop je al onder controle. Is er een foutje, dan weet je het meteen. Je merkt het zelf als je met weer en wind wilt gaan skiën en je denkt: Jezus, ik heb geen spieren; dan weet je dat je wat moet gaan doen.'

'Wat doe je dan?'

'Er zijn tegenwoordig natuurlijk veel manieren. Ik heb bijvoorbeeld thuis zo'n *powerplate*. Daar ga je dan op staan.'

'Lekker gemakzuchtig.'

'Maar dat ben ik altijd geweest, hè! Je hebt mij nooit horen zeggen: hé, zullen we nog even wat extra gaan trainen? Leuk voetballen wel!'

'Je blijft dus bewegen "tot de laatste snik". Maar dan? Stel dat er in de hemel geen bal is?'

'Die bal, die komt er...'

Verantwoording

De citaten op bladzijde 6 zijn afkomstig uit dagblad *De Telegraaf*.

De foto's in het fotokatern zijn van:

Martin de Jong (1)
Soenar Chamid (2, 3, 4, 5, 10, 12, 13)
Leo Vogelzang (6, 7)
Pics United (8, 9, 14, 15, 16, 19, 20)
Mathilde Dusol (11)
Lucia Rijker (17, 18)

De uitgever heeft ernaar gestreefd de rechten van derden zo goed mogelijk te regelen. Degenen die desondanks menen zekere rechten te kunnen doen gelden, kunnen zich tot de uitgever wenden.

Theo Reitsma

Lucia

Million Dollar Babe

ISBN 90 4390 768 5

'Lady Ali', 'The Dutch Destroyer' en 'Queen of Lightning' zijn bijnamen van 's werelds gevaarlijkste vrouwelijke vechter: Lucia Rijker. Maar Lucia is niet alleen een keiharde sportvrouw. Ze is ook een spiritueel ingestelde vrouw, die op zoek is naar zichzelf en daarbij inspiratie vindt in het boeddhisme.
In dit boek praat Lucia openhartig over het opgroeien als jong sporttalent, de relatie tussen trainer en pupil, het najagen van haar droom in Amerika en de strijd om zich als vrouw staande te houden in een mannenwereld. Ook de gebeurtenissen rondom het 'Million Dollar Lady'-gevecht, dat ze in juli 2005 zou voeren tegen Christy Martin, komen uitgebreid aan bod. Ze vertelt over de voorbereiding op dit grootste gevecht voor vrouwelijke boksers ooit en over de blessure die het haar onmogelijk maakte de ring in te gaan.
Lucia is een persoonlijk portret van een vrouw die tegenslag omzet in slagkracht.

Lucia Rijker (1967) begon op haar veertiende met kickboksen en won daarin vier wereldtitels. In 1995 maakte ze haar debuut in de bokswereld. Sindsdien is ze ongeslagen professioneel bokster en werd ze tweemaal wereldkampioen.
Naast haar bokscarrière speelde Lucia Rijker ook in een aantal films, waaronder de oscarwinnende film *Million Dollar Baby* met Clint Eastwood en Hilary Swank. In Nederland is ze eveneens bekend van het tv-programma *Veronica's Fight Master.*

Theo Reitsma (1942) werkte na tien jaar dagbladjournalistiek 32 jaar als redacteur en commentator bij NOS Studio Sport. Hij was van 1972 tot 2002 onder meer actief bij de Olympische Spelen en de wereldkampioenschappen voetbal. In 2004 werd hij voor zijn totale werk onderscheiden met de Nipkow-schijf.